KB178195

노래로 배우는
한국어 1

français(프랑스어)
traduction(번역판)

• 노래 (nom) : chant, chanson
Musique composée sur des paroles écrites en vers ; fait de chanter une telle musique à haute voix.

• 로 : par, à
Particule indiquant la méthode ou la manière de faire quelque chose.

• 배우다 (verbe) : apprendre, étudier, s'initer à, s'instruire
Acquérir une nouvelle connaissance.

• -는 : Pas d'expression équivalente
Terminaison attribuant la fonction de déterminant à la proposition précédente, et pour indiquer que la situation ou l'action en question se réalise au présent.

• 한국어 (nom) : coréen, langue coréenne
Langue utilisée en Corée.

※ 이 책의 폰트는 '함초롬 바탕체'를 사용하였습니다.

< 저자(auteur) >

㈜한글2119연구소

· 연구개발전담부서

· ISO 9001 : 품질경영시스템 인증

· ISO 14001 : 환경경영시스템 인증

· 이메일(email) : gjh0675@naver.com

< 동영상(vidéo) 자료(matériaux) >

HANPUK_français(traduction)
https://www.youtube.com/@HANPUK_French

제 2024153361 호

연구개발전담부서 인정서

1. 전담부서명: 연구개발전담부서

   [소속기업명: (주)한글2119연구소]

2. 소　재　지: 인천광역시 부평구 마장로264번길 33
   상가동 제지하층 제2호 (산곡동, 뉴서울아파트)

3. 신고 연월일: 2024년 05월 02일

과학기술정보통신부

「기초연구진흥 및 기술개발지원에 관한 법률」 제14조의
2제1항 및 같은 법 시행령 제27조제1항에 따라 위와 같이
기업의 연구개발전담부서로 인정합니다.

2024년 5월 13일

한국산업기술진흥협회장

G-CERTI *certificate*

hereby certifies that

Hangul 2119 Research Institute Co., Ltd.

Rm. 2, Lower level, Sangga-dong, 33, Majang-ro 264beon-gil, Bupyeong-gu, Incheon, Korea

meets the Standard Requirements & Scope as following

ISO 9001:2015
Quality Management Systems

Creation of Media Content, Publication of Korean Paper and Electronic Textbooks, Production and Release of Albums for Korean Language Education

Certificate No: GIS-6934-QC   Code   : 08, 39
Initial Date   : 2024-05-21   Issue Date   : 2024-05-21
Expiry Date   : 2027-05-20   Valid Period   : 2024-05-21 ~ 2027-05-20

Signed for and on behalf of GCERTI
President I. K Cho

G-CERTI *Certificate*

hereby certifies that

Hangul 2119 Research Institute Co., Ltd.

Rm. 2, Lower level, Sangga-dong, 33, Majang-ro 264beon-gil,
Bupyeong-gu, Incheon, Korea

meets the Standard Requirements & Scope as following

ISO 14001:2015
Environmental Management Systems

**Creation of Media Content, Publication
of Korean Paper and Electronic Textbooks, Production and
Release of Albums for Korean Language Education**

Certificate No: GIS-6934-EC	Code : 08, 39
Initial Date : 2024-05-21	Issue Date : 2024-05-21
Expiry Date : 2027-05-20	Valid Period : 2024-05-21 ~ 2027-05-20

Signed for and on behalf of GCERTI
President I.K.Cho

< 목차(table des matières) >

< 1 >

한글송

한글(alphabet coréen)
송(chant)

[발음(prononciation)]

< 전주(prélude) >

바 빠 파 다 따 타 가 까 카 자 짜 차 사 싸 하 마 나 아 라
바 빠 파 다 따 타 가 까 카 자 짜 차 사 싸 하 마 나 아 라
ba ppa pa da tta ta ga kka ka ja jja cha sa ssa ha ma na a ra

자음 열아홉 개 소리
자음 여라홉 개 소리
jaeum yeorahop gae sori

아 어 오 우 으 이 애 에 외 위 야 여 요 유 얘 예 와 워 왜 웨 의
아 어 오 우 으 이 애 에 외 위 야 여 요 유 얘 예 와 워 왜 웨 의
a eo o u eu i ae e oe wi ya yeo yo yu yae ye wa wo wae we ui

모음 스물한 개 소리
모음 스물한 개 소리
moeum seumulhan gae sori

< 1 절(couplet) >

다 같이 말해 봐
다 가치 말해 봐
da gachi malhae bwa

아설순치후
아설순치후
aseolsunchihu

다 함께 불러 봐
다 함께 불러 봐
da hamkke bulleo bwa

아설순치후
아설순치후
aseolsunchihu

우리 모두 느껴 봐
우리 모두 느껴 봐
uri modu neukkyeo bwa

발음 기관을 본뜬
바름 기과늘 본뜬
bareum gigwaneul bontteun

기역, 니은, 미음, 시옷, 이응
기역, 니은, 미음, 시옫, 이응
giyeok, nieun, mieum, siot, ieung

다섯 글자
다섣 글짜
daseot geulja

세상의 모든 소리를 들어 봐
세상에 모든 소리를 드러 봐
sesange modeun sorireul deureo bwa

또 하고 싶은 말을 다 외쳐 봐
또 하고 시픈 마를 다 외쳐 봐
tto hago sipeun mareul da oecheo bwa

신비로운 사연
신비로운 사연
sinbiroun sayeon

감추었던 비밀
감추얻떤 비밀
gamchueotdeon bimil

진실을 전해 줘
진시를 전해 줘
jinsireul jeonhae jwo

< 후렴(refrain) >

아 야 어 여 오 요 우 유 으 이
아 야 어 여 오 요 우 유 으 이
a ya eo yeo o yo u yu eu i

가 나 다 라 마 바 사 아 자 차 카 타 파 하
가 나 다 라 마 바 사 아 자 차 카 타 파 하
ga na da ra ma ba sa a ja cha ka ta pa ha

이제부터 들려 줘 너의 마음을
이제부터 들려 줘 너에 마으믈
ijebuteo deullyeo jwo neoe maeumeul

지금부터 전해 줘 너의 사랑을
지금부터 전해 줘 너에 사랑을
jigeumbuteo jeonhae jwo neoe sarangeul

아 야 어 여 오 요 우 유 으 이
아 야 어 여 오 요 우 유 으 이
a ya eo yeo o yo u yu eu i

가 나 다 라 마 바 사 아 자 차 카 타 파 하
가 나 다 라 마 바 사 아 자 차 카 타 파 하
ga na da ra ma ba sa a ja cha ka ta pa ha

모음 스물하나에 자음 열아홉을 더해
모음 스물하나에 자음 여라호블 더해
moeum seumulhanae jaeum yeorahobeul deohae

마흔 가지 소리로 세상을 느껴 봐
마흔 가지 소리로 세상을 느껴 봐
maheun gaji soriro sesangeul neukkyeo bwa

< 2 절(couplet) >

하늘과 땅이 만나 ㅗ, ㅜ
하늘과 땅이 만나 ㅗ, ㅜ
haneulgwa ttangi manna o, u

사람과 만난다면 ㅏ, ㅓ
사람과 만난다면 ㅏ, ㅓ
saramgwa mannandamyeon a, eo

하루면은 충분해
하루며는 충분해
harumyeoneun chungbunhae

하늘, 땅, 사람을 본뜬
하늘, 땅, 사라믈 본뜬
haneul, ttang, sarameul bontteun

아 어 오 우 야 여 요 유 으 이
아 어 오 우 야 여 요 유 으 이
a eo o u ya yeo yo yu eu i

열 글자
열 글짜
yeol geulja

세상의 모든 소리를 들어 봐
세상에 모든 소리를 드러 봐
sesange modeun sorireul deureo bwa

또 하고 싶은 말을 다 외쳐 봐
또 하고 시픈 마를 다 외처 봐
tto hago sipeun mareul da oecheo bwa

신비로운 사연
신비로운 사연
sinbiroun sayeon

감추었던 비밀
감추얻떤 비밀
gamchueotdeon bimil

진실을 전해 줘
진시를 전해 줘
jinsireul jeonhae jwo

< 후렴(refrain) >

아 어 오 우 야 여 요 유 으 이
아 어 오 우 야 여 요 유 으 이
a eo o u ya yeo yo yu eu i

가 나 다 라 마 바 사 아 자 차 카 타 파 하
가 나 다 라 마 바 사 아 자 차 카 타 파 하
ga na da ra ma ba sa a ja cha ka ta pa ha

이제부터 들려 줘 너의 마음을
이제부터 들려 줘 너에 마으믈
ijebuteo deullyeo jwo neoe maeumeul

지금부터 전해 줘 너의 사랑을
지금부터 전해 줘 너에 사랑을
jigeumbuteo jeonhae jwo neoe sarangeul

아 어 오 우 야 여 요 유 으 이
아 어 오 우 야 여 요 유 으 이
a eo o u ya yeo yo yu eu i

가 나 다 라 마 바 사 아 자 차 카 타 파 하
가 나 다 라 마 바 사 아 자 차 카 타 파 하
ga na da ra ma ba sa a ja cha ka ta pa ha

모음 스물하나에 자음 열아홉을 더해

모음 스물하나에 자음 여라호블 더해

moeum seumulhanae jaeum yeorahobeul deohae

마흔 가지 소리로 세상을 느껴 봐

마흔 가지 소리로 세상을 느껴 봐

maheun gaji soriro sesangeul neukkyeo bwa

들려 줘요

들려 줘요

deullyeo jwoyo

이 소리 들리나요.

이 소리 들리나요.

i sori deullinayo.

달콤하게, 부드럽게 우리 모두 말해 봐요.

달콤하게, 부드럽께 우리 모두 말해 봐요.

dalkomhage, budeureopge uri modu malhae bwayo.

< 전주(prélude) >

바 빠 파 다 따 타 가 까 카 자 짜 차 사 싸 하 마 나 아 라

ㅂ : 한글 자모의 여섯째 글자. 이름은 '비읍'으로, 소리를 낼 때의 입술 모양은 'ㅁ'과 같지만 더 세게 발음되므로 'ㅁ'에 획을 더해서 만든 글자이다.

Pas d'expression équivalente

Sixième lettre de l'alphabet coréen, appelée "bieup". Lorsqu'on la prononce, la forme des lèvres est similaire à celle de 'ㅁ' mais le son est plus fort, et donc la lettre contient un trait de plus.

ㅃ : 한글 자모 'ㅂ'을 겹쳐 쓴 글자. 이름은 쌍비읍으로, 'ㅂ'의 된소리이다.

Pas d'expression équivalente

Lettre de l'alphabet coréen composée de deux 'ㅂ', appelée « ssang bieup », donnant un son plus fort que le 'ㅂ' simple.

ㅍ : 한글 자모의 열셋째 글자. 이름은 '피읖'으로, 'ㅁ, ㅂ'보다 소리가 거세게 나므로 'ㅁ'에 획을 더하여 만든 글자이다.

Pas d'expression équivalente

Treizième lettre de l'alphabet coréen, appelée « phieup ». Lorsqu'on la prononce, la forme des lèvres est similaire à celle de 'ㅁ, ㅂ' mais le son est plus intense, donc la lettre contient plus de traits que 'ㅁ'.

ㄷ : 한글 자모의 셋째 글자. 이름은 '디귿'으로, 소리를 낼 때 혀의 모습은 'ㄴ'과 같지만 더 세게 발음되므로 한 획을 더해 만든 글자이다.

Pas d'expression équivalente

Troisième lettre de l'alphabet coréen, appelée « digeut » et créée en ajoutant un trait à la lettre 'ㄴ', car la forme de la langue au moment de la prononciation est la même que pour cette dernière, mais avec un son plus fort.

ㄸ : 한글 자모 'ㄷ'을 겹쳐 쓴 글자. 이름은 쌍디귿으로, 'ㄷ'의 된소리이다.

Pas d'expression équivalente

Lettre de l'alphabet coréen composée de deux 'ㄷ', appelée « ssangdigeut », donnant un son plus fort que le 'ㄷ' simple.

ㅌ : 한글 자모의 열두째 글자. 이름은 '티읕'으로, 'ㄷ'보다 소리가 거세게 나므로 'ㄷ'에 한 획을 더하여 만든 글자이다.

Pas d'expression équivalente

Douzième lettre de l'alphabet coréen, appelée « tieut ». Lorsqu'on la prononce, la forme des lèvres est similaire à celle de 'ㄷ' mais le son est plus intense, donc la lettre contient un trait de plus.

ㄱ : 한글 자모의 첫째 글자. 이름은 기역으로 소리를 낼 때 혀뿌리가 목구멍을 막는 모양을 본떠 만든 글자이다.

Pas d'expression équivalente

Première lettre de l'alphabet coréen, appelée « giyeok », imitant la forme de la racine de la langue au moment où elle est bloquée dans la gorge à la prononciation.

ㄲ : 한글 자모 'ㄱ'을 겹쳐 쓴 글자. 이름은 쌍기역으로, 'ㄱ'의 된소리이다.

Pas d'expression équivalente

Lettre de l'alphabet coréen composée de deux 'ㄱ', appelée « ssang giyeok », donnant un son plus fort que le 'ㄱ' simple.

ㅋ : 한글 자모의 열한째 글자. 이름은 '키읔'으로 'ㄱ'보다 소리가 거세게 나므로 'ㄱ'에 한 획을 더하여 만든 글자이다.

Pas d'expression équivalente

Onzième lettre de l'alphabet coréen, appelée « khieuk ». Lorsqu'on la prononce, la forme des lèvres est similaire à celle de 'ㄱ' mais le son est plus intense, donc la lettre contient un trait de plus.

ㅈ : 한글 자모의 아홉째 글자. 이름은 '지읒'으로, 'ㅅ'보다 소리가 더 세게 나므로 'ㅅ'에 한 획을 더해 만든 글자이다.

Pas d'expression équivalente

Neuvième lettre de l'alphabet coréen, appelée « jieut », élaborée en ajoutant un trait à la lettre « siot» ('ㅅ') du fait qu'elle produit un son plus fort que cette dernière.

ㅉ : 한글 자모 'ㅈ'을 겹쳐 쓴 글자. 이름은 쌍지읒으로, 'ㅈ'의 된소리이다.

Pas d'expression équivalente

Lettre de l'alphabet coréen composée de deux 'ㅈ', produisant un son plus intense que celui-ci et appelé « ssang jieut ».

ㅊ : 한글 자모의 열째 글자. 이름은 '치읓'으로 '지읒'보다 소리가 거세게 나므로 '지읒'에 한 획을 더해서 만든 글자이다.

Pas d'expression équivalente

Dixième lettre de l'alphabet coréen, appelée « chieut ». Lorsqu'on la prononce, la forme des lèvres est similaire à celle de 'ㅈ' mais le son est plus intense, donc la lettre contient un trait de plus.

ㅅ : 한글 자모의 일곱째 글자. 이름은 '시옷'으로 이의 모양을 본떠서 만든 글자이다.

Pas d'expression équivalente

Septième lettre de l'alphabet coréen, appelée « siot », imitant la forme des dents.

ㅆ : 한글 자모 'ㅅ'을 겹쳐 쓴 글자. 이름은 쌍시옷으로, 'ㅅ'의 된소리이다.

Pas d'expression équivalente

Lettre de l'alphabet coréen composée de deux 'ㅅ', produisant un son plus fort que celui-ci et appelé « ssang siot ».

ㅎ : 한글 자모의 열넷째 글자. 이름은 '히읗'으로, 이 글자의 소리는 목청에서 나므로 목구멍을 본떠 만든 'ㅇ'의 경우와 같지만 'ㅇ'보다 더 세게 나므로 'ㅇ'에 획을 더하여 만든 글자이다.

Pas d'expression équivalente

Quatorzième lettre de l'alphabet coréen, appelée « hieut ». Lorsqu'on la prononce, la forme de la gorge est similaire à celle de 'ㅇ' mais le son est plus intense, donc la lettre contient un trait de plus.

ㅁ : 한글 자모의 다섯째 글자. 이름은 '미음'으로, 소리를 낼 때 다물어지는 두 입술 모양을 본떠서 만든 글자이다.

Pas d'expression équivalente

Cinquième lettre de l'alphabet coréen, appelée « mieum », imitant la forme des lèvres qui se ferment quand on la prononce.

ㄴ : 한글 자모의 둘째 글자. 이름은 '니은'으로 소리를 낼 때 혀끝이 윗잇몸에 붙는 모양을 본떠 만든 글자이다.

Pas d'expression équivalente

Deuxième lettre de l'alphabet coréen, appelée « nieun », imitant la forme de la langue au moment où elle touche la gencive supérieure.

ㅇ : 한글 자모의 여덟째 글자. 이름은 '이응'으로 목구멍의 모양을 본떠서 만든 글자이다. 초성으로 쓰일 때 소리가 없다.

Pas d'expression équivalente

Huitième lettre de l'alphabet coréen, appelée « ieung » et imitant la forme d'une gorge. C'est un son muet lorsqu'elle est utilisée comme son consonantique initial.

ㄹ : 한글 자모의 넷째 글자. 이름은 '리을'로 혀끝을 윗잇몸에 가볍게 대었다가 떼면서 내는 소리를 나타 낸다.

Pas d'expression équivalente

Quatrième lettre de l'alphabet coréen, appelée « lieul », dont le son se produit quand le bout de la langue touche légèrement la gencive supérieure et s'en sépare.

자음 열아홉 개 소리

자음 (nom) : 목, 입, 혀 등의 발음 기관에 의해 장애를 받으며 나는 소리.

consonne

Son produit lorsque l'air est gêné ou bloqué par un organe vocal tel que la gorge, la bouche et la langue.

열아홉 : 19

개 (nom) : 낱으로 떨어진 물건을 세는 단위.

Pas d'expression équivalente

Nom dépendant, quantificateur d'objets séparés en unités distinctes.

소리 (nom) : 물체가 진동하여 생긴 음파가 귀에 들리는 것.

son, bruit, éclat, ton

Onde sonore provoquée par la vibration d'un corps et perçue par l'ouïe.

아 어 오 우 으 이 애 에 외 위 야 여 요 유 얘 예 와 워 왜 웨 의

ㅏ : 한글 자모의 열다섯째 글자. 이름은 '아'이고 중성으로 쓴다.

Pas d'expression équivalente

Quinzième lettre de l'alphabet coréen, appelée « a » et en position intermédiaire à l'écrit dans une syllabe.

ㅓ : 한글 자모의 열일곱째 글자. 이름은 '어'이고 중성으로 쓴다.

Pas d'expression équivalente

Dix-septième lettre de l'alphabet coréen, appelée « eo » et en position intermédiaire à l'écrit dans une syllabe.

ㅗ : 한글 자모의 열아홉째 글자. 이름은 '오'이고 중성으로 쓴다.

Pas d'expression équivalente

Dix-neuvième lettre de l'alphabet coréen, appelée « o » et en position intermédiaire à l'écrit dans une syllabe.

ㅜ : 한글 자모의 스물한째 글자. 이름은 '우'이고 중성으로 쓴다.

Pas d'expression équivalente

Vingt-et-unième lettre de l'alphabet coréen, appelée « u » et en position intermédiaire à l'écrit dans une syllabe.

ㅡ : 한글 자모의 스물셋째 글자. 이름은 '으'이고 중성으로 쓴다.

Pas d'expression équivalente

Vingt-troisième lettre de l'alphabet coréen, appelée « eu » et en position intermédiaire à l'écrit dans une syllabe.

ㅣ : 한글 자모의 스물넷째 글자. 이름은 '이'이고 중성으로 쓴다.

Pas d'expression équivalente

Vingt-quatrième lettre de l'alphabet coréen, appelée « i » et en position intermédiaire à l'écrit dans une syllabe.

ㅐ : 한글 자모 'ㅏ'와 'ㅣ'를 모아 쓴 글자. 이름은 '애'이고 중성으로 쓴다.

Pas d'expression équivalente

Combinaison des lettres 'ㅏ' et 'ㅣ' de l'alphabet coréen, appelée « ae » et en position intermédiaire à l'écrit dans une syllabe.

ㅔ : 한글 자모 'ㅓ'와 'ㅣ'를 모아 쓴 글자. 이름은 '에'이고 중성으로 쓴다.
Pas d'expression équivalente
Combinaison des lettres 'ㅓ' et 'ㅣ' de l'alphabet coréen, appelée « e » et en position intermédiaire à l'écrit dans une syllabe.

ㅚ : 한글 자모 'ㅗ'와 'ㅣ'를 모아 쓴 글자. 이름은 '외'이고 중성으로 쓴다.
Pas d'expression équivalente
Combinaison des lettres 'ㅗ' et 'ㅣ' de l'alphabet coréen, appelée « we » et en position intermédiaire à l'écrit dans une syllabe.

ㅟ : 한글 자모 'ㅜ'와 'ㅣ'를 모아 쓴 글자. 이름은 '위'이고 중성으로 쓴다.
Pas d'expression équivalente
Combinaison des lettres 'ㅜ' et 'ㅣ' de l'alphabet coréen, appelée « wi » et en position intermédiaire à l'écrit dans une syllabe.

ㅑ : 한글 자모의 열여섯째 글자. 이름은 '야'이고 중성으로 쓴다.
Pas d'expression équivalente
Seizième lettre de l'alphabet coréen, appelée « ya » et en position intermédiaire à l'écrit dans une syllabe.

ㅕ : 한글 자모의 열여덟째 글자. 이름은 '여'이고 중성으로 쓴다.
Pas d'expression équivalente
Dix-huitième lettre de l'alphabet coréen, appelée « yeo » et en position intermédiaire à l'écrit dans une syllabe.

ㅛ : 한글 자모의 스무째 글자. 이름은 '요'이고 중성으로 쓴다.
Pas d'expression équivalente
Vingtième lettre de l'alphabet coréen, appelée « yo » et en position intermédiaire à l'écrit dans une syllabe.

ㅠ : 한글 자모의 스물두째 글자. 이름은 '유'이고 중성으로 쓴다.
Pas d'expression équivalente
Vingt-deuxième lettre de l'alphabet coréen, appelée « yu » et en position intermédiaire à l'écrit dans une syllabe.

ㅒ : 한글 자모 'ㅑ'와 'ㅣ'를 모아 쓴 글자. 이름은 '얘'이고 중성으로 쓴다.
Pas d'expression équivalente
Combinaison des lettres 'ㅑ' et 'ㅣ' de l'alphabet coréen, appelée « yae » et en position intermédiaire à l'écrit dans une syllabe.

ㅖ : 한글 자모 'ㅕ'와 'ㅣ'를 모아 쓴 글자. 이름은 '예'이고 중성으로 쓴다.
Pas d'expression équivalente
Combinaison des lettres 'ㅕ' et 'ㅣ' de l'alphabet coréen, appelée « ye » et en position intermédiaire à l'écrit dans une syllabe.

ㅘ : 한글 자모 'ㅗ'와 'ㅏ'를 모아 쓴 글자. 이름은 '와'이고 중성으로 쓴다.
Pas d'expression équivalente
Combinaison des lettres 'ㅗ' et 'ㅏ' de l'alphabet coréen, appelée « wa » et en position intermédiaire à l'écrit dans une syllabe.

ㅝ : 한글 자모 'ㅜ'와 'ㅓ'를 모아 쓴 글자. 이름은 '워'이고 중성으로 쓴다.
Pas d'expression équivalente
Combinaison des lettres 'ㅜ' et 'ㅓ' de l'alphabet coréen, appelée « woe » et en position intermédiaire à l'écrit dans une syllabe.

ㅙ : 한글 자모 'ㅗ'와 'ㅐ'를 모아 쓴 글자. 이름은 '왜'이고 중성으로 쓴다.
Pas d'expression équivalente
Combinaison des lettres 'ㅗ' et 'ㅐ' de l'alphabet coréen, appelée « wae » et en position intermédiaire à l'écrit dans une syllabe.

ㅞ : 한글 자모 'ㅜ'와 'ㅔ'를 모아 쓴 글자. 이름은 '웨'이고 중성으로 쓴다.
Pas d'expression équivalente
Combinaison des lettres 'ㅜ' et 'ㅔ' de l'alphabet coréen, appelée « we » et en position intermédiaire à l'écrit dans une syllabe.

ㅢ : 한글 자모 'ㅡ'와 'ㅣ'를 모아 쓴 글자. 이름은 '의'이고 중성으로 쓴다.
Pas d'expression équivalente
Combinaison des lettres 'ㅡ' et 'ㅣ' de l'alphabet coréen, appelée « eui » et en position intermédiaire à l'écrit dans une syllabe.

모음 스물한 개 소리

모음 (nom) : 사람이 목청을 울려 내는 소리로, 공기의 흐름이 방해를 받지 않고 나는 소리.
voyelle
Chez l'homme, son résultant de la vibration des cordes vocales sous l'effet du libre écoulement du flux d'air expiré.

스물한 : 21

개 (nom) : 낱으로 떨어진 물건을 세는 단위.
Pas d'expression équivalente
Nom dépendant, quantificateur d'objets séparés en unités distinctes.

소리 (nom) : 물체가 진동하여 생긴 음파가 귀에 들리는 것.
son, bruit, éclat, ton
Onde sonore provoquée par la vibration d'un corps et perçue par l'ouïe.

< 1 절(couplet) >

다 같이 말하+[여 보]+아.

말해 봐

다 (adverbe) : 남거나 빠진 것이 없이 모두.
tout, toute, tous, toutes, complètement, parfaitement, vraiment, même, dans son intégralité
Tout sans que rien ne reste ou ne soit ôté.

같이 (adverbe) : 둘 이상이 함께.
ensemble
Avec deux ou plusieurs personnes.

말하다 (verbe) : 어떤 사실이나 자신의 생각 또는 느낌을 말로 나타내다.
parler, dire
Exprimer oralement un fait, sa pensée ou ses sentiments.

-여 보다 : 앞의 말이 나타내는 행동을 시험 삼아 함을 나타내는 표현.
Pas d'expression équivalente
Expression indiquant le fait d'essayer d'effectuer une action exprimée par les propos précédents.

-아 : (두루낮춤으로) 어떤 사실을 서술하거나 물음, 명령, 권유를 나타내는 종결 어미.
Pas d'expression équivalente
(forme non honorifique non formelle) Terminaison finale pour décrire un fait ou pour indiquer une question, un ordre, ou une recommandation. <ordre>

아설순치후

아 → 어금니 (nom) : 송곳니의 안쪽에 있는 크고 가운데가 오목한 이.
molaire
Grande dent dont le milieu est concave et située derrière les canines.

설 → 혀 (nom) : 사람이나 동물의 입 안 아래쪽에 있는 길고 붉은 살덩어리.
langue
Masse de chair longue et rouge située à l'intérieur de la bouche humaine ou animale.

순 → **입술 (nom)** : 사람의 입 주위를 둘러싸고 있는 붉고 부드러운 살.
lèvre
Chair rouge et douce entourant la bouche des êtres humains.

치 → **이 (nom)** : 사람이나 동물의 입 안에 있으며 무엇을 물거나 음식물을 씹는 일을 하는 기관.
dent, dentition, denture, croc, canine, défense
Organe situé dans la bouche des êtres humains ou des animaux et utilisé pour mordre dans quelque chose ou ou pour mâcher les aliments.

후 → **목구멍 (nom)** : 목 안쪽에서 몸속으로 나 있는 깊숙한 구멍.
gorge, gosier
Trou profond qui s'étend de l'intérieur du cou à l'intérieur du corps.

다 함께 <u>부르(불ㄹ)+[어 보]+아</u>.
불러 봐

다 (adverbe) : 남거나 빠진 것이 없이 모두.
tout, toute, tous, toutes, complètement, parfaitement, vraiment, même, dans son intégralité
Tout sans que rien ne reste ou ne soit ôté.

함께 (adverbe) : 여럿이서 한꺼번에 같이.
ensemble
De manière à faire quelque chose en même temps à plusieurs.

부르다 (verbe) : 곡조에 따라 노래하다.
chanter, fredonner, chantonner
Chanter en suivant une mélodie.

-어 보다 : 앞의 말이 나타내는 행동을 시험 삼아 함을 나타내는 표현.
Pas d'expression équivalente
Expression indiquant le fait d'essayer de réaliser une action exprimée par les propos précédents.

-아 : (두루낮춤으로) 어떤 사실을 서술하거나 물음, 명령, 권유를 나타내는 종결 어미.
Pas d'expression équivalente
(forme non honorifique non formelle) Terminaison finale pour décrire un fait ou pour indiquer une question, un ordre, ou une recommandation. <ordre>

아설순치후

아 → 어금니 (nom) : 송곳니의 안쪽에 있는 크고 가운데가 오목한 이.
molaire
Grande dent dont le milieu est concave et située derrière les canines.

설 → 혀 (nom) : 사람이나 동물의 입 안 아래쪽에 있는 길고 붉은 살덩어리.
langue
Masse de chair longue et rouge située à l'intérieur de la bouche humaine ou animale.

순 → 입술 (nom) : 사람의 입 주위를 둘러싸고 있는 붉고 부드러운 살.
lèvre
Chair rouge et douce entourant la bouche des êtres humains.

치 → 이 (nom) : 사람이나 동물의 입 안에 있으며 무엇을 물거나 음식물을 씹는 일을 하는 기관.
dent, dentition, denture, croc, canine, défense
Organe situé dans la bouche des êtres humains ou des animaux et utilisé pour mordre dans quelque chose ou ou pour mâcher les aliments.

후 → 목구멍 (nom) : 목 안쪽에서 몸속으로 나 있는 깊숙한 구멍.
gorge, gosier
Trou profond qui s'étend de l'intérieur du cou à l'intérieur du corps.

우리 모두 느끼+[어 보]+아.
느껴 봐

우리 (pronom) : 말하는 사람이 자기와 듣는 사람 또는 이를 포함한 여러 사람들을 가리키는 말.
nous, (pro.) notre (problème), nos
Terme employé par le locuteur pour désigner soi-même et son interlocuteur ou de nombreuses personnes y compris ces deux derniers.

모두 (adverbe) : 빠짐없이 다.
tout
Tout sans exception.

느끼다 (verbe) : 특정한 대상이나 상황을 어떻다고 생각하거나 인식하다.
connaître, se rendre compte de, prendre connaissance de, être conscient de
Considérer ou comprendre un objet ou une situation déterminés comme tel.

아설순치후

-어 보다 : 앞의 말이 나타내는 행동을 시험 삼아 함을 나타내는 표현.
Pas d'expression équivalente
Expression indiquant le fait d'essayer de réaliser une action exprimée par les propos précédents.

-아 : (두루낮춤으로) 어떤 사실을 서술하거나 물음, 명령, 권유를 나타내는 종결 어미.
Pas d'expression équivalente
(forme non honorifique non formelle) Terminaison finale pour décrire un fait ou pour indiquer une question, un ordre, ou une recommandation. **<ordre>**

발음 기관+을 본뜨+ㄴ 기역, 니은, 미음, 시옷, 이응
본뜬

발음 기관 (nom) : 말소리를 내는 데 쓰는 신체의 각 부분.
organe phonatoire
Organe du corps humain destiné à produire un son.

을 : 동작이 직접적으로 영향을 미치는 대상을 나타내는 조사.
Pas d'expression équivalente
Particule indiquant un objet directement influencé par un acte.

본뜨다 (verbe) : 이미 있는 것을 그대로 따라서 만들다.
copier, imiter, calquer
Créer quelque chose en reproduisnt à l'identique ce qui existe déjà.

-ㄴ : 앞의 말이 관형어의 기능을 하게 만들고 사건이나 동작이 완료되어 그 상태가 유지되고 있음을 나타내는 어미.
Pas d'expression équivalente
Terminaison donnant la fonction de déterminant à la proposition précédente et indiquant que l'événement ou l'action en question est achevé et que cet état est maintenu.

기역 (nom) : 한글 자모 'ㄱ'의 이름.
Pas d'expression équivalente
Nom de la lettre 'ㄱ' de l'alphabet coréen.

니은 (nom) : 한글 자모 'ㄴ'의 이름.
Pas d'expression équivalente
Nom de la lettre 'ㄴ' de l'alphabet coréen.

미음 (nom) : 한글 자모 'ㅁ'의 이름.
Pas d'expression équivalente
Nom de la lettre 'ㅁ' de l'alphabet coréen.

시옷 (nom) : 한글 자모 'ㅅ'의 이름.
Pas d'expression équivalente
Nom de la lettre 'ㅅ' de l'alphabet coréen.

이응 (nom) : 한글 자모 'ㅇ'의 이름.
Pas d'expression équivalente
Nom de la lettre 'ㅇ' de l'alphabet coréen.

다섯 글자

다섯 (déterminant) : 넷에 하나를 더한 수의.
cinq
Chiffre résultant de l'addition de 1 plus 4.

글자 (nom) : 말을 적는 기호.
lettre, caractère, écriture
Signe graphique pour transcrire à l'écrit le langage.

세상+의 모든 소리+를 듣(들)+[어 보]+아.
들어 봐

세상 (nom) : 지구 위 전체.
monde, univers
Ensemble des choses présentes sur la Terre.

의 : 앞의 말이 뒤의 말에 대하여 소유, 소속, 소재, 관계, 기원, 주체의 관계를 가짐을 나타내는 조사.
Pas d'expression équivalente
Particule pour indiquer que la proposition précédente prend une relation de possession, d'appartenance, d'emplacement, de relation, d'origine ou de sujet d'action par rapport à la proposition suivante.

모든 (déterminant) : 빠지거나 남는 것 없이 전부인.
tout
Tout, sans omission ni reste.

소리 (nom) : 물체가 진동하여 생긴 음파가 귀에 들리는 것.
son, bruit, éclat, ton
Onde sonore provoquée par la vibration d'un corps et perçue par l'ouïe.

를 : 동작이 직접적으로 영향을 미치는 대상을 나타내는 조사.
Pas d'expression équivalente
Particule indiquant un objet directement influencé par un mouvement.

듣다 (verbe) : 귀로 소리를 알아차리다.
entendre, écouter, ouïr
Reconnaître un son par l'ouïe.

-어 보다 : 앞의 말이 나타내는 행동을 시험 삼아 함을 나타내는 표현.
Pas d'expression équivalente
Expression indiquant le fait d'essayer de réaliser une action exprimée par les propos précédents.

-아 : (두루낮춤으로) 어떤 사실을 서술하거나 물음, 명령, 권유를 나타내는 종결 어미.
Pas d'expression équivalente
(forme non honorifique non formelle) Terminaison finale pour décrire un fait ou pour indiquer une question, un ordre, ou une recommandation. **<ordre>**

또 하+[고 싶]+은 말+을 다 외치+[어 보]+아.
외쳐 봐

또 (adverbe) : 그 밖에 더.
en plus
En outre.

하다 (verbe) : 어떤 행동이나 동작, 활동 등을 행하다.
faire, exécuter, effectuer, s'occuper de
Effectuer une action, un mouvement, une activité, etc.

-고 싶다 : 앞의 말이 나타내는 행동을 하기를 원함을 나타내는 표현.
Pas d'expression équivalente
Expression utilisée pour montrer le désir à vouloir faire l'action de la proposition précédente.

-은 : 앞의 말이 관형어의 기능을 하게 만들고 현재의 상태를 나타내는 어미.
Pas d'expression équivalente
Terminaison faisant fonctionner le mot précédent comme un déterminant et exprimant l'état présent.

말 (nom) : 생각이나 느낌을 표현하고 전달하는 사람의 소리.
Pas d'expression équivalente
Son d'un homme exprimant ou transmettant ses pensées ou ses sentiments.

을 : 동작이 직접적으로 영향을 미치는 대상을 나타내는 조사.
Pas d'expression équivalente
Particule indiquant un objet directement influencé par un acte.

다 (adverbe) : 남거나 빠진 것이 없이 모두.
tout, toute, tous, toutes, complètement, parfaitement, vraiment, même, dans son intégralité
Tout sans que rien ne reste ou ne soit ôté.

외치다 (verbe) : 큰 소리를 지르다.
crier, pousser, hurler
Crier fort.

-어 보다 : 앞의 말이 나타내는 행동을 시험 삼아 함을 나타내는 표현.
Pas d'expression équivalente
Expression indiquant le fait d'essayer de réaliser une action exprimée par les propos précédents.

-아 : (두루낮춤으로) 어떤 사실을 서술하거나 물음, 명령, 권유를 나타내는 종결 어미.
Pas d'expression équivalente
(forme non honorifique non formelle) Terminaison finale pour décrire un fait ou pour indiquer une question, un ordre, ou une recommandation. <ordre>

신비롭(신비로우)+ㄴ 사연, 감추+었던 비밀
신비로운

신비롭다 (adjectif) : 보통의 생각으로는 이해할 수 없을 정도로 놀랍고 신기한 느낌이 있다.
mystérieux
(Chose) Qui semble surprenant et mystérieux, au point de ne pas pouvoir le comprendre avec un esprit ordinaire.

-ㄴ : 앞의 말이 관형어의 기능을 하게 만들고 현재의 상태를 나타내는 어미.
Pas d'expression équivalente
Terminaison donnant la fonction de déterminant à la proposition précédente et exprimant l'état présent.

사연 (nom) : 일어난 일의 앞뒤 사정과 까닭.
circonstance, (longue) histoire, raison, affaire
Situation englobant un incident et ses causes.

감추다 (verbe) : 어떤 사실이나 감정을 남이 모르도록 알리지 않고 비밀로 하다.
cacher
Ne pas montrer ou garder en secret un fait ou un sentiment.

-었던 : 과거의 사건이나 상태를 다시 떠올리거나 그 사건이나 상태가 완료되지 않고 중단되었다는 의미를 나타내는 표현.

Pas d'expression équivalente

Expression indiquant le fait de se rappeler un évènement ou un état du passé, ou bien le fait que cet évènement ou cet état s'est arrêté sans être achevé.

비밀 (nom) : 숨기고 있어 남이 모르는 일.

secret

Chose que l'on cache aux autres.

진실+을 전하+[여 주]+어.
전해 줘

진실 (nom) : 순수하고 거짓이 없는 마음.

vérité

Sentiment pur sans artifice.

을 : 동작이 직접적으로 영향을 미치는 대상을 나타내는 조사.

Pas d'expression équivalente

Particule indiquant un objet directement influencé par un acte.

전하다 (verbe) : 어떤 소식, 생각 등을 상대에게 알리다.

renseigner

Informer quelqu'un d'une nouvelle, d'une opinion, etc.

-여 주다 : 남을 위해 앞의 말이 나타내는 행동을 함을 나타내는 표현.

Pas d'expression équivalente

Expression indiquant le fait d'effectuer l'action exprimée par les propos précédents pour autrui.

-어 : (두루낮춤으로) 어떤 사실을 서술하거나 물음, 명령, 권유를 나타내는 종결 어미.

Pas d'expression équivalente

(forme non honorifique non formelle) Terminaison finale pour décrire un fait ou pour indiquer une question, un ordre, ou une recommandation. **<ordre>**

< 후렴(refrain) >

아 야 어 여 오 요 우 유 으 이

가 나 다 라 마 바 사 아 자 차 카 타 파 하

이제+부터 들리+[어 주]+어 너+의 마음+을.
들려 줘

이제 (nom) : 말하고 있는 바로 이때.
maintenant, présent
Moment présent où je parle.

부터 : 어떤 일의 시작이나 처음을 나타내는 조사.
Pas d'expression équivalente
Particule servant à exprimer le début ou l'origine d'une chose.

들리다 (verbe) : 듣게 하다.
faire savoir, faire connaître, apprendre, informer, mettre quelqu'un au courant de
Faire entendre quelque chose.

-어 주다 : 남을 위해 앞의 말이 나타내는 행동을 함을 나타내는 표현.
Pas d'expression équivalente
Expression indiquant le fait d'effectuer pour autrui une action exprimée par les propos précédents.

-어 : (두루낮춤으로) 어떤 사실을 서술하거나 물음, 명령, 권유를 나타내는 종결 어미.
Pas d'expression équivalente
(forme non honorifique non formelle) Terminaison finale pour décrire un fait ou pour indiquer une question, un ordre, ou une recommandation. <ordre>

너 (pronom) : 듣는 사람이 친구나 아랫사람일 때, 그 사람을 가리키는 말.
tu, toi
Terme designant l'interlocuteur, quand celui-ci est un ami ou une personne de rang inférieur.

의 : 앞의 말이 뒤의 말에 대하여 소유, 소속, 소재, 관계, 기원, 주체의 관계를 가짐을 나타내는 조사.
Pas d'expression équivalente
Particule pour indiquer que la proposition précédente prend une relation de possession, d'appartenance, d'emplacement, de relation, d'origine ou de sujet d'action par rapport à la proposition suivante.

마음 (nom) : 기분이나 느낌.
âme, cœur, esprit
Humeur ou sentiment.

을 : 동작이 직접적으로 영향을 미치는 대상을 나타내는 조사.
Pas d'expression équivalente
Particule indiquant un objet directement influencé par un acte.

지금+부터 전하+[여 주]+어 너+의 사랑+을.
전해 줘

지금 (nom) : 말을 하고 있는 바로 이때.
le moment présent, l'instant présent
Moment précis où l'on est en train de parler.

부터 : 어떤 일의 시작이나 처음을 나타내는 조사.
Pas d'expression équivalente
Particule servant à exprimer le début ou l'origine d'une chose.

전하다 (verbe) : 어떤 소식, 생각 등을 상대에게 알리다.
renseigner
Informer quelqu'un d'une nouvelle, d'une opinion, etc.

-여 주다 : 남을 위해 앞의 말이 나타내는 행동을 함을 나타내는 표현.
Pas d'expression équivalente
Expression indiquant le fait d'effectuer l'action exprimée par les propos précédents pour autrui.

-어 : (두루낮춤으로) 어떤 사실을 서술하거나 물음, 명령, 권유를 나타내는 종결 어미.
Pas d'expression équivalente
(forme non honorifique non formelle) Terminaison finale pour décrire un fait ou pour indiquer une question, un ordre, ou une recommandation. **<ordre>**

너 (pronom) : 듣는 사람이 친구나 아랫사람일 때, 그 사람을 가리키는 말.
tu, toi
Terme designant l'interlocuteur, quand celui-ci est un ami ou une personne de rang inférieur.

의 : 앞의 말이 뒤의 말에 대하여 소유, 소속, 소재, 관계, 기원, 주체의 관계를 가짐을 나타내는 조사.
Pas d'expression équivalente
Particule pour indiquer que la proposition précédente prend une relation de possession, d'appartenance, d'emplacement, de relation, d'origine ou de sujet d'action par rapport à la proposition suivante.

사랑 (nom) : 아끼고 소중히 여겨 정성을 다해 위하는 마음.
Pas d'expression équivalente
Sentiment par lequel on traite avec soin quelqu'un à qui on porte de l'affection et que l'on chérit.

을 : 동작이 직접적으로 영향을 미치는 대상을 나타내는 조사.
Pas d'expression équivalente
Particule indiquant un objet directement influencé par un acte.

아 야 어 여 오 요 우 유 으 이

가 나 다 라 마 바 사 아 자 차 카 타 파 하

모음 스물하나+에 자음 열아홉+을 <u>더하+여</u>
더해

모음 (nom) : 사람이 목청을 울려 내는 소리로, 공기의 흐름이 방해를 받지 않고 나는 소리.
voyelle
Chez l'homme, son résultant de la vibration des cordes vocales sous l'effet du libre écoulement du flux d'air expiré.

스물하나 : 21

에 : 앞말에 무엇이 더해짐을 나타내는 조사.
Pas d'expression équivalente
Particule indiquant que quelque chose est rajouté à la proposition précédente.

자음 (nom) : 목, 입, 혀 등의 발음 기관에 의해 장애를 받으며 나는 소리.
consonne
Son produit lorsque l'air est gêné ou bloqué par un organe vocal tel que la gorge, la bouche et la langue.

열아홉 : 19

을 : 동작 대상의 수량이나 동작의 순서를 나타내는 조사.
Pas d'expression équivalente
Particule indiquant la quantité ou le nombre d'objets ou l'ordre d'une action.

더하다 (verbe) : 보태어 늘리거나 많게 하다.
ajouter, additionner
Faire augmenter et rendre nombreux par addition.

-여 : 앞의 말이 뒤의 말보다 먼저 일어났거나 뒤의 말에 대한 방법이나 수단이 됨을 나타내는 연결 어미.
Pas d'expression équivalente
Terminaison connective indiquant que la proposition précédente s'est réalisée avant la suivante, ou qu'elle constitue une méthode ou un moyen pour accomplir ce qui est dans la proposition suivante.

마흔 가지 소리+로 세상+을 느끼+[어 보]+아.
느껴 봐

마흔 (déterminant) : 열의 네 배가 되는 수의.
quarante
Qui est le quadruple de dix.

가지 (nom) : 사물의 종류를 헤아리는 말.
Pas d'expression équivalente
Nom dépendant, quantificateur de types d'objet.

소리 (nom) : 물체가 진동하여 생긴 음파가 귀에 들리는 것.
son, bruit, éclat, ton
Onde sonore provoquée par la vibration d'un corps et perçue par l'ouïe.

로 : 어떤 일의 수단이나 도구를 나타내는 조사.
à l'aide de
Particule indiquant le moyen ou l'outil d'une action.

세상 (nom) : 지구 위 전체.
monde, univers
Ensemble des choses présentes sur la Terre.

을 : 동작이 직접적으로 영향을 미치는 대상을 나타내는 조사.
Pas d'expression équivalente
Particule indiquant un objet directement influencé par un acte.

느끼다 (verbe) : 특정한 대상이나 상황을 어떻다고 생각하거나 인식하다.
connaître, se rendre compte de, prendre connaissance de, être conscient de
Considérer ou comprendre un objet ou une situation déterminés comme tel.

-어 보다 : 앞의 말이 나타내는 행동을 시험 삼아 함을 나타내는 표현.
Pas d'expression équivalente
Expression indiquant le fait d'essayer de réaliser une action exprimée par les propos précédents.

-아 : (두루낮춤으로) 어떤 사실을 서술하거나 물음, 명령, 권유를 나타내는 종결 어미.
Pas d'expression équivalente
(forme non honorifique non formelle) Terminaison finale pour décrire un fait ou pour indiquer une question, un ordre, ou une recommandation. <ordre>

< 2 절(couplet) >

하늘+과 땅+이 만나+(아) ㅗ, ㅜ
　　　　　만나

하늘 (nom) : 땅 위로 펼쳐진 무한히 넓은 공간.
ciel
Espace infiniment large et étendu sur la terre.

과 : 앞과 뒤의 명사를 같은 자격으로 이어 줄 때 쓰는 조사.
Pas d'expression équivalente
Particule utilisée pour lier à un même titre les deux noms la précédent et la suivant.

땅 (nom) : 지구에서 물로 된 부분이 아닌 흙이나 돌로 된 부분.
terre, terrain, sol
Sur la planète Terre, partie de terre ou de pierre et non d'eau.

이 : 어떤 상태나 상황의 대상이나 동작의 주체를 나타내는 조사.
Pas d'expression équivalente
Particule qui indique l'objet d'un état ou d'une situation, ou le sujet d'une action.

만나다 (verbe) : 선이나 길, 강 등이 서로 마주 닿거나 연결되다.
converger, confluer, renconter, se rencontrer, croiser, se croiser, tomber sur, trouver, voir
(Lignes, chemins, fleuves, etc.) Se croiser ou se lier.

-아 : 앞의 말이 뒤의 말보다 먼저 일어났거나 뒤의 말에 대한 방법이나 수단이 됨을 나타내는 연결 어미.
Pas d'expression équivalente
Terminaison connective indiquant que la proposition précédente s'est réalisée avant la suivante, ou qu'elle constitue une méthode ou un moyen pour accomplir ce qui est dans la proposition suivante.

ㅗ (nom) : 한글 자모의 열아홉째 글자. 이름은 '오'이고 중성으로 쓴다.
Pas d'expression équivalente
Dix-neuvième lettre de l'alphabet coréen, appelée « o » et en position intermédiaire à l'écrit dans une syllabe.

ㅜ (nom) : 한글 자모의 스물한째 글자. 이름은 '우'이고 중성으로 쓴다.
Pas d'expression équivalente
Vingt-et-unième lettre de l'alphabet coréen, appelée « u » et en position intermédiaire à l'écrit dans une syllabe.

사람+과 만나+ㄴ다면 ㅏ, ㅓ
만난다면

사람 (nom) : 생각할 수 있으며 언어와 도구를 만들어 사용하고 사회를 이루어 사는 존재.
homme, personne, gens, monsieur
Être pouvant penser, créer des langues, fabriquer des outils et vivre en société.

과 : 누군가를 상대로 하여 어떤 일을 할 때 그 상대임을 나타내는 조사.
Pas d'expression équivalente
Particule indiquant une personne avec qui l'on fait quelque chose.

만나다 (verbe) : 선이나 길, 강 등이 서로 마주 닿거나 연결되다.
converger, confluer, rencontrer, se rencontrer, croiser, se croiser, tomber sur, trouver, voir
(Lignes, chemins, fleuves, etc.) Se croiser ou se lier.

-ㄴ다면 : 어떠한 사실이나 상황을 가정하는 뜻을 나타내는 연결 어미.
Pas d'expression équivalente
Terminaison connective indiquant le fait de supposer un fait ou une situation.

ㅏ (nom) : 한글 자모의 열다섯째 글자. 이름은 '아'이고 중성으로 쓴다.
Pas d'expression équivalente
Quinzième lettre de l'alphabet coréen, appelée « a » et en position intermédiaire à l'écrit dans une syllabe.

ㅓ (nom) : 한글 자모의 열일곱째 글자. 이름은 '어'이고 중성으로 쓴다.
Pas d'expression équivalente
Dix-septième lettre de l'alphabet coréen, appelée « eo » et en position intermédiaire à l'écrit dans une syllabe.

하루+(이)+면+은 충분하+여.
하루면은   충분해

하루 (nom) : 밤 열두 시부터 다음 날 밤 열두 시까지의 스물네 시간.
un jour, une journée
24 heures allant de minuit un certain jour jusqu'à minuit le lendemain.

이다 : 주어가 지시하는 대상의 속성이나 부류를 지정하는 뜻을 나타내는 서술격 조사.
Pas d'expression équivalente
Particule du cas prédicatif pour indiquer la caractéristique ou la catégorie d'un objet qui se rapporte au sujet d'une phrase.

-면 : 뒤에 오는 말에 대한 근거나 조건이 됨을 나타내는 연결 어미.
Pas d'expression équivalente
Terminaison connective indiquant une chose qui constitue le fondement ou la condition des propos suivants.

은 : 강조의 뜻을 나타내는 조사.
Pas d'expression équivalente
Particule servant à insister.

충분하다 (adjectif) : 모자라지 않고 넉넉하다.
suffisant
Qui est suffisant sans manquer de rien.

-여 : (두루낮춤으로) 어떤 사실을 서술하거나 물음, 명령, 권유를 나타내는 종결 어미.
Pas d'expression équivalente
(forme non honorifique non formelle) Terminaison finale pour décrire un fait ou pour indiquer une question, un ordre, ou une recommandation. **<description>**

하늘, 땅, 사람+을 본뜨+ㄴ 아 어 오 우 야 여 요 유 으 이
본뜬

하늘 (nom) : 땅 위로 펼쳐진 무한히 넓은 공간.

ciel

Espace infiniment large et étendu sur la terre.

땅 (nom) : 지구에서 물로 된 부분이 아닌 흙이나 돌로 된 부분.

terre, terrain, sol

Sur la planète Terre, partie de terre ou de pierre et non d'eau.

사람 (nom) : 생각할 수 있으며 언어와 도구를 만들어 사용하고 사회를 이루어 사는 존재.

homme, personne, gens, monsieur

Être pouvant penser, créer des langues, fabriquer des outils et vivre en société.

을 : 동작이 직접적으로 영향을 미치는 대상을 나타내는 조사.

Pas d'expression équivalente

Particule indiquant un objet directement influencé par un acte.

본뜨다 (verbe) : 이미 있는 것을 그대로 따라서 만들다.

copier, imiter, calquer

Créer quelque chose en reproduisnt à l'identique ce qui existe déjà.

-ㄴ : 앞의 말이 관형어의 기능을 하게 만들고 사건이나 동작이 완료되어 그 상태가 유지되고 있음을 나타내는 어미.

Pas d'expression équivalente

Terminaison donnant la fonction de déterminant à la proposition précédente et indiquant que l'événement ou l'action en question est achevé et que cet état est maintenu.

아 (nom) : 한글 자모의 열다섯째 글자. 이름은 '아'이고 중성으로 쓴다.

Pas d'expression équivalente

Quinzième lettre de l'alphabet coréen, appelée « a » et en position intermédiaire à l'écrit dans une syllabe.

어 (nom) : 한글 자모의 열일곱째 글자. 이름은 '어'이고 중성으로 쓴다.

Pas d'expression équivalente

Dix-septième lettre de l'alphabet coréen, appelée « eo » et en position intermédiaire à l'écrit dans une syllabe.

오 (nom) : 한글 자모의 열아홉째 글자. 이름은 '오'이고 중성으로 쓴다.

Pas d'expression équivalente

Dix-neuvième lettre de l'alphabet coréen, appelée « o » et en position intermédiaire à l'écrit dans une syllabe.

우 (nom) : 한글 자모의 스물한째 글자. 이름은 '우'이고 중성으로 쓴다.
Pas d'expression équivalente
Vingt-et-unième lettre de l'alphabet coréen, appelée « u » et en position intermédiaire à l'écrit dans une syllabe.

야 (nom) : 한글 자모의 열여섯째 글자. 이름은 '야'이고 중성으로 쓴다.
Pas d'expression équivalente
Seizième lettre de l'alphabet coréen, appelée « ya » et en position intermédiaire à l'écrit dans une syllabe.

여 (nom) : 한글 자모의 열여덟째 글자. 이름은 '여'이고 중성으로 쓴다.
Pas d'expression équivalente
Dix-huitième lettre de l'alphabet coréen, appelée « yeo » et en position intermédiaire à l'écrit dans une syllabe.

요 (nom) : 한글 자모의 스무째 글자. 이름은 '요'이고 중성으로 쓴다.
Pas d'expression équivalente
Vingtième lettre de l'alphabet coréen, appelée « yo » et en position intermédiaire à l'écrit dans une syllabe.

유 (nom) : 한글 자모의 스물두째 글자. 이름은 '유'이고 중성으로 쓴다.
Pas d'expression équivalente
Vingt-deuxième lettre de l'alphabet coréen, appelée « yu » et en position intermédiaire à l'écrit dans une syllabe.

으 (nom) : 한글 자모의 스물셋째 글자. 이름은 '으'이고 중성으로 쓴다.
Pas d'expression équivalente
Vingt-troisième lettre de l'alphabet coréen, appelée « eu » et en position intermédiaire à l'écrit dans une syllabe.

이 (nom) : 한글 자모의 스물넷째 글자. 이름은 '이'이고 중성으로 쓴다.
Pas d'expression équivalente
Vingt-quatrième lettre de l'alphabet coréen, appelée « i » et en position intermédiaire à l'écrit dans une syllabe.

열 글자

열 (déterminant) : 아홉에 하나를 더한 수의.
dix
D'un chiffre issu de l'addition de 1 et 9.

글자 (nom) : 말을 적는 기호.
lettre, caractère, écriture
Signe graphique pour transcrire à l'écrit le langage.

세상+의 모든 소리+를 <u>듣(들)+[어 보]+아</u>.
들어 봐

세상 (nom) : 지구 위 전체.
monde, univers
Ensemble des choses présentes sur la Terre.

의 : 앞의 말이 뒤의 말에 대하여 소유, 소속, 소재, 관계, 기원, 주체의 관계를 가짐을 나타내는 조사.
Pas d'expression équivalente
Particule pour indiquer que la proposition précédente prend une relation de possession, d'appartenance, d'emplacement, de relation, d'origine ou de sujet d'action par rapport à la proposition suivante.

모든 (déterminant) : 빠지거나 남는 것 없이 전부인.
tout
Tout, sans omission ni reste.

소리 (nom) : 물체가 진동하여 생긴 음파가 귀에 들리는 것.
son, bruit, éclat, ton
Onde sonore provoquée par la vibration d'un corps et perçue par l'ouïe.

를 : 동작이 직접적으로 영향을 미치는 대상을 나타내는 조사.
Pas d'expression équivalente
Particule indiquant un objet directement influencé par un mouvement.

듣다 (verbe) : 귀로 소리를 알아차리다.
entendre, écouter, ouïr
Reconnaître un son par l'ouïe.

-어 보다 : 앞의 말이 나타내는 행동을 시험 삼아 함을 나타내는 표현.
Pas d'expression équivalente
Expression indiquant le fait d'essayer de réaliser une action exprimée par les propos précédents.

-아 : (두루낮춤으로) 어떤 사실을 서술하거나 물음, 명령, 권유를 나타내는 종결 어미.
Pas d'expression équivalente
(forme non honorifique non formelle) Terminaison finale pour décrire un fait ou pour indiquer une question, un ordre, ou une recommandation. **<ordre>**

또 하+[고 싶]+은 말+을 다 <u>외치+[어 보]</u>+아.
외쳐 봐

또 (adverbe) : 그 밖에 더.
en plus
En outre.

하다 (verbe) : 어떤 행동이나 동작, 활동 등을 행하다.
faire, exécuter, effectuer, s'occuper de
Effectuer une action, un mouvement, une activité, etc.

-고 싶다 : 앞의 말이 나타내는 행동을 하기를 원함을 나타내는 표현.
Pas d'expression équivalente
Expression utilisée pour montrer le désir à vouloir faire l'action de la proposition précédente.

-은 : 앞의 말이 관형어의 기능을 하게 만들고 현재의 상태를 나타내는 어미.
Pas d'expression équivalente
Terminaison faisant fonctionner le mot précédent comme un déterminant et exprimant l'état présent.

말 (nom) : 생각이나 느낌을 표현하고 전달하는 사람의 소리.
Pas d'expression équivalente
Son d'un homme exprimant ou transmettant ses pensées ou ses sentiments.

을 : 동작이 직접적으로 영향을 미치는 대상을 나타내는 조사.
Pas d'expression équivalente
Particule indiquant un objet directement influencé par un acte.

다 (adverbe) : 남거나 빠진 것이 없이 모두.
tout, toute, tous, toutes, complètement, parfaitement, vraiment, même, dans son intégralité
Tout sans que rien ne reste ou ne soit ôté.

외치다 (verbe) : 큰 소리를 지르다.
crier, pousser, hurler
Crier fort.

-어 보다 : 앞의 말이 나타내는 행동을 시험 삼아 함을 나타내는 표현.
Pas d'expression équivalente
Expression indiquant le fait d'essayer de réaliser une action exprimée par les propos précédents.

-아 : (두루낮춤으로) 어떤 사실을 서술하거나 물음, 명령, 권유를 나타내는 종결 어미.
Pas d'expression équivalente
(forme non honorifique non formelle) Terminaison finale pour décrire un fait ou pour indiquer une question, un ordre, ou une recommandation. **<ordre>**

<u>신비롭(신비로우)+ㄴ</u> 사연, 감추+었던 비밀
신비로운

신비롭다 (adjectif) : 보통의 생각으로는 이해할 수 없을 정도로 놀랍고 신기한 느낌이 있다.
mystérieux
(Chose) Qui semble surprenant et mystérieux, au point de ne pas pouvoir le comprendre avec un esprit ordinaire.

-ㄴ : 앞의 말이 관형어의 기능을 하게 만들고 현재의 상태를 나타내는 어미.
Pas d'expression équivalente
Terminaison donnant la fonction de déterminant à la proposition précédente et exprimant l'état présent.

사연 (nom) : 일어난 일의 앞뒤 사정과 까닭.
circonstance, (longue) histoire, raison, affaire
Situation englobant un incident et ses causes.

감추다 (verbe) : 어떤 사실이나 감정을 남이 모르도록 알리지 않고 비밀로 하다.
cacher
Ne pas montrer ou garder en secret un fait ou un sentiment.

-었던 : 과거의 사건이나 상태를 다시 떠올리거나 그 사건이나 상태가 완료되지 않고 중단되었다는 의미
　　　를 나타내는 표현.
Pas d'expression équivalente
Expression indiquant le fait de se rappeler un évènement ou un état du passé, ou bien le fait que cet évènement ou cet état s'est arreté sans être achevé.

비밀 (nom) : 숨기고 있어 남이 모르는 일.
secret
Chose que l'on cache aux autres.

진실+을 <u>전하+[여 주]+어</u>.
전해 줘

진실 (nom) : 순수하고 거짓이 없는 마음.
vérité
Sentiment pur sans artifice.

을 : 동작이 직접적으로 영향을 미치는 대상을 나타내는 조사.
Pas d'expression équivalente
Particule indiquant un objet directement influencé par un acte.

전하다 (verbe) : 어떤 소식, 생각 등을 상대에게 알리다.
renseigner
Informer quelqu'un d'une nouvelle, d'une opinion, etc.

-여 주다 : 남을 위해 앞의 말이 나타내는 행동을 함을 나타내는 표현.
Pas d'expression équivalente
Expression indiquant le fait d'effectuer l'action exprimée par les propos précédents pour autrui.

-어 : (두루낮춤으로) 어떤 사실을 서술하거나 물음, 명령, 권유를 나타내는 종결 어미.
Pas d'expression équivalente
(forme non honorifique non formelle) Terminaison finale pour décrire un fait ou pour indiquer une question, un ordre, ou une recommandation. **<ordre>**

< 후렴(refrain) >

아 야 어 여 오 요 우 유 으 이

가 나 다 라 마 바 사 아 자 차 카 타 파 하

이제+부터 <u>들리+[어 주]+어</u> 너+의 마음+을.
들려 줘

이제 (nom) : 말하고 있는 바로 이때.
maintenant, présent
Moment présent où je parle.

부터 : 어떤 일의 시작이나 처음을 나타내는 조사.
Pas d'expression équivalente
Particule servant à exprimer le début ou l'origine d'une chose.

들리다 (verbe) : 듣게 하다.
faire savoir, faire connaître, apprendre, informer, mettre quelqu'un au courant de
Faire entendre quelque chose.

-어 주다 : 남을 위해 앞의 말이 나타내는 행동을 함을 나타내는 표현.
Pas d'expression équivalente
Expression indiquant le fait d'effectuer pour autrui une action exprimée par les propos
précédents.

-어 : (두루낮춤으로) 어떤 사실을 서술하거나 물음, 명령, 권유를 나타내는 종결 어미.
Pas d'expression équivalente
(forme non honorifique non formelle) Terminaison finale pour décrire un fait ou pour
indiquer une question, un ordre, ou une recommandation. **<ordre>**

너 (pronom) : 듣는 사람이 친구나 아랫사람일 때, 그 사람을 가리키는 말.
tu, toi
Terme designant l'interlocuteur, quand celui-ci est un ami ou une personne de rang
inférieur.

의 : 앞의 말이 뒤의 말에 대하여 소유, 소속, 소재, 관계, 기원, 주체의 관계를 가짐을 나타내는 조사.
Pas d'expression équivalente
Particule pour indiquer que la proposition précédente prend une relation de possession,
d'appartenance, d'emplacement, de relation, d'origine ou de sujet d'action par rapport à la
proposition suivante.

마음 (nom) : 기분이나 느낌.
âme, cœur, esprit
Humeur ou sentiment.

을 : 동작이 직접적으로 영향을 미치는 대상을 나타내는 조사.
Pas d'expression équivalente
Particule indiquant un objet directement influencé par un acte.

지금+부터 전하+[여 주]+어 너+의 사랑+을.
전해 줘

지금 (nom) : 말을 하고 있는 바로 이때.
le moment présent, l'instant présent
Moment précis où l'on est en train de parler.

부터 : 어떤 일의 시작이나 처음을 나타내는 조사.
Pas d'expression équivalente
Particule servant à exprimer le début ou l'origine d'une chose.

전하다 (verbe) : 어떤 소식, 생각 등을 상대에게 알리다.
renseigner
Informer quelqu'un d'une nouvelle, d'une opinion, etc.

-여 주다 : 남을 위해 앞의 말이 나타내는 행동을 함을 나타내는 표현.
Pas d'expression équivalente
Expression indiquant le fait d'effectuer l'action exprimée par les propos précédents pour autrui.

-어 : (두루낮춤으로) 어떤 사실을 서술하거나 물음, 명령, 권유를 나타내는 종결 어미.
Pas d'expression équivalente
(forme non honorifique non formelle) Terminaison finale pour décrire un fait ou pour indiquer une question, un ordre, ou une recommandation. **<ordre>**

너 (pronom) : 듣는 사람이 친구나 아랫사람일 때, 그 사람을 가리키는 말.
tu, toi
Terme designant l'interlocuteur, quand celui-ci est un ami ou une personne de rang inférieur.

의 : 앞의 말이 뒤의 말에 대하여 소유, 소속, 소재, 관계, 기원, 주체의 관계를 가짐을 나타내는 조사.
Pas d'expression équivalente
Particule pour indiquer que la proposition précédente prend une relation de possession, d'appartenance, d'emplacement, de relation, d'origine ou de sujet d'action par rapport à la proposition suivante.

사랑 (nom) : 아끼고 소중히 여겨 정성을 다해 위하는 마음.
Pas d'expression équivalente
Sentiment par lequel on traite avec soin quelqu'un à qui on porte de l'affection et que l'on chérit.

을 : 동작이 직접적으로 영향을 미치는 대상을 나타내는 조사.
Pas d'expression équivalente
Particule indiquant un objet directement influencé par un acte.

아 야 어 여 오 요 우 유 으 이

가 나 다 라 마 바 사 아 자 차 카 타 파 하

모음 스물하나+에 자음 열아홉+을 더하+여
더해

모음 (nom) : 사람이 목청을 울려 내는 소리로, 공기의 흐름이 방해를 받지 않고 나는 소리.
voyelle
Chez l'homme, son résultant de la vibration des cordes vocales sous l'effet du libre écoulement du flux d'air expiré.

스물하나 : 21

에 : 앞말에 무엇이 더해짐을 나타내는 조사.
Pas d'expression équivalente
Particule indiquant que quelque chose est rajouté à la proposition précédente.

자음 (nom) : 목, 입, 혀 등의 발음 기관에 의해 장애를 받으며 나는 소리.
consonne
Son produit lorsque l'air est gêné ou bloqué par un organe vocal tel que la gorge, la bouche et la langue.

열아홉 : 19

을 : 동작 대상의 수량이나 동작의 순서를 나타내는 조사.
Pas d'expression équivalente
Particule indiquant la quantité ou le nombre d'objets ou l'ordre d'une action.

더하다 (verbe) : 보태어 늘리거나 많게 하다.
ajouter, additionner
Faire augmenter et rendre nombreux par addition.

-여 : 앞의 말이 뒤의 말보다 먼저 일어났거나 뒤의 말에 대한 방법이나 수단이 됨을 나타내는 연결 어미.
Pas d'expression équivalente
Terminaison connective indiquant que la proposition précédente s'est réalisée avant la suivante, ou qu'elle constitue une méthode ou un moyen pour accomplir ce qui est dans la proposition suivante.

마흔 가지 소리+로 세상+을 느끼+[어 보]+아.
느껴 봐

마흔 (déterminant) : 열의 네 배가 되는 수의.
quarante
Qui est le quadruple de dix.

가지 (nom) : 사물의 종류를 헤아리는 말.
Pas d'expression équivalente
Nom dépendant, quantificateur de types d'objet.

소리 (nom) : 물체가 진동하여 생긴 음파가 귀에 들리는 것.
son, bruit, éclat, ton
Onde sonore provoquée par la vibration d'un corps et perçue par l'ouïe.

로 : 어떤 일의 수단이나 도구를 나타내는 조사.
à l'aide de
Particule indiquant le moyen ou l'outil d'une action.

세상 (nom) : 지구 위 전체.
monde, univers
Ensemble des choses présentes sur la Terre.

을 : 동작이 직접적으로 영향을 미치는 대상을 나타내는 조사.
Pas d'expression équivalente
Particule indiquant un objet directement influencé par un acte.

느끼다 (verbe) : 특정한 대상이나 상황을 어떻다고 생각하거나 인식하다.
connaître, se rendre compte de, prendre connaissance de, être conscient de
Considérer ou comprendre un objet ou une situation déterminés comme tel.

-어 보다 : 앞의 말이 나타내는 행동을 시험 삼아 함을 나타내는 표현.
Pas d'expression équivalente
Expression indiquant le fait d'essayer de réaliser une action exprimée par les propos précédents.

-아 : (두루낮춤으로) 어떤 사실을 서술하거나 물음, 명령, 권유를 나타내는 종결 어미.
Pas d'expression équivalente
(forme non honorifique non formelle) Terminaison finale pour décrire un fait ou pour indiquer une question, un ordre, ou une recommandation. **<ordre>**

< 후렴(refrain) >

들리+[어 주]+어요.
들려 줘요

들리다 (verbe) : 듣게 하다.
faire savoir, faire connaître, apprendre, informer, mettre quelqu'un au courant de
Faire entendre quelque chose.

-어 주다 : 남을 위해 앞의 말이 나타내는 행동을 함을 나타내는 표현.
Pas d'expression équivalente
Expression indiquant le fait d'effectuer pour autrui une action exprimée par les propos
précédents.

-어요 : (두루높임으로) 어떤 사실을 서술하거나 질문, 명령, 권유함을 나타내는 종결 어미.
Pas d'expression équivalente
(forme honorifique non formelle) Terminaison finale pour décrire un fait ou pour indiquer
une question, un ordre ou une recommandation. <ordre>

이 소리 들리+나요?

이 (déterminant) : 말하는 사람에게 가까이 있거나 말하는 사람이 생각하고 있는 대상을 가리키는 말.
ce (cet, cette, ces)
Terme utilisé pour indiquer l'objet qui se trouve près du locuteur ou auquel pense ce dernier.

소리 (nom) : 물체가 진동하여 생긴 음파가 귀에 들리는 것.
son, bruit, éclat, ton
Onde sonore provoquée par la vibration d'un corps et perçue par l'ouïe.

들리다 (verbe) : 소리가 귀를 통해 알아차려지다.
entendre, s'entendre, être entendu, être perceptible, frapper l'oreille de quelqu'un
Percevoir un son par l'ouïe.

-나요 : (두루높임으로) 앞의 내용에 대해 상대방에게 물어볼 때 쓰는 표현.
Pas d'expression équivalente
(forme honorifique non formelle) Expression pour poser une question sur la proposition
précédente à l'interlocuteur.

달콤하+게, 부드럽+게 우리 모두 <u>말하+[여 보]+아요</u>.
말해 봐요

달콤하다 (adjectif) : 느낌이 좋고 기분이 좋다.
doux, tendre
D'une humeur tendre ; qui procure une sensation agréable

-게 : 앞의 말이 뒤에서 가리키는 일의 목적이나 결과, 방식, 정도 등이 됨을 나타내는 연결 어미.
Pas d'expression équivalente
Terminaison connective indiquant que les propos précédents constituent l'objectif, le résultat, la méthode ou le degré des propos qui suivent. <méthode>

부드럽다 (adjectif) : 성격이나 마음씨, 태도 등이 다정하고 따뜻하다.
affable, aimable, docile
Qui a un caractère, un cœur, une attitude, etc., tendre et chaleureux.

-게 : 앞의 말이 뒤에서 가리키는 일의 목적이나 결과, 방식, 정도 등이 됨을 나타내는 연결 어미.
Pas d'expression équivalente
Terminaison connective indiquant que les propos précédents constituent l'objectif, le résultat, la méthode ou le degré des propos qui suivent. <méthode>

우리 (pronom) : 말하는 사람이 자기와 듣는 사람 또는 이를 포함한 여러 사람들을 가리키는 말.
nous, (pro.) notre (problème), nos
Terme employé par le locuteur pour désigner soi-même et son interlocuteur ou de nombreuses personnes y compris ces deux derniers.

모두 (adverbe) : 빠짐없이 다.
tout
Tout sans exception.

말하다 (verbe) : 어떤 사실이나 자신의 생각 또는 느낌을 말로 나타내다.
parler, dire
Exprimer oralement un fait, sa pensée ou ses sentiments.

-여 보다 : 앞의 말이 나타내는 행동을 시험 삼아 함을 나타내는 표현.
Pas d'expression équivalente
Expression indiquant le fait d'essayer d'effectuer une action exprimée par les propos précédents.

-아요 : (두루높임으로) 어떤 사실을 서술하거나 질문, 명령, 권유함을 나타내는 종결 어미.
Pas d'expression équivalente
(forme honorifique non formelle) Terminaison finale pour décrire un fait ou pour indiquer une question, un ordre ou une recommandation. <ordre>

아 야 어 여 오 요 우 유 으 이

가 나 다 라 마 바 사 아 자 차 카 타 파 하

이제+부터 <u>들리+[어 주]+어</u> 너+의 마음+을.
들려 줘

이제 (nom) : 말하고 있는 바로 이때.
maintenant, présent
Moment présent où je parle.

부터 : 어떤 일의 시작이나 처음을 나타내는 조사.
Pas d'expression équivalente
Particule servant à exprimer le début ou l'origine d'une chose.

들리다 (verbe) : 듣게 하다.
faire savoir, faire connaître, apprendre, informer, mettre quelqu'un au courant de
Faire entendre quelque chose.

-어 주다 : 남을 위해 앞의 말이 나타내는 행동을 함을 나타내는 표현.
Pas d'expression équivalente
Expression indiquant le fait d'effectuer pour autrui une action exprimée par les propos précédents.

-어 : (두루낮춤으로) 어떤 사실을 서술하거나 물음, 명령, 권유를 나타내는 종결 어미.
Pas d'expression équivalente
(forme non honorifique non formelle) Terminaison finale pour décrire un fait ou pour indiquer une question, un ordre, ou une recommandation. **<ordre>**

너 (pronom) : 듣는 사람이 친구나 아랫사람일 때, 그 사람을 가리키는 말.
tu, toi
Terme designant l'interlocuteur, quand celui-ci est un ami ou une personne de rang inférieur.

의 : 앞의 말이 뒤의 말에 대하여 소유, 소속, 소재, 관계, 기원, 주체의 관계를 가짐을 나타내는 조사.
Pas d'expression équivalente
Particule pour indiquer que la proposition précédente prend une relation de possession, d'appartenance, d'emplacement, de relation, d'origine ou de sujet d'action par rapport à la proposition suivante.

마음 (nom) : 기분이나 느낌.
âme, cœur, esprit
Humeur ou sentiment.

을 : 동작이 직접적으로 영향을 미치는 대상을 나타내는 조사.
Pas d'expression équivalente
Particule indiquant un objet directement influencé par un acte.

지금+부터 전하+[여 주]+어 너+의 사랑+을.
전해 줘

지금 (nom) : 말을 하고 있는 바로 이때.
le moment présent, l'instant présent
Moment précis où l'on est en train de parler.

부터 : 어떤 일의 시작이나 처음을 나타내는 조사.
Pas d'expression équivalente
Particule servant à exprimer le début ou l'origine d'une chose.

전하다 (verbe) : 어떤 소식, 생각 등을 상대에게 알리다.
renseigner
Informer quelqu'un d'une nouvelle, d'une opinion, etc.

-여 주다 : 남을 위해 앞의 말이 나타내는 행동을 함을 나타내는 표현.
Pas d'expression équivalente
Expression indiquant le fait d'effectuer l'action exprimée par les propos précédents pour autrui.

-어 : (두루낮춤으로) 어떤 사실을 서술하거나 물음, 명령, 권유를 나타내는 종결 어미.
Pas d'expression équivalente
(forme non honorifique non formelle) Terminaison finale pour décrire un fait ou pour indiquer une question, un ordre, ou une recommandation. **<ordre>**

너 (pronom) : 듣는 사람이 친구나 아랫사람일 때, 그 사람을 가리키는 말.
tu, toi
Terme designant l'interlocuteur, quand celui-ci est un ami ou une personne de rang inférieur.

의 : 앞의 말이 뒤의 말에 대하여 소유, 소속, 소재, 관계, 기원, 주체의 관계를 가짐을 나타내는 조사.
Pas d'expression équivalente
Particule pour indiquer que la proposition précédente prend une relation de possession, d'appartenance, d'emplacement, de relation, d'origine ou de sujet d'action par rapport à la proposition suivante.

사랑 (nom) : 아끼고 소중히 여겨 정성을 다해 위하는 마음.
Pas d'expression équivalente
Sentiment par lequel on traite avec soin quelqu'un à qui on porte de l'affection et que l'on chérit.

을 : 동작이 직접적으로 영향을 미치는 대상을 나타내는 조사.
Pas d'expression équivalente
Particule indiquant un objet directement influencé par un acte.

아 야 어 여 오 요 우 유 으 이

가 나 다 라 마 바 사 아 자 차 카 타 파 하

모음 스물하나+에 자음 열아홉+을 <u>더하+여</u>
더해

모음 (nom) : 사람이 목청을 울려 내는 소리로, 공기의 흐름이 방해를 받지 않고 나는 소리.
voyelle
Chez l'homme, son résultant de la vibration des cordes vocales sous l'effet du libre écoulement du flux d'air expiré.

스물하나 : 21

에 : 앞말에 무엇이 더해짐을 나타내는 조사.
Pas d'expression équivalente
Particule indiquant que quelque chose est rajouté à la proposition précédente.

자음 (nom) : 목, 입, 혀 등의 발음 기관에 의해 장애를 받으며 나는 소리.
consonne
Son produit lorsque l'air est gêné ou bloqué par un organe vocal tel que la gorge, la bouche et la langue.

열아홉 : 19

을 : 동작 대상의 수량이나 동작의 순서를 나타내는 조사.
Pas d'expression équivalente
Particule indiquant la quantité ou le nombre d'objets ou l'ordre d'une action.

더하다 (verbe) : 보태어 늘리거나 많게 하다.
ajouter, additionner
Faire augmenter et rendre nombreux par addition.

-여 : 앞의 말이 뒤의 말보다 먼저 일어났거나 뒤의 말에 대한 방법이나 수단이 됨을 나타내는 연결 어미.
Pas d'expression équivalente
Terminaison connective indiquant que la proposition précédente s'est réalisée avant la suivante, ou qu'elle constitue une méthode ou un moyen pour accomplir ce qui est dans la proposition suivante.

마흔 가지 소리+로 세상+을 느끼+[어 보]+아.
느껴 봐

마흔 (déterminant) : 열의 네 배가 되는 수의.
quarante
Qui est le quadruple de dix.

가지 (nom) : 사물의 종류를 헤아리는 말.
Pas d'expression équivalente
Nom dépendant, quantificateur de types d'objet.

소리 (nom) : 물체가 진동하여 생긴 음파가 귀에 들리는 것.
son, bruit, éclat, ton
Onde sonore provoquée par la vibration d'un corps et perçue par l'ouïe.

로 : 어떤 일의 수단이나 도구를 나타내는 조사.
à l'aide de
Particule indiquant le moyen ou l'outil d'une action.

세상 (nom) : 지구 위 전체.
monde, univers
Ensemble des choses présentes sur la Terre.

을 : 동작이 직접적으로 영향을 미치는 대상을 나타내는 조사.
Pas d'expression équivalente
Particule indiquant un objet directement influencé par un acte.

느끼다 (verbe) : 특정한 대상이나 상황을 어떻다고 생각하거나 인식하다.
connaître, se rendre compte de, prendre connaissance de, être conscient de
Considérer ou comprendre un objet ou une situation déterminés comme tel.

-어 보다 : 앞의 말이 나타내는 행동을 시험 삼아 함을 나타내는 표현.
Pas d'expression équivalente
Expression indiquant le fait d'essayer de réaliser une action exprimée par les propos précédents.

-아 : (두루낮춤으로) 어떤 사실을 서술하거나 물음, 명령, 권유를 나타내는 종결 어미.

Pas d'expression équivalente

(forme non honorifique non formelle) Terminaison finale pour décrire un fait ou pour indiquer une question, un ordre, ou une recommandation. **<ordre>**

< 2 >

과일송

과일(fruit) 송(chant)

[발음(prononciation)]

< 1 절(couplet) >

맛있는 과일 과일 과일
마신는 과일 과일 과일
masinneun gwail gwail gwail

아삭아삭 과일 과일
아삭아삭 과일 과일
asagasak gwail gwail

먹고 싶어 과일 과일
먹꼬 시퍼 과일 과일
meokgo sipeo gwail gwail

빨간색 딸기 사과 앵두
빨간색 딸기 사과 앵두
ppalgansaek ttalgi sagwa aengdu

노란색 참외 레몬 망고
노란색 참외 레몬 망고
noransaek chamoe remon manggo

초록색 수박 매실 멜론
초록쌕 수박 매실 멜론
choroksaek subak maesil mellon

보라색 포도 자두 오디
보라색 포도 자두 오디
borasaek podo jadu odi

맛이 어때요?
마시 어때요?
masi eottaeyo?

달아요 달아요 달아요
다라요 다라요 다라요
darayo darayo darayo

맛이 어때요?
마시 어때요?
masi eottaeyo?

달콤해 달콤해 달콤해

달콤해 달콤해 달콤해

dalkomhae dalkomhae dalkomhae

어때요? 어때요?

어때요? 어때요?

eottaeyo? eottaeyo?

달아요 셔요 달콤해 새콤해

다라요 셔요 달콤해 새콤해

darayo syeoyo dalkomhae saekomhae

< 2 절(couplet) >

맛있는 과일 과일 과일

마신는 과일 과일 과일

masinneun gwail gwail gwail

아삭아삭 과일 과일

아삭아삭 과일 과일

asagasak gwail gwail

먹고 싶어 과일 과일

먹꼬 시퍼 과일 과일

meokgo sipeo gwail gwail

빨간색 딸기 사과 앵두

빨간색 딸기 사과 앵두

ppalgansaek ttalgi sagwa aengdu

노란색 참외 레몬 망고

노란색 참외 레몬 망고

noransaek chamoe remon manggo

초록색 수박 매실 멜론

초록쌕 수박 매실 멜론

choroksaek subak maesil mellon

보라색 포도 자두 오디

보라색 포도 자두 오디

borasaek podo jadu odi

맛이 어때요?

마시 어때요?

masi eottaeyo?

셔요 셔요 셔요
셔요 셔요 셔요
syeoyo syeoyo syeoyo

맛이 어때요?
마시 어때요?
masi eottaeyo?

새콤해 새콤해 새콤해
새콤해 새콤해 새콤해
saekomhae saekomhae saekomhae

어때요? 어때요?
어때요? 어때요?
eottaeyo? eottaeyo?

달아요 셔요 달콤해 새콤해
다라요 셔요 달콤해 새콤해
darayo syeoyo dalkomhae saekomhae

맛있는 과일 과일 과일
마신는 과일 과일 과일
masinneun gwail gwail gwail

아삭아삭 과일 과일
아삭아삭 과일 과일
asagasak gwail gwail

먹고 싶어 과일 과일
먹꼬 시퍼 과일 과일
meokgo sipeo gwail gwail

맛있는 과일 과일 과일
마신는 과일 과일 과일
masinneun gwail gwail gwail

아삭아삭 과일 과일
아삭아삭 과일 과일
asagasak gwail gwail

먹고 싶어 과일 과일
먹꼬 시퍼 과일 과일
meokgo sipeo gwail gwail

먹고 싶어 과일 과일
먹꼬 시퍼 과일 과일
meokgo sipeo gwail gwail

< 1 절(couplet) >

맛있+는 과일 과일 과일.

맛있다 (adjectif) : 맛이 좋다.
délicieux, bon
Dont le goût est bon.

-는 : 앞의 말이 관형어의 기능을 하게 만들고 사건이나 동작이 현재 일어남을 나타내는 어미.
Pas d'expression équivalente
Terminaison attribuant la fonction de déterminant à la proposition précédente, et pour indiquer que la situation ou l'action en question se réalise au présent.

과일 (nom) : 사과, 배, 포도, 밤 등과 같이 나뭇가지나 줄기에 열리는 먹을 수 있는 열매.
fruit
Fruit comestible qui pousse sur une branche d'arbres ou une tige de végétaux tel que la pomme, la poire, le raisin ou la châtaigne.

아삭아삭 과일 과일.

아삭아삭 (adverbe) : 연하고 싱싱한 과일이나 채소를 베어 물 때 나는 소리.
Pas d'expression équivalente
Onomatopée évoquant le son émis quand on découpe et qu'on mord dans un fruit ou un légume tendre et frais.

과일 (nom) : 사과, 배, 포도, 밤 등과 같이 나뭇가지나 줄기에 열리는 먹을 수 있는 열매.
fruit
Fruit comestible qui pousse sur une branche d'arbres ou une tige de végétaux tel que la pomme, la poire, le raisin ou la châtaigne.

먹+[고 싶]+어, 과일 과일.

먹다 (verbe) : 음식 등을 입을 통하여 배 속에 들여보내다.
manger, prendre
Mettre de la nourriture dans sa bouche et l'avaler.

-고 싶다 : 앞의 말이 나타내는 행동을 하기를 원함을 나타내는 표현.
Pas d'expression équivalente
Expression utilisée pour montrer le désir à vouloir faire l'action de la proposition précédente.

-어 : (두루낮춤으로) 어떤 사실을 서술하거나 물음, 명령, 권유를 나타내는 종결 어미.
Pas d'expression équivalente
(forme non honorifique non formelle) Terminaison finale pour décrire un fait ou pour indiquer une question, un ordre, ou une recommandation. **<description>**

과일 (nom) : 사과, 배, 포도, 밤 등과 같이 나뭇가지나 줄기에 열리는 먹을 수 있는 열매.
fruit
Fruit comestible qui pousse sur une branche d'arbres ou une tige de végétaux tel que la pomme, la poire, le raisin ou la châtaigne.

빨간색 딸기 사과 앵두.

빨간색 (nom) : 흐르는 피나 잘 익은 사과, 고추처럼 붉은 색.
couleur rouge
Couleur du sang qui coule, ou des pommes et des piments bien mûrs.

딸기 (nom) : 줄기가 땅 위로 뻗으며, 겉에 씨가 박혀 있는 빨간 열매가 열리는 여러해살이풀. 또는 그
　　　　　 열매.
fraise
Plante vivace dont les tiges s'étendent sur le sol, qui porte des fruits rouges dont la peau est recouverte de petits grains noirs ; un tel fruit.

사과 (nom) : 모양이 둥글고 붉으며 새콤하고 단맛이 나는 과일.
pomme
Fruit rond, rouge, au goût doux et acidulé.

앵두 (nom) : 모양이 작고 둥글며 달콤하면서 신맛을 지닌 붉은색 과일.
cerise coréenne, baie rouge
Petit fruit rouge et rond, au goût sucré et acide.

노란색 참외 레몬 망고.

노란색 (nom) : 병아리나 바나나와 같은 색.
couleur jaune, jaune
Couleur du poussin ou de la banane.

참외 (nom) : 색이 노랗고 단맛이 나며 주로 여름에 먹는 열매.
melon jaune, melon oriental
Fruit de couleur jaune ayant un goût sucré qui se mange principalement en été.

레몬 (nom) : 신맛이 강하고 새콤한 향기가 나는 타원형의 노란색 열매.
citron
Fruit jaune, ovale, au goût très acide et à l'odeur aigre.

망고 (nom) : 타원형에 과육이 노랗고 부드러우며 단맛이 나는 열대 과일.
mangue
Fruit tropical de forme ovale, dont la chair jaune et douce a une saveur sucrée.

초록색 수박 매실 멜론.

초록색 (nom) : 파랑과 노랑의 중간인, 짙은 풀과 같은 색.
vert
Couleur située entre le bleu et le jaune, d'une teinte similaire à celle de l'herbe foncée.

수박 (nom) : 둥글고 크며 초록 빛깔에 검푸른 줄무늬가 있으며 속이 붉고 수분이 많은 과일.
pastèque, melon d'eau
Fruit rond et grand, vert et à rayures vertes-noires, dont l'intérieur est rouge et aqueux.

매실 (nom) : 달고 신맛이 나며 술이나 음료 등을 만들어 먹는 초록색의 둥근 열매.
prune
Fruit vert de forme ronde ayant un goût sucré et acide, utilisé pour préparer de l'alcool ou des boissons.

멜론 (nom) : 동그랗고 보통 녹색이며 겉에 그물 모양의 무늬가 있는, 향기가 좋고 단맛이 나는 과일.
melon
Fruit généralement vert et rond, aromatique et au gout sucré, dont l'extérieur a un motif de filet.

보라색 포도 자두 오디.

보라색 (nom) : 파랑과 빨강을 섞은 색.
violet, mauve, pourpre
Couleur d'un mélange de bleu et de rouge.

포도 (nom) : 달면서도 약간 신맛이 나는 작은 열매가 뭉쳐서 송이를 이루는 보라색 과일.
raisin
Fruit à peau violacée dont les petits grains sucrés et légèrement acides forment une grappe.

자두 (nom) : 살구보다 조금 크고 새콤하고 달콤한 맛이 나는 붉은색 과일.
prune du Japon
Fruit rouge un peu plus grand qu'un abricot, au goût aigre et doux.

오디 (nom) : 뽕나무의 열매.
mûre
Fruit du mûrier.

맛+이 <u>어떻+어요</u>?
어때요

맛 (nom) : 음식 등을 혀에 댈 때 느껴지는 감각.
goût, saveur, sapidité
Sensation que l'on ressent quand de la nourriture, etc. touche sa langue.

이 : 어떤 상태나 상황의 대상이나 동작의 주체를 나타내는 조사.
Pas d'expression équivalente
Particule qui indique l'objet d'un état ou d'une situation, ou le sujet d'une action.

어떻다 (adjectif) : 생각, 느낌, 상태, 형편 등이 어찌 되어 있다.
Pas d'expression équivalente
(Pensée, sentiment, état, situation, etc.) Qui est comme ceci ou comme cela.

-어요 : (두루높임으로) 어떤 사실을 서술하거나 질문, 명령, 권유함을 나타내는 종결 어미.
Pas d'expression équivalente
(forme honorifique non formelle) Terminaison finale pour décrire un fait ou pour indiquer une question, un ordre ou une recommandation. <question>

달+아요. 달+아요. 달+아요.

달다 (adjectif) : 꿀이나 설탕의 맛과 같다.
doux, sucré
Semblable au goût du miel ou à celui du sucre.

-아요 : (두루높임으로) 어떤 사실을 서술하거나 질문, 명령, 권유함을 나타내는 종결 어미.
Pas d'expression équivalente
(forme honorifique non formelle) Terminaison finale pour décrire un fait ou pour indiquer une question, un ordre ou une recommandation. <description>

맛+이 어떻+어요?
어때요

맛 (nom) : 음식 등을 혀에 댈 때 느껴지는 감각.
goût, saveur, sapidité
Sensation que l'on ressent quand de la nourriture, etc, touche sa langue.

이 : 어떤 상태나 상황의 대상이나 동작의 주체를 나타내는 조사.
Pas d'expression équivalente
Particule qui indique l'objet d'un état ou d'une situation, ou le sujet d'une action.

어떻다 (adjectif) : 생각, 느낌, 상태, 형편 등이 어찌 되어 있다.
Pas d'expression équivalente
(Pensée, sentiment, état, situation, etc.) Qui est comme ceci ou comme cela.

-어요 : (두루높임으로) 어떤 사실을 서술하거나 질문, 명령, 권유함을 나타내는 종결 어미.
Pas d'expression équivalente
(forme honorifique non formelle) Terminaison finale pour décrire un fait ou pour indiquer une question, un ordre ou une recommandation. <question>

달콤하+여. 달콤하+여. 달콤하+여.
달콤해　　　달콤해　　　달콤해

달콤하다 (adjectif) : 맛이나 냄새가 기분 좋게 달다.
sucré, doux
D'un goût ou d'une odeur agréablement doux.

-여 : (두루낮춤으로) 어떤 사실을 서술하거나 물음, 명령, 권유를 나타내는 종결 어미.
Pas d'expression équivalente
(forme non honorifique non formelle) Terminaison finale pour décrire un fait ou pour indiquer une question, un ordre, ou une recommandation. <description>

어떻+어요? 어떻+어요?
어때요　　　어때요

어떻다 (adjectif) : 생각, 느낌, 상태, 형편 등이 어찌 되어 있다.
Pas d'expression équivalente
(Pensée, sentiment, état, situation, etc.) Qui est comme ceci ou comme cela.

-어요 : (두루높임으로) 어떤 사실을 서술하거나 질문, 명령, 권유함을 나타내는 종결 어미.
Pas d'expression équivalente
(forme honorifique non formelle) Terminaison finale pour décrire un fait ou pour indiquer une question, un ordre ou une recommandation. **<question>**

달+아요. <u>시+어요</u>. <u>달콤하+여</u>. <u>새콤하+여</u>.
셔요   달콤해   새콤해

달다 (adjectif) : 꿀이나 설탕의 맛과 같다.
doux, sucré
Semblable au goût du miel ou à celui du sucre.

-아요 : (두루높임으로) 어떤 사실을 서술하거나 질문, 명령, 권유함을 나타내는 종결 어미.
Pas d'expression équivalente
(forme honorifique non formelle) Terminaison finale pour décrire un fait ou pour indiquer une question, un ordre ou une recommandation. **<description>**

시다 (adjectif) : 맛이 식초와 같다.
acide, aigre, vinaigré
Qui a un goût semblable au vinaigre.

-어요 : (두루높임으로) 어떤 사실을 서술하거나 질문, 명령, 권유함을 나타내는 종결 어미.
Pas d'expression équivalente
(forme honorifique non formelle) Terminaison finale pour décrire un fait ou pour indiquer une question, un ordre ou une recommandation. **<description>**

달콤하다 (adjectif) : 맛이나 냄새가 기분 좋게 달다.
sucré, doux
D'un goût ou d'une odeur agréablement doux.

-여 : (두루낮춤으로) 어떤 사실을 서술하거나 물음, 명령, 권유를 나타내는 종결 어미.
Pas d'expression équivalente
(forme non honorifique non formelle) Terminaison finale pour décrire un fait ou pour indiquer une question, un ordre, ou une recommandation. **<description>**

새콤하다 (adjectif) : 맛이 조금 시면서 상큼하다.
aigre, sur
(Saveur) Un peu acide et rafraîchissant.

-여 : (두루낮춤으로) 어떤 사실을 서술하거나 물음, 명령, 권유를 나타내는 종결 어미.
Pas d'expression équivalente
(forme non honorifique non formelle) Terminaison finale pour décrire un fait ou pour indiquer une question, un ordre, ou une recommandation. **<description>**

< 2 절(couplet) >

맛있+는 과일 과일 과일.

맛있다 (adjectif) : 맛이 좋다.
délicieux, bon
Dont le goût est bon.

-는 : 앞의 말이 관형어의 기능을 하게 만들고 사건이나 동작이 현재 일어남을 나타내는 어미.
Pas d'expression équivalente
Terminaison attribuant la fonction de déterminant à la proposition précédente, et pour indiquer que la situation ou l'action en question se réalise au présent.

과일 (nom) : 사과, 배, 포도, 밤 등과 같이 나뭇가지나 줄기에 열리는 먹을 수 있는 열매.
fruit
Fruit comestible qui pousse sur une branche d'arbres ou une tige de végétaux tel que la pomme, la poire, le raisin ou la châtaigne.

아삭아삭 과일 과일.

아삭아삭 (adverbe) : 연하고 싱싱한 과일이나 채소를 베어 물 때 나는 소리.
Pas d'expression équivalente
Onomatopée évoquant le son émis quand on découpe et qu'on mord dans un fruit ou un légume tendre et frais.

과일 (nom) : 사과, 배, 포도, 밤 등과 같이 나뭇가지나 줄기에 열리는 먹을 수 있는 열매.
fruit
Fruit comestible qui pousse sur une branche d'arbres ou une tige de végétaux tel que la pomme, la poire, le raisin ou la châtaigne.

먹+[고 싶]+어, 과일 과일.

먹다 (verbe) : 음식 등을 입을 통하여 배 속에 들여보내다.
manger, prendre
Mettre de la nourriture dans sa bouche et l'avaler.

-고 싶다 : 앞의 말이 나타내는 행동을 하기를 원함을 나타내는 표현.
Pas d'expression équivalente
Expression utilisée pour montrer le désir à vouloir faire l'action de la proposition précédente.

-어 : (두루낮춤으로) 어떤 사실을 서술하거나 물음, 명령, 권유를 나타내는 종결 어미.
Pas d'expression équivalente
(forme non honorifique non formelle) Terminaison finale pour décrire un fait ou pour indiquer une question, un ordre, ou une recommandation. **<description>**

과일 (nom) : 사과, 배, 포도, 밤 등과 같이 나뭇가지나 줄기에 열리는 먹을 수 있는 열매.
fruit
Fruit comestible qui pousse sur une branche d'arbres ou une tige de végétaux tel que la pomme, la poire, le raisin ou la châtaigne.

빨간색 딸기 사과 앵두.

빨간색 (nom) : 흐르는 피나 잘 익은 사과, 고추처럼 붉은 색.
couleur rouge
Couleur du sang qui coule, ou des pommes et des piments bien mûrs.

딸기 (nom) : 줄기가 땅 위로 뻗으며, 겉에 씨가 박혀 있는 빨간 열매가 열리는 여러해살이풀. 또는 그 열매.
fraise
Plante vivace dont les tiges s'étendent sur le sol, qui porte des fruits rouges dont la peau est recouverte de petits grains noirs ; un tel fruit.

사과 (nom) : 모양이 둥글고 붉으며 새콤하고 단맛이 나는 과일.
pomme
Fruit rond, rouge, au goût doux et acidulé.

앵두 (nom) : 모양이 작고 둥글며 달콤하면서 신맛을 지닌 붉은색 과일.
cerise coréenne, baie rouge
Petit fruit rouge et rond, au goût sucré et acide.

노란색 참외 레몬 망고.

노란색 (nom) : 병아리나 바나나와 같은 색.
couleur jaune, jaune
Couleur du poussin ou de la banane.

참외 (nom) : 색이 노랗고 단맛이 나며 주로 여름에 먹는 열매.
melon jaune, melon oriental
Fruit de couleur jaune ayant un goût sucré qui se mange principalement en été.

레몬 (nom) : 신맛이 강하고 새콤한 향기가 나는 타원형의 노란색 열매.
citron
Fruit jaune, ovale, au goût très acide et à l'odeur aigre.

망고 (nom) : 타원형에 과육이 노랗고 부드러우며 단맛이 나는 열대 과일.
mangue
Fruit tropical de forme ovale, dont la chair jaune et douce a une saveur sucrée.

초록색 수박 매실 멜론.

초록색 (nom) : 파랑과 노랑의 중간인, 짙은 풀과 같은 색.
vert
Couleur située entre le bleu et le jaune, d'une teinte similaire à celle de l'herbe foncée.

수박 (nom) : 둥글고 크며 초록 빛깔에 검푸른 줄무늬가 있으며 속이 붉고 수분이 많은 과일.
pastèque, melon d'eau
Fruit rond et grand, vert et à rayures vertes-noires, dont l'intérieur est rouge et aqueux.

매실 (nom) : 달고 신맛이 나며 술이나 음료 등을 만들어 먹는 초록색의 둥근 열매.
prune
Fruit vert de forme ronde ayant un goût sucré et acide, utilisé pour préparer de l'alcool ou des boissons.

멜론 (nom) : 동그랗고 보통 녹색이며 겉에 그물 모양의 무늬가 있는, 향기가 좋고 단맛이 나는 과일.
melon
Fruit généralement vert et rond, aromatique et au gout sucré, dont l'extérieur a un motif de filet.

보라색 포도 자두 오디.

보라색 (nom) : 파랑과 빨강을 섞은 색.
violet, mauve, pourpre
Couleur d'un mélange de bleu et de rouge.

포도 (nom) : 달면서도 약간 신맛이 나는 작은 열매가 뭉쳐서 송이를 이루는 보라색 과일.
raisin
Fruit à peau violacée dont les petits grains sucrés et légèrement acides forment une grappe.

자두 (nom) : 살구보다 조금 크고 새콤하고 달콤한 맛이 나는 붉은색 과일.
prune du Japon
Fruit rouge un peu plus grand qu'un abricot, au goût aigre et doux.

오디 (nom) : 뽕나무의 열매.
mûre
Fruit du mûrier.

맛+이 어떻+어요?
어때요

맛 (nom) : 음식 등을 혀에 댈 때 느껴지는 감각.
goût, saveur, sapidité
Sensation que l'on ressent quand de la nourriture, etc, touche sa langue.

이 : 어떤 상태나 상황의 대상이나 동작의 주체를 나타내는 조사.
Pas d'expression équivalente
Particule qui indique l'objet d'un état ou d'une situation, ou le sujet d'une action.

어떻다 (adjectif) : 생각, 느낌, 상태, 형편 등이 어찌 되어 있다.
Pas d'expression équivalente
(Pensée, sentiment, état, situation, etc.) Qui est comme ceci ou comme cela.

-어요 : (두루높임으로) 어떤 사실을 서술하거나 질문, 명령, 권유함을 나타내는 종결 어미.
Pas d'expression équivalente
(forme honorifique non formelle) Terminaison finale pour décrire un fait ou pour indiquer une question, un ordre ou une recommandation. <question>

시+어요. 시+어요. 시+어요.
셔요   셔요   셔요

시다 (adjectif) : 맛이 식초와 같다.
acide, aigre, vinaigré
Qui a un goût semblable au vinaigre.

-어요 : (두루높임으로) 어떤 사실을 서술하거나 질문, 명령, 권유함을 나타내는 종결 어미.
Pas d'expression équivalente
(forme honorifique non formelle) Terminaison finale pour décrire un fait ou pour indiquer une question, un ordre ou une recommandation. <description>

맛+이 어떻+어요?
어때요

맛 (nom) : 음식 등을 혀에 댈 때 느껴지는 감각.
goût, saveur, sapidité
Sensation que l'on ressent quand de la nourriture, etc, touche sa langue.

이 : 어떤 상태나 상황의 대상이나 동작의 주체를 나타내는 조사.
Pas d'expression équivalente
Particule qui indique l'objet d'un état ou d'une situation, ou le sujet d'une action.

어떻다 (adjectif) : 생각, 느낌, 상태, 형편 등이 어찌 되어 있다.
Pas d'expression équivalente
(Pensée, sentiment, état, situation, etc.) Qui est comme ceci ou comme cela.

-어요 : (두루높임으로) 어떤 사실을 서술하거나 질문, 명령, 권유함을 나타내는 종결 어미.
Pas d'expression équivalente
(forme honorifique non formelle) Terminaison finale pour décrire un fait ou pour indiquer une question, un ordre ou une recommandation. **<question>**

새콤하+여. 새콤하+여. 새콤하+여.
새콤해   새콤해   새콤해

새콤하다 (adjectif) : 맛이 조금 시면서 상큼하다.
aigre, sur
(Saveur) Un peu acide et rafraîchissant.

-여 : (두루낮춤으로) 어떤 사실을 서술하거나 물음, 명령, 권유를 나타내는 종결 어미.
Pas d'expression équivalente
(forme non honorifique non formelle) Terminaison finale pour décrire un fait ou pour indiquer une question, un ordre, ou une recommandation. **<description>**

어떻+어요? 어떻+어요?
어때요   어때요

어떻다 (adjectif) : 생각, 느낌, 상태, 형편 등이 어찌 되어 있다.
Pas d'expression équivalente
(Pensée, sentiment, état, situation, etc.) Qui est comme ceci ou comme cela.

-어요 : (두루높임으로) 어떤 사실을 서술하거나 질문, 명령, 권유함을 나타내는 종결 어미.

Pas d'expression équivalente

(forme honorifique non formelle) Terminaison finale pour décrire un fait ou pour indiquer une question, un ordre ou une recommandation. **<question>**

달+아요. 시+어요. 달콤하+여. 새콤하+여.
셔요   달콤해   새콤해

달다 (adjectif) : 꿀이나 설탕의 맛과 같다.

doux, sucré

Semblable au goût du miel ou à celui du sucre.

-아요 : (두루높임으로) 어떤 사실을 서술하거나 질문, 명령, 권유함을 나타내는 종결 어미.

Pas d'expression équivalente

(forme honorifique non formelle) Terminaison finale pour décrire un fait ou pour indiquer une question, un ordre ou une recommandation. **<description>**

시다 (adjectif) : 맛이 식초와 같다.

acide, aigre, vinaigré

Qui a un goût semblable au vinaigre.

-어요 : (두루높임으로) 어떤 사실을 서술하거나 질문, 명령, 권유함을 나타내는 종결 어미.

Pas d'expression équivalente

(forme honorifique non formelle) Terminaison finale pour décrire un fait ou pour indiquer une question, un ordre ou une recommandation. **<description>**

달콤하다 (adjectif) : 맛이나 냄새가 기분 좋게 달다.

sucré, doux

D'un goût ou d'une odeur agréablement doux.

-여 : (두루낮춤으로) 어떤 사실을 서술하거나 물음, 명령, 권유를 나타내는 종결 어미.

Pas d'expression équivalente

(forme non honorifique non formelle) Terminaison finale pour décrire un fait ou pour indiquer une question, un ordre, ou une recommandation. **<description>**

새콤하다 (adjectif) : 맛이 조금 시면서 상큼하다.

aigre, sur

(Saveur) Un peu acide et rafraîchissant.

-여 : (두루낮춤으로) 어떤 사실을 서술하거나 물음, 명령, 권유를 나타내는 종결 어미.

Pas d'expression équivalente

(forme non honorifique non formelle) Terminaison finale pour décrire un fait ou pour indiquer une question, un ordre, ou une recommandation. **<description>**

맛있+는 과일 과일 과일.

맛있다 (adjectif) : 맛이 좋다.
délicieux, bon
Dont le goût est bon.

-는 : 앞의 말이 관형어의 기능을 하게 만들고 사건이나 동작이 현재 일어남을 나타내는 어미.
Pas d'expression équivalente
Terminaison attribuant la fonction de déterminant à la proposition précédente, et pour indiquer que la situation ou l'action en question se réalise au présent.

과일 (nom) : 사과, 배, 포도, 밤 등과 같이 나뭇가지나 줄기에 열리는 먹을 수 있는 열매.
fruit
Fruit comestible qui pousse sur une branche d'arbres ou une tige de végétaux tel que la pomme, la poire, le raisin ou la châtaigne.

아삭아삭 과일 과일.

아삭아삭 (adverbe) : 연하고 싱싱한 과일이나 채소를 베어 물 때 나는 소리.
Pas d'expression équivalente
Onomatopée évoquant le son émis quand on découpe et qu'on mord dans un fruit ou un légume tendre et frais.

과일 (nom) : 사과, 배, 포도, 밤 등과 같이 나뭇가지나 줄기에 열리는 먹을 수 있는 열매.
fruit
Fruit comestible qui pousse sur une branche d'arbres ou une tige de végétaux tel que la pomme, la poire, le raisin ou la châtaigne.

먹+[고 싶]+어, 과일 과일.

먹다 (verbe) : 음식 등을 입을 통하여 배 속에 들여보내다.
manger, prendre
Mettre de la nourriture dans sa bouche et l'avaler.

-고 싶다 : 앞의 말이 나타내는 행동을 하기를 원함을 나타내는 표현.
Pas d'expression équivalente
Expression utilisée pour montrer le désir à vouloir faire l'action de la proposition précédente.

-어 : (두루낮춤으로) 어떤 사실을 서술하거나 물음, 명령, 권유를 나타내는 종결 어미.
Pas d'expression équivalente
(forme non honorifique non formelle) Terminaison finale pour décrire un fait ou pour indiquer une question, un ordre, ou une recommandation. **<description>**

과일 (nom) : 사과, 배, 포도, 밤 등과 같이 나뭇가지나 줄기에 열리는 먹을 수 있는 열매.
fruit
Fruit comestible qui pousse sur une branche d'arbres ou une tige de végétaux tel que la pomme, la poire, le raisin ou la châtaigne.

맛있+는 과일 과일 과일.

맛있다 (adjectif) : 맛이 좋다.
délicieux, bon
Dont le goût est bon.

-는 : 앞의 말이 관형어의 기능을 하게 만들고 사건이나 동작이 현재 일어남을 나타내는 어미.
Pas d'expression équivalente
Terminaison attribuant la fonction de déterminant à la proposition précédente, et pour indiquer que la situation ou l'action en question se réalise au présent.

과일 (nom) : 사과, 배, 포도, 밤 등과 같이 나뭇가지나 줄기에 열리는 먹을 수 있는 열매.
fruit
Fruit comestible qui pousse sur une branche d'arbres ou une tige de végétaux tel que la pomme, la poire, le raisin ou la châtaigne.

아삭아삭 과일 과일.

아삭아삭 (adverbe) : 연하고 싱싱한 과일이나 채소를 베어 물 때 나는 소리.
Pas d'expression équivalente
Onomatopée évoquant le son émis quand on découpe et qu'on mord dans un fruit ou un légume tendre et frais.

과일 (nom) : 사과, 배, 포도, 밤 등과 같이 나뭇가지나 줄기에 열리는 먹을 수 있는 열매.
fruit
Fruit comestible qui pousse sur une branche d'arbres ou une tige de végétaux tel que la pomme, la poire, le raisin ou la châtaigne.

먹+[고 싶]+어, 과일 과일.

먹다 (verbe) : 음식 등을 입을 통하여 배 속에 들여보내다.

manger, prendre

Mettre de la nourriture dans sa bouche et l'avaler.

-고 싶다 : 앞의 말이 나타내는 행동을 하기를 원함을 나타내는 표현.

Pas d'expression équivalente

Expression utilisée pour montrer le désir à vouloir faire l'action de la proposition précédente.

-어 : (두루낮춤으로) 어떤 사실을 서술하거나 물음, 명령, 권유를 나타내는 종결 어미.

Pas d'expression équivalente

(forme non honorifique non formelle) Terminaison finale pour décrire un fait ou pour indiquer une question, un ordre, ou une recommandation. <description>

과일 (nom) : 사과, 배, 포도, 밤 등과 같이 나뭇가지나 줄기에 열리는 먹을 수 있는 열매.

fruit

Fruit comestible qui pousse sur une branche d'arbres ou une tige de végétaux tel que la pomme, la poire, le raisin ou la châtaigne.

먹+[고 싶]+어, 과일 과일.

먹다 (verbe) : 음식 등을 입을 통하여 배 속에 들여보내다.

manger, prendre

Mettre de la nourriture dans sa bouche et l'avaler.

-고 싶다 : 앞의 말이 나타내는 행동을 하기를 원함을 나타내는 표현.

Pas d'expression équivalente

Expression utilisée pour montrer le désir à vouloir faire l'action de la proposition précédente.

-어 : (두루낮춤으로) 어떤 사실을 서술하거나 물음, 명령, 권유를 나타내는 종결 어미.

Pas d'expression équivalente

(forme non honorifique non formelle) Terminaison finale pour décrire un fait ou pour indiquer une question, un ordre, ou une recommandation. <description>

과일 (nom) : 사과, 배, 포도, 밤 등과 같이 나뭇가지나 줄기에 열리는 먹을 수 있는 열매.

fruit

Fruit comestible qui pousse sur une branche d'arbres ou une tige de végétaux tel que la pomme, la poire, le raisin ou la châtaigne.

< 3 >

신체송

신체(corps) 송(chant)

[발음(prononciation)]

< 1 절(couplet) >

머리, 어깨, 무릎, 발, 무릎, 발, 머리, 어깨, 무릎, 발, 무릎, 발
머리, 어깨, 무릅, 발, 무릅, 발, 머리, 어깨, 무릅, 발, 무릅, 발
meori, eokkae, mureup, bal, mureup, bal, meori, eokkae, mureup, bal, mureup, bal

머리, 어깨, 무릎, 발, 머리, 어깨, 무릎, 발
머리, 어깨, 무릅, 발, 머리, 어깨, 무릅, 발
meori, eokkae, mureup, bal, meori, eokkae, mureup, bal

머리, 어깨, 무릎, 발, 머리, 어깨, 무릎, 발
머리, 어깨, 무릅, 발, 머리, 어깨, 무릅, 발
meori, eokkae, mureup, bal, meori, eokkae, mureup, bal

머리, 머리, 머리카락
머리, 머리, 머리카락
meori, meori, meorikarak

얼굴, 얼굴, 얼굴, 이마
얼굴, 얼굴, 얼굴, 이마
eolgul, eolgul, eolgul, ima

눈, 코, 입, 귀, 눈, 코, 입, 귀
눈, 코, 입, 귀, 눈, 코, 입, 귀
nun, ko, ip, gwi, nun, ko, ip, gwi

머리, 머리, 머리카락
머리, 머리, 머리카락
meori, meori, meorikarak

얼굴, 얼굴, 얼굴, 이마
얼굴, 얼굴, 얼굴, 이마
eolgul, eolgul, eolgul, ima

눈, 코, 입, 귀, 눈, 코, 입, 귀
눈, 코, 입, 귀, 눈, 코, 입, 귀
nun, ko, ip, gwi, nun, ko, ip, gwi

신나게 흔들어요
신나게 흔드러요
sinnage heundeureoyo

다 함께 춤을 춰요
다 함께 추믈 춰요
da hamkke chumeul chwoyo

즐겁게 흔들어요
즐겁께 흔드러요
jeulgeopge heundeureoyo

우리 모두 춤을 춰요
우리 모두 추믈 춰요
uri modu chumeul chwoyo

< 2 절(couplet) >

머리, 어깨, 무릎, 발, 무릎, 발, 머리, 어깨, 무릎, 발, 무릎, 발
머리, 어깨, 무릅, 발, 무릅, 발, 머리, 어깨, 무릅, 발, 무릅, 발
meori, eokkae, mureup, bal, mureup, bal, meori, eokkae, mureup, bal, mureup, bal

머리, 어깨, 무릎, 발, 머리, 어깨, 무릎, 발
머리, 어깨, 무릅, 발, 머리, 어깨, 무릅, 발
meori, eokkae, mureup, bal, meori, eokkae, mureup, bal

팔, 팔, 팔, 손
팔, 팔, 팔, 손
pal, pal, pal, son

다리, 다리, 다리, 발
다리, 다리, 다리, 발
dari, dari, dari, bal

가슴, 허리, 엉덩이, 가슴, 허리, 엉덩이
가슴, 허리, 엉덩이, 가슴, 허리, 엉덩이
gaseum, heori, eongdeongi, gaseum, heori, eongdeongi

팔, 팔, 팔, 손
팔, 팔, 팔, 손
pal, pal, pal, son

다리, 다리, 다리, 발
다리, 다리, 다리, 발
dari, dari, dari, bal

가슴, 허리, 엉덩이, 가슴, 허리, 엉덩이
가슴, 허리, 엉덩이, 가슴, 허리, 엉덩이
gaseum, heori, eongdeongi, gaseum, heori, eongdeongi

신나게 흔들어요

신나게 흔드러요

sinnage heundeureoyo

다 함께 춤을 춰요

다 함께 추믈 춰요

da hamkke chumeul chwoyo

즐겁게 흔들어요

즐겁께 흔드러요

jeulgeopge heundeureoyo

우리 모두 춤을 춰요

우리 모두 추믈 춰요

uri modu chumeul chwoyo

< 3 절(couplet) >

머리, 어깨, 무릎, 발, 무릎, 발, 머리, 어깨, 무릎, 발, 무릎, 발

머리, 어깨, 무릅, 발, 무릅, 발, 머리, 어깨, 무릅, 발, 무릅, 발

meori, eokkae, mureup, bal, mureup, bal, meori, eokkae, mureup, bal, mureup, bal

머리, 어깨, 무릎, 발, 머리, 어깨, 무릎, 발

머리, 어깨, 무릅, 발, 머리, 어깨, 무릅, 발

meori, eokkae, mureup, bal, meori, eokkae, mureup, bal

< 1 절(couplet) >

머리, 어깨, 무릎, 발, 무릎, 발, 머리, 어깨, 무릎, 발, 무릎, 발

머리 (nom) : 사람이나 동물의 몸에서 얼굴과 머리털이 있는 부분을 모두 포함한 목 위의 부분.
tête, crâne, chef
Dans le corps humain ou animal, partie supérieure du cou comprenant le visage et la partie où les cheveux poussent.

어깨 (nom) : 목의 아래 끝에서 팔의 위 끝에 이르는 몸의 부분.
épaule
Partie du corps s'étendant du bas du cou au haut du bras.

무릎 (nom) : 허벅지와 종아리 사이에 앞쪽으로 둥글게 튀어나온 부분.
genoux
Partie saillante circulaire située entre l'intérieur de la cuisse et le mollet.

발 (nom) : 사람이나 동물의 다리 맨 끝부분.
pied, jambe
Partie située tout au bout des jambes de l'homme ou des pattes de l'animal.

머리, 어깨, 무릎, 발, 머리, 어깨, 무릎, 발

머리 (nom) : 사람이나 동물의 몸에서 얼굴과 머리털이 있는 부분을 모두 포함한 목 위의 부분.
tête, crâne, chef
Dans le corps humain ou animal, partie supérieure du cou comprenant le visage et la partie où les cheveux poussent.

어깨 (nom) : 목의 아래 끝에서 팔의 위 끝에 이르는 몸의 부분.
épaule
Partie du corps s'étendant du bas du cou au haut du bras.

무릎 (nom) : 허벅지와 종아리 사이에 앞쪽으로 둥글게 튀어나온 부분.
genoux
Partie saillante circulaire située entre l'intérieur de la cuisse et le mollet.

발 (nom) : 사람이나 동물의 다리 맨 끝부분.
pied, jambe
Partie située tout au bout des jambes de l'homme ou des pattes de l'animal.

머리, 어깨, 무릎, 발, 머리, 어깨, 무릎, 발

머리 (nom) : 사람이나 동물의 몸에서 얼굴과 머리털이 있는 부분을 모두 포함한 목 위의 부분.
tête, crâne, chef
Dans le corps humain ou animal, partie supérieure du cou comprenant le visage et la partie où les cheveux poussent.

어깨 (nom) : 목의 아래 끝에서 팔의 위 끝에 이르는 몸의 부분.
épaule
Partie du corps s'étendant du bas du cou au haut du bras.

무릎 (nom) : 허벅지와 종아리 사이에 앞쪽으로 둥글게 튀어나온 부분.
genoux
Partie saillante circulaire située entre l'intérieur de la cuisse et le mollet.

발 (nom) : 사람이나 동물의 다리 맨 끝부분.
pied, jambe
Partie située tout au bout des jambes de l'homme ou des pattes de l'animal.

머리, 머리, 머리카락

머리 (nom) : 사람이나 동물의 몸에서 얼굴과 머리털이 있는 부분을 모두 포함한 목 위의 부분.
tête, crâne, chef
Dans le corps humain ou animal, partie supérieure du cou comprenant le visage et la partie où les cheveux poussent.

머리카락 (nom) : 머리털 하나하나.
cheveu, chevelure
Chaque cheveu.

얼굴, 얼굴, 얼굴, 이마

얼굴 (nom) : 눈, 코, 입이 있는 머리의 앞쪽 부분.
visage
Partie antérieure de la tête, où se trouvent les yeux, le nez et la bouche

이마 (nom) : 얼굴의 눈썹 위부터 머리카락이 난 아래까지의 부분.
front
Partie allant du haut des sourcils au bas de l'endroit où se trouvent les cheveux.

눈, 코, 입, 귀, 눈, 코, 입, 귀

눈 (nom) : 사람이나 동물의 얼굴에 있으며 빛의 자극을 받아 물체를 볼 수 있는 감각 기관.
œil
Organe sensoriel situé sur le visage d'un homme ou d'un animal et qui permet de voir des objets en étant stimulé par la lumière.

코 (nom) : 숨을 쉬고 냄새를 맡는 몸의 한 부분.
nez
Partie du corps servant à respirer et à sentir les odeurs.

입 (nom) : 음식을 먹고 소리를 내는 기관으로 입술에서 목구멍까지의 부분.
bouche, gueule
Organe du corps s'étendant des lèvres à la gorge, servant à manger et à émettre des sons.

귀 (nom) : 사람이나 동물의 머리 양옆에 있어 소리를 듣는 몸의 한 부분.
oreille
Partie du corps située sur les deux côtés de la tête de l'homme ou de l'animal permettant d'entendre.

머리, 머리, 머리카락

머리 (nom) : 사람이나 동물의 몸에서 얼굴과 머리털이 있는 부분을 모두 포함한 목 위의 부분.
tête, crâne, chef
Dans le corps humain ou animal, partie supérieure du cou comprenant le visage et la partie où les cheveux poussent.

머리카락 (nom) : 머리털 하나하나.
cheveu, chevelure
Chaque cheveu.

얼굴, 얼굴, 얼굴, 이마

얼굴 (nom) : 눈, 코, 입이 있는 머리의 앞쪽 부분.
visage
Partie antérieure de la tête, où se trouvent les yeux, le nez et la bouche

이마 (nom) : 얼굴의 눈썹 위부터 머리카락이 난 아래까지의 부분.
front
Partie allant du haut des sourcils au bas de l'endroit où se trouvent les cheveux.

눈, 코, 입, 귀, 눈, 코, 입, 귀

눈 (nom) : 사람이나 동물의 얼굴에 있으며 빛의 자극을 받아 물체를 볼 수 있는 감각 기관.
œil
Organe sensoriel situé sur le visage d'un homme ou d'un animal et qui permet de voir des objets en étant stimulé par la lumière.

코 (nom) : 숨을 쉬고 냄새를 맡는 몸의 한 부분.
nez
Partie du corps servant à respirer et à sentir les odeurs.

입 (nom) : 음식을 먹고 소리를 내는 기관으로 입술에서 목구멍까지의 부분.
bouche, gueule
Organe du corps s'étendant des lèvres à la gorge, servant à manger et à émettre des sons.

귀 (nom) : 사람이나 동물의 머리 양옆에 있어 소리를 듣는 몸의 한 부분.
oreille
Partie du corps située sur les deux côtés de la tête de l'homme ou de l'animal permettant d'entendre.

신나+게 흔들+어요.

신나다 (verbe) : 흥이 나고 기분이 아주 좋아지다.
être excité, être enthousiasmé, s'enthousiasmer, être joyeux, se passionner pour
Être vivement intéressé et plein d'allant.

-게 : 앞의 말이 뒤에서 가리키는 일의 목적이나 결과, 방식, 정도 등이 됨을 나타내는 연결 어미.
Pas d'expression équivalente
Terminaison connective indiquant que les propos précédents constituent l'objectif, le résultat, la méthode ou le degré des propos qui suivent. <méthode>

흔들다 (verbe) : 무엇을 좌우, 앞뒤로 자꾸 움직이게 하다.
secouer, agiter
Faire bouger quelque chose de manière répétée à gauche, à droite, vers l'avant et l'arrière.

-어요 : (두루높임으로) 어떤 사실을 서술하거나 질문, 명령, 권유함을 나타내는 종결 어미.
Pas d'expression équivalente
(forme honorifique non formelle) Terminaison finale pour décrire un fait ou pour indiquer une question, un ordre ou une recommandation. **<ordre>**

다 함께 춤+을 추+어요.
춰요

다 (adverbe) : 남거나 빠진 것이 없이 모두.
tout, toute, tous, toutes, complètement, parfaitement, vraiment, même, dans son intégralité
Tout sans que rien ne reste ou ne soit ôté.

함께 (adverbe) : 여럿이서 한꺼번에 같이.
ensemble
De manière à faire quelque chose en même temps à plusieurs.

춤 (nom) : 음악이나 규칙적인 박자에 맞춰 몸을 움직이는 것.
danse
Mouvement corporel en fonction de la musique ou d'un rythme régulier.

을 : 서술어의 명사형 목적어임을 나타내는 조사.
Pas d'expression équivalente
Particule pour indiquer le complément objet nominal d'un prédicat.

추다 (verbe) : 춤 동작을 하다.
danser
Effectuer des pas de danse.

-어요 : (두루높임으로) 어떤 사실을 서술하거나 질문, 명령, 권유함을 나타내는 종결 어미.
Pas d'expression équivalente
(forme honorifique non formelle) Terminaison finale pour décrire un fait ou pour indiquer une question, un ordre ou une recommandation. **<ordre>**

즐겁+게 흔들+어요.

즐겁다 (adjectif) : 마음에 들어 흐뭇하고 기쁘다.
joyeux, heureux, amusant, agréable
Qui est agréable et joyeux en raison de quelque chose de plaisant.

-게 : 앞의 말이 뒤에서 가리키는 일의 목적이나 결과, 방식, 정도 등이 됨을 나타내는 연결 어미.
Pas d'expression équivalente
Terminaison connective indiquant que les propos précédents constituent l'objectif, le résultat, la méthode ou le degré des propos qui suivent. **<méthode>**

흔들다 (verbe) : 무엇을 좌우, 앞뒤로 자꾸 움직이게 하다.
secouer, agiter
Faire bouger quelque chose de manière répétée à gauche, à droite, vers l'avant et l'arrière.

-어요 : (두루높임으로) 어떤 사실을 서술하거나 질문, 명령, 권유함을 나타내는 종결 어미.
Pas d'expression équivalente
(forme honorifique non formelle) Terminaison finale pour décrire un fait ou pour indiquer une question, un ordre ou une recommandation. **<ordre>**

우리 모두 춤+을 추+어요.
춰요

우리 (pronom) : 말하는 사람이 자기와 듣는 사람 또는 이를 포함한 여러 사람들을 가리키는 말.
nous, (pro.) notre (problème), nos
Terme employé par le locuteur pour désigner soi-même et son interlocuteur ou de nombreuses personnes y compris ces deux derniers.

모두 (adverbe) : 빠짐없이 다.
tout
Tout sans exception.

춤 (nom) : 음악이나 규칙적인 박자에 맞춰 몸을 움직이는 것.
danse
Mouvement corporel en fonction de la musique ou d'un rythme régulier.

을 : 서술어의 명사형 목적어임을 나타내는 조사.
Pas d'expression équivalente
Particule pour indiquer le complément objet nominal d'un prédicat.

추다 (verbe) : 춤 동작을 하다.
danser
Effectuer des pas de danse.

-어요 : (두루높임으로) 어떤 사실을 서술하거나 질문, 명령, 권유함을 나타내는 종결 어미.
Pas d'expression équivalente
(forme honorifique non formelle) Terminaison finale pour décrire un fait ou pour indiquer une question, un ordre ou une recommandation. **<ordre>**

< 2 절(couplet) >

머리, 어깨, 무릎, 발, 무릎, 발, 머리, 어깨, 무릎, 발, 무릎, 발

머리 (nom) : 사람이나 동물의 몸에서 얼굴과 머리털이 있는 부분을 모두 포함한 목 위의 부분.
tête, crâne, chef
Dans le corps humain ou animal, partie supérieure du cou comprenant le visage et la partie où les cheveux poussent.

어깨 (nom) : 목의 아래 끝에서 팔의 위 끝에 이르는 몸의 부분.
épaule
Partie du corps s'étendant du bas du cou au haut du bras.

무릎 (nom) : 허벅지와 종아리 사이에 앞쪽으로 둥글게 튀어나온 부분.
genoux
Partie saillante circulaire située entre l'intérieur de la cuisse et le mollet.

발 (nom) : 사람이나 동물의 다리 맨 끝부분.
pied, jambe
Partie située tout au bout des jambes de l'homme ou des pattes de l'animal.

머리, 어깨, 무릎, 발, 머리, 어깨, 무릎, 발

머리 (nom) : 사람이나 동물의 몸에서 얼굴과 머리털이 있는 부분을 모두 포함한 목 위의 부분.
tête, crâne, chef
Dans le corps humain ou animal, partie supérieure du cou comprenant le visage et la partie où les cheveux poussent.

어깨 (nom) : 목의 아래 끝에서 팔의 위 끝에 이르는 몸의 부분.
épaule
Partie du corps s'étendant du bas du cou au haut du bras.

무릎 (nom) : 허벅지와 종아리 사이에 앞쪽으로 둥글게 튀어나온 부분.
genoux
Partie saillante circulaire située entre l'intérieur de la cuisse et le mollet.

발 (nom) : 사람이나 동물의 다리 맨 끝부분.
pied, jambe
Partie située tout au bout des jambes de l'homme ou des pattes de l'animal.

머리, 어깨, 무릎, 발, 머리, 어깨, 무릎, 발

머리 (nom) : 사람이나 동물의 몸에서 얼굴과 머리털이 있는 부분을 모두 포함한 목 위의 부분.
tête, crâne, chef
Dans le corps humain ou animal, partie supérieure du cou comprenant le visage et la partie où les cheveux poussent.

어깨 (nom) : 목의 아래 끝에서 팔의 위 끝에 이르는 몸의 부분.
épaule
Partie du corps s'étendant du bas du cou au haut du bras.

무릎 (nom) : 허벅지와 종아리 사이에 앞쪽으로 둥글게 튀어나온 부분.
genoux
Partie saillante circulaire située entre l'intérieur de la cuisse et le mollet.

발 (nom) : 사람이나 동물의 다리 맨 끝부분.
pied, jambe
Partie située tout au bout des jambes de l'homme ou des pattes de l'animal.

팔, 팔, 팔, 손

팔 (nom) : 어깨에서 손목까지의 신체 부위.
bras
Partie du corps allant des épaules aux poignets.

손 (nom) : 팔목 끝에 있으며 무엇을 만지거나 잡을 때 쓰는 몸의 부분.
main
Partie du corps se situant au bout des poignets, utilisée pour toucher ou prendre quelque chose.

다리, 다리, 다리, 발

다리 (nom) : 사람이나 동물의 몸통 아래에 붙어, 서고 걷고 뛰는 일을 하는 신체 부위.
jambe, patte
Partie du corps attachée au bas du corps humain ou animal servant à se lever, marcher et courir.

발 (nom) : 사람이나 동물의 다리 맨 끝부분.
pied, jambe
Partie située tout au bout des jambes de l'homme ou des pattes de l'animal.

가슴, 허리, 엉덩이, 가슴, 허리, 엉덩이

가슴 (nom) : 인간이나 동물의 목과 배 사이에 있는 몸의 앞 부분.
poitrine, poitrail
Partie antérieure du corps humain ou de celui d'un animal située entre le cou et le ventre.

허리 (nom) : 사람이나 동물의 신체에서 갈비뼈 아래에서 엉덩이뼈까지의 부분.
taille, reins, dos, hanche, côté
Dans le corps humain ou animal, partie allant du bas de la côte à l'articulation coxofémorale.

엉덩이 (nom) : 허리와 허벅지 사이의 부분으로 앉았을 때 바닥에 닿는, 살이 많은 부위.
fesses
Partie située entre la taille et l'intérieur de la cuisse, constituée de beaucoup de chair et qui touche le sol quand on s'assoit.

팔, 팔, 팔, 손

팔 (nom) : 어깨에서 손목까지의 신체 부위.
bras
Partie du corps allant des épaules aux poignets.

손 (nom) : 팔목 끝에 있으며 무엇을 만지거나 잡을 때 쓰는 몸의 부분.
main
Partie du corps se situant au bout des poignets, utilisée pour toucher ou prendre quelque chose.

다리, 다리, 다리, 발

다리 (nom) : 사람이나 동물의 몸통 아래에 붙어, 서고 걷고 뛰는 일을 하는 신체 부위.
jambe, patte
Partie du corps attachée au bas du corps humain ou animal servant à se lever, marcher et courir.

발 (nom) : 사람이나 동물의 다리 맨 끝부분.
pied, jambe
Partie située tout au bout des jambes de l'homme ou des pattes de l'animal.

가슴, 허리, 엉덩이, 가슴, 허리, 엉덩이

가슴 (nom) : 인간이나 동물의 목과 배 사이에 있는 몸의 앞 부분.
poitrine, poitrail
Partie antérieure du corps humain ou de celui d'un animal située entre le cou et le ventre.

허리 (nom) : 사람이나 동물의 신체에서 갈비뼈 아래에서 엉덩이뼈까지의 부분.
taille, reins, dos, hanche, côté
Dans le corps humain ou animal, partie allant du bas de la côte à l'articulation coxofémorale.

엉덩이 (nom) : 허리와 허벅지 사이의 부분으로 앉았을 때 바닥에 닿는, 살이 많은 부위.
fesses
Partie située entre la taille et l'intérieur de la cuisse, constituée de beaucoup de chair et qui touche le sol quand on s'assoit.

신나+게 흔들+어요.

신나다 (verbe) : 흥이 나고 기분이 아주 좋아지다.
être excité, être enthousiasmé, s'enthousiasmer, être joyeux, se passionner pour
Être vivement intéressé et plein d'allant.

-게 : 앞의 말이 뒤에서 가리키는 일의 목적이나 결과, 방식, 정도 등이 됨을 나타내는 연결 어미.
Pas d'expression équivalente
Terminaison connective indiquant que les propos précédents constituent l'objectif, le résultat, la méthode ou le degré des propos qui suivent. **<méthode>**

흔들다 (verbe) : 무엇을 좌우, 앞뒤로 자꾸 움직이게 하다.

secouer, agiter

Faire bouger quelque chose de manière répétée à gauche, à droite, vers l'avant et l'arrière.

-어요 : (두루높임으로) 어떤 사실을 서술하거나 질문, 명령, 권유함을 나타내는 종결 어미.

Pas d'expression équivalente

(forme honorifique non formelle) Terminaison finale pour décrire un fait ou pour indiquer une question, un ordre ou une recommandation. <ordre>

다 함께 춤+을 추+어요.
춰요

다 (adverbe) : 남거나 빠진 것이 없이 모두.

tout, toute, tous, toutes, complètement, parfaitement, vraiment, même, dans son intégralité

Tout sans que rien ne reste ou ne soit ôté.

함께 (adverbe) : 여럿이서 한꺼번에 같이.

ensemble

De manière à faire quelque chose en même temps à plusieurs.

춤 (nom) : 음악이나 규칙적인 박자에 맞춰 몸을 움직이는 것.

danse

Mouvement corporel en fonction de la musique ou d'un rythme régulier.

을 : 서술어의 명사형 목적어임을 나타내는 조사.

Pas d'expression équivalente

Particule pour indiquer le complément objet nominal d'un prédicat.

추다 (verbe) : 춤 동작을 하다.

danser

Effectuer des pas de danse.

-어요 : (두루높임으로) 어떤 사실을 서술하거나 질문, 명령, 권유함을 나타내는 종결 어미.

Pas d'expression équivalente

(forme honorifique non formelle) Terminaison finale pour décrire un fait ou pour indiquer une question, un ordre ou une recommandation. <ordre>

즐겁+게 흔들+어요.

즐겁다 (adjectif) : 마음에 들어 흐뭇하고 기쁘다.
joyeux, heureux, amusant, agréable
Qui est agréable et joyeux en raison de quelque chose de plaisant.

-게 : 앞의 말이 뒤에서 가리키는 일의 목적이나 결과, 방식, 정도 등이 됨을 나타내는 연결 어미.
Pas d'expression équivalente
Terminaison connective indiquant que les propos précédents constituent l'objectif, le résultat, la méthode ou le degré des propos qui suivent. <méthode>

흔들다 (verbe) : 무엇을 좌우, 앞뒤로 자꾸 움직이게 하다.
secouer, agiter
Faire bouger quelque chose de manière répétée à gauche, à droite, vers l'avant et l'arrière.

-어요 : (두루높임으로) 어떤 사실을 서술하거나 질문, 명령, 권유함을 나타내는 종결 어미.
Pas d'expression équivalente
(forme honorifique non formelle) Terminaison finale pour décrire un fait ou pour indiquer une question, un ordre ou une recommandation. <ordre>

우리 모두 춤+을 추+어요.
춰요

우리 (pronom) : 말하는 사람이 자기와 듣는 사람 또는 이를 포함한 여러 사람들을 가리키는 말.
nous, (pro.) notre (problème), nos
Terme employé par le locuteur pour désigner soi-même et son interlocuteur ou de nombreuses personnes y compris ces deux derniers.

모두 (adverbe) : 빠짐없이 다.
tout
Tout sans exception.

춤 (nom) : 음악이나 규칙적인 박자에 맞춰 몸을 움직이는 것.
danse
Mouvement corporel en fonction de la musique ou d'un rythme régulier.

을 : 서술어의 명사형 목적어임을 나타내는 조사.
Pas d'expression équivalente
Particule pour indiquer le complément objet nominal d'un prédicat.

추다 (verbe) : 춤 동작을 하다.
danser
Effectuer des pas de danse.

-어요 : (두루높임으로) 어떤 사실을 서술하거나 질문, 명령, 권유함을 나타내는 종결 어미.
Pas d'expression équivalente
(forme honorifique non formelle) Terminaison finale pour décrire un fait ou pour indiquer une question, un ordre ou une recommandation. <ordre>

< 3 절(couplet) >

머리, 어깨, 무릎, 발, 무릎, 발, 머리, 어깨, 무릎, 발, 무릎, 발

머리 (nom) : 사람이나 동물의 몸에서 얼굴과 머리털이 있는 부분을 모두 포함한 목 위의 부분.
tête, crâne, chef
Dans le corps humain ou animal, partie supérieure du cou comprenant le visage et la partie où les cheveux poussent.

어깨 (nom) : 목의 아래 끝에서 팔의 위 끝에 이르는 몸의 부분.
épaule
Partie du corps s'étendant du bas du cou au haut du bras.

무릎 (nom) : 허벅지와 종아리 사이에 앞쪽으로 둥글게 튀어나온 부분.
genoux
Partie saillante circulaire située entre l'intérieur de la cuisse et le mollet.

발 (nom) : 사람이나 동물의 다리 맨 끝부분.
pied, jambe
Partie située tout au bout des jambes de l'homme ou des pattes de l'animal.

머리, 어깨, 무릎, 발, 머리, 어깨, 무릎, 발

머리 (nom) : 사람이나 동물의 몸에서 얼굴과 머리털이 있는 부분을 모두 포함한 목 위의 부분.
tête, crâne, chef
Dans le corps humain ou animal, partie supérieure du cou comprenant le visage et la partie où les cheveux poussent.

어깨 (nom) : 목의 아래 끝에서 팔의 위 끝에 이르는 몸의 부분.
épaule
Partie du corps s'étendant du bas du cou au haut du bras.

무릎 (nom) : 허벅지와 종아리 사이에 앞쪽으로 둥글게 튀어나온 부분.
genoux
Partie saillante circulaire située entre l'intérieur de la cuisse et le mollet.

발 (nom) : 사람이나 동물의 다리 맨 끝부분.
pied, jambe
Partie située tout au bout des jambes de l'homme ou des pattes de l'animal.

머리, 어깨, 무릎, 발, 머리, 어깨, 무릎, 발

머리 (nom) : 사람이나 동물의 몸에서 얼굴과 머리털이 있는 부분을 모두 포함한 목 위의 부분.
tête, crâne, chef
Dans le corps humain ou animal, partie supérieure du cou comprenant le visage et la partie où les cheveux poussent.

어깨 (nom) : 목의 아래 끝에서 팔의 위 끝에 이르는 몸의 부분.
épaule
Partie du corps s'étendant du bas du cou au haut du bras.

무릎 (nom) : 허벅지와 종아리 사이에 앞쪽으로 둥글게 튀어나온 부분.
genoux
Partie saillante circulaire située entre l'intérieur de la cuisse et le mollet.

발 (nom) : 사람이나 동물의 다리 맨 끝부분.
pied, jambe
Partie située tout au bout des jambes de l'homme ou des pattes de l'animal.

< 4 >

어때요?

나 어때요?
(A quoi je ressemble?)

[발음(prononciation)]

< 1 절(couplet) >

청바지 입었는데 어때요?
청바지 이번는데 어때요?
cheongbaji ibeonneunde eottaeyo?

치마 입었는데 어때요?
치마 이번는데 어때요?
chima ibeonneunde eottaeyo?

반바지는?
반바지는?
banbajineun?

원피스는?
원피스는?
wonpiseuneun?

어때요? 어때요? 어때요? 어때요? 어때요?
어때요? 어때요? 어때요? 어때요? 어때요?
eottaeyo? eottaeyo? eottaeyo? eottaeyo? eottaeyo?

머리 묶었는데 어때요?
머리 무껀는데 어때요?
meori mukkeonneunde eottaeyo?

머리 풀었는데 어때요?
머리 푸런는데 어때요?
meori pureonneunde eottaeyo?

긴 머리는?
긴 머리는?
gin meorineun?

짧은 머리는?
짤븐 머리는?
jjalbeun meorineun?

어때요? 어때요? 어때요? 어때요? 어때요?
어때요? 어때요? 어때요? 어때요? 어때요?
eottaeyo? eottaeyo? eottaeyo? eottaeyo? eottaeyo?

제 눈과 코와 입술이 얼마나 예뻐 보이나요?
제 눈과 코와 입쑤리 얼마나 예뻐 보이나요?
je nungwa kowa ipsuri eolmana yeppeo boinayo?

나 어때요?
나 어때요?
na eottaeyo?

나 예뻐요?
나 예뻐요?
na yeppeoyo?

어때요? 어때요? 어때요? 어때요? 어때요?
어때요? 어때요? 어때요? 어때요? 어때요?
eottaeyo? eottaeyo? eottaeyo? eottaeyo? eottaeyo?

< 2 절(couplet) >

운동화 신었는데 어때요?
운동화 시넌는데 어때요?
undonghwa sineonneunde eottaeyo?

구두 신었는데 어때요?
구두 시넌는데 어때요?
gudu sineonneunde eottaeyo?

검은색은?
거믄새근?
geomeunsaegeun?

흰색은?
힌새근?
hinsaegeun?

어때요? 어때요? 어때요? 어때요? 어때요?
어때요? 어때요? 어때요? 어때요? 어때요?
eottaeyo? eottaeyo? eottaeyo? eottaeyo? eottaeyo?

목걸이 찼는데 어때요?
목꺼리 찬는데 어때요?
mokgeori channeunde eottaeyo?

반지 끼었는데 어때요?
반지 끼언는데 어때요?
banji kkieonneunde eottaeyo?

귀걸이는?

귀거리는?

gwigeorineun?

팔찌는?

팔찌는?

paljjineun?

어때요? 어때요? 어때요? 어때요? 어때요?

어때요? 어때요? 어때요? 어때요? 어때요?

eottaeyo? eottaeyo? eottaeyo? eottaeyo? eottaeyo?

제 눈과 코와 입술이 얼마나 예뻐 보이나요?

제 눈과 코와 입쑤리 얼마나 예뻐 보이나요?

je nungwa kowa ipsuri eolmana yeppeo boinayo?

나 어때요?

나 어때요?

na eottaeyo?

나 예뻐요?

나 예뻐요?

na yeppeoyo?

어때요? 어때요? 어때요? 어때요? 어때요?

어때요? 어때요? 어때요? 어때요? 어때요?

eottaeyo? eottaeyo? eottaeyo? eottaeyo? eottaeyo?

< 1 절(couplet) >

청바지 입+었+는데 <u>어떻+어요</u>?
어때요

청바지 (nom) : 질긴 무명으로 만든 푸른색 바지.
jean
Pantalon bleu confectionné en tissu de coton dur.

입다 (verbe) : 옷을 몸에 걸치거나 두르다.
porter, s'habiller
Se vêtir ou ceindre son corps d'un vêtement.

-었- : 어떤 사건이 과거에 완료되었거나 그 사건의 결과가 현재까지 지속되는 상황을 나타내는 어미.
Pas d'expression équivalente
Terminaison indiquant une situation où un évènement a été accompli dans le passé ou que le résultat de cet évènement se poursuit jusqu'à présent.

-는데 : 뒤의 말을 하기 위하여 그 대상과 관련이 있는 상황을 미리 말함을 나타내는 연결 어미.
Pas d'expression équivalente
Terminaison connective indiquant le fait de parler à l'avance d'une situation en rapport avec l'objet des propos suivants.

어떻다 (adjectif) : 생각, 느낌, 상태, 형편 등이 어찌 되어 있다.
Pas d'expression équivalente
(Pensée, sentiment, état, situation, etc.) Qui est comme ceci ou comme cela.

-어요 : (두루높임으로) 어떤 사실을 서술하거나 질문, 명령, 권유함을 나타내는 종결 어미.
Pas d'expression équivalente
(forme honorifique non formelle) Terminaison finale pour décrire un fait ou pour indiquer une question, un ordre ou une recommandation. <question>

치마 입+었+는데 <u>어떻+어요</u>?
어때요

치마 (nom) : 여자가 입는 아래 겉옷으로 다리가 들어가도록 된 부분이 없는 옷.
jupe, jupette, minijupe
Vêtement pour le bas du corps porté par les femmes et qui ne couvre pas les jambes.

입다 (verbe) : 옷을 몸에 걸치거나 두르다.

porter, s'habiller

Se vêtir ou ceindre son corps d'un vêtement.

-었- : 어떤 사건이 과거에 완료되었거나 그 사건의 결과가 현재까지 지속되는 상황을 나타내는 어미.

Pas d'expression équivalente

Terminaison indiquant une situation où un évènement a été accompli dans le passé ou que le résultat de cet évènement se poursuit jusqu'à présent.

-는데 : 뒤의 말을 하기 위하여 그 대상과 관련이 있는 상황을 미리 말함을 나타내는 연결 어미.

Pas d'expression équivalente

Terminaison connective indiquant le fait de parler à l'avance d'une situation en rapport avec l'objet des propos suivants.

어떻다 (adjectif) : 생각, 느낌, 상태, 형편 등이 어찌 되어 있다.

Pas d'expression équivalente

(Pensée, sentiment, état, situation, etc.) Qui est comme ceci ou comme cela.

-어요 : (두루높임으로) 어떤 사실을 서술하거나 질문, 명령, 권유함을 나타내는 종결 어미.

Pas d'expression équivalente

(forme honorifique non formelle) Terminaison finale pour décrire un fait ou pour indiquer une question, un ordre ou une recommandation. <question>

반바지+는?

반바지 (nom) : 길이가 무릎 위나 무릎 정도까지 내려오는 짧은 바지.

culotte courte, short

Pantalon court qui descend jusqu'aux genoux ou au dessus des genoux.

는 : 문장 속에서 어떤 대상이 화제임을 나타내는 조사.

Pas d'expression équivalente

Particule indiquant qu'un objet est le principal sujet d'une phrase.

원피스+는?

원피스 (nom) : 윗옷과 치마가 하나로 붙어 있는 여자 겉옷.

robe

Vêtement féminin où le haut et la jupe sont attachés pour former une seule pièce.

는 : 문장 속에서 어떤 대상이 화제임을 나타내는 조사.
Pas d'expression équivalente
Particule indiquant qu'un objet est le principal sujet d'une phrase.

어떻+어요?
어때요

어떻다 (adjectif) : 생각, 느낌, 상태, 형편 등이 어찌 되어 있다.
Pas d'expression équivalente
(Pensée, sentiment, état, situation, etc.) Qui est comme ceci ou comme cela.

-어요 : (두루높임으로) 어떤 사실을 서술하거나 질문, 명령, 권유함을 나타내는 종결 어미.
Pas d'expression équivalente
(forme honorifique non formelle) Terminaison finale pour décrire un fait ou pour indiquer une question, un ordre ou une recommandation. <question>

머리 묶+었+는데 어떻+어요?
어때요

머리 (nom) : 머리에 난 털.
cheveu, chevelure, mèche, mèche de cheveux, tête
Poil poussant sur la tête.

묶다 (verbe) : 끈 등으로 물건을 잡아매다.
attacher, lier
Nouer un objet à l'aide d'une ficelle, etc.

-었- : 어떤 사건이 과거에 완료되었거나 그 사건의 결과가 현재까지 지속되는 상황을 나타내는 어미.
Pas d'expression équivalente
Terminaison indiquant une situation où un évènement a été accompli dans le passé ou que le résultat de cet évènement se poursuit jusqu'à présent.

-는데 : 뒤의 말을 하기 위하여 그 대상과 관련이 있는 상황을 미리 말함을 나타내는 연결 어미.
Pas d'expression équivalente
Terminaison connective indiquant le fait de parler à l'avance d'une situation en rapport avec l'objet des propos suivants.

어떻다 (adjectif) : 생각, 느낌, 상태, 형편 등이 어찌 되어 있다.
Pas d'expression équivalente
(Pensée, sentiment, état, situation, etc.) Qui est comme ceci ou comme cela.

-어요 : (두루높임으로) 어떤 사실을 서술하거나 질문, 명령, 권유함을 나타내는 종결 어미.
Pas d'expression équivalente
(forme honorifique non formelle) Terminaison finale pour décrire un fait ou pour indiquer une question, un ordre ou une recommandation. **<question>**

머리 풀+었+는데 <u>어떻+어요</u>?
어때요

머리 (nom) : 머리에 난 털.
cheveu, chevelure, mèche, mèche de cheveux, tête
Poil poussant sur la tête.

풀다 (verbe) : 매이거나 묶이거나 얽힌 것을 원래의 상태로 되게 하다.
dénouer, défaire, détacher
Remettre en état une chose attachée quelque part sur elle-même ou emmêlée.

-었- : 어떤 사건이 과거에 완료되었거나 그 사건의 결과가 현재까지 지속되는 상황을 나타내는 어미.
Pas d'expression équivalente
Terminaison indiquant une situation où un évènement a été accompli dans le passé ou que le résultat de cet évènement se poursuit jusqu'à présent.

-는데 : 뒤의 말을 하기 위하여 그 대상과 관련이 있는 상황을 미리 말함을 나타내는 연결 어미.
Pas d'expression équivalente
Terminaison connective indiquant le fait de parler à l'avance d'une situation en rapport avec l'objet des propos suivants.

어떻다 (adjectif) : 생각, 느낌, 상태, 형편 등이 어찌 되어 있다.
Pas d'expression équivalente
(Pensée, sentiment, état, situation, etc.) Qui est comme ceci ou comme cela.

-어요 : (두루높임으로) 어떤 사실을 서술하거나 질문, 명령, 권유함을 나타내는 종결 어미.
Pas d'expression équivalente
(forme honorifique non formelle) Terminaison finale pour décrire un fait ou pour indiquer une question, un ordre ou une recommandation. **<question>**

<u>길(기)+ㄴ</u> 머리+는?
긴

길다 (adjectif) : 물체의 한쪽 끝에서 다른 쪽 끝까지 두 끝이 멀리 떨어져 있다.
long, allongé, prolongé
État dans lequel les deux extrémités d'un objet sont fortement éloignées.

-ㄴ : 앞의 말이 관형어의 기능을 하게 만들고 현재의 상태를 나타내는 어미.
Pas d'expression équivalente
Terminaison donnant la fonction de déterminant à la proposition précédente et exprimant l'état présent.

머리 (nom) : 머리에 난 털.
cheveu, chevelure, mèche, mèche de cheveux, tête
Poil poussant sur la tête.

는 : 문장 속에서 어떤 대상이 화제임을 나타내는 조사.
Pas d'expression équivalente
Particule indiquant qu'un objet est le principal sujet d'une phrase.

짧+은 머리+는?

짧다 (adjectif) : 공간이나 물체의 양 끝 사이가 가깝다.
court
(Espace ou objet) Qui a une courte distance entre ses deux extrémités.

-은 : 앞의 말이 관형어의 기능을 하게 만들고 현재의 상태를 나타내는 어미.
Pas d'expression équivalente
Terminaison faisant fonctionner le mot précédent comme un déterminant et exprimant l'état présent.

머리 (nom) : 머리에 난 털.
cheveu, chevelure, mèche, mèche de cheveux, tête
Poil poussant sur la tête.

는 : 문장 속에서 어떤 대상이 화제임을 나타내는 조사.
Pas d'expression équivalente
Particule indiquant qu'un objet est le principal sujet d'une phrase.

<u>어떻</u>+<u>어요</u>?
어때요

어떻다 (adjectif) : 생각, 느낌, 상태, 형편 등이 어찌 되어 있다.
Pas d'expression équivalente
(Pensée, sentiment, état, situation, etc.) Qui est comme ceci ou comme cela.

-어요 : (두루높임으로) 어떤 사실을 서술하거나 질문, 명령, 권유함을 나타내는 종결 어미.
Pas d'expression équivalente
(forme honorifique non formelle) Terminaison finale pour décrire un fait ou pour indiquer une question, un ordre ou une recommandation. **<question>**

<u>저</u>+의 눈+과 코+와 입술+이 얼마나 <u>예쁘</u>(예뻐)+[어 보이]+나요?
제   예뻐 보이나요

저 (pronom) : 말하는 사람이 듣는 사람에게 자신을 낮추어 가리키는 말.
moi, je
Terme utilisé par le locuteur pour se désigner en s'abaissant.

의 : 앞의 말이 뒤의 말에 대하여 소유, 소속, 소재, 관계, 기원, 주체의 관계를 가짐을 나타내는 조사.
Pas d'expression équivalente
Particule pour indiquer que la proposition précédente prend une relation de possession, d'appartenance, d'emplacement, de relation, d'origine ou de sujet d'action par rapport à la proposition suivante.

눈 (nom) : 사람이나 동물의 얼굴에 있으며 빛의 자극을 받아 물체를 볼 수 있는 감각 기관.
œil
Organe sensoriel situé sur le visage d'un homme ou d'un animal et qui permet de voir des objets en étant stimulé par la lumière.

과 : 앞과 뒤의 명사를 같은 자격으로 이어 줄 때 쓰는 조사.
Pas d'expression équivalente
Particule utilisée pour lier à un même titre les deux noms la précédent et la suivant.

코 (nom) : 숨을 쉬고 냄새를 맡는 몸의 한 부분.
nez
Partie du corps servant à respirer et à sentir les odeurs.

와 : 앞과 뒤의 명사를 같은 자격으로 이어주는 조사.
et
Particule utilisée pour relier les deux noms qui se succèdent en les attribuant la même qualité.

입술 (nom) : 사람의 입 주위를 둘러싸고 있는 붉고 부드러운 살.
lèvre
Chair rouge et douce entourant la bouche des êtres humains.

이 : 어떤 상태나 상황의 대상이나 동작의 주체를 나타내는 조사.
Pas d'expression équivalente
Particule qui indique l'objet d'un état ou d'une situation, ou le sujet d'une action.

얼마나 (adverbe) : 어느 정도나.
(adv.) combien, quel
Dans quelle mesure

예쁘다 (adjectif) : 생긴 모양이 눈으로 보기에 좋을 만큼 아름답다.
beau, splendide, joli, mignon, adorable, ravissant, superbe, séduisant, charmant, gentil
(Apparence) Qui suscite un plaisir esthétique d'ordre visuel.

-어 보이다 : 겉으로 볼 때 앞의 말이 나타내는 것처럼 느껴지거나 추측됨을 나타내는 표현.
Pas d'expression équivalente
Expression indiquant le fait de ressentir ce qui est exprimé par les propos précédents ou de supposer ce sentiment en apparence.

-나요 : (두루높임으로) 앞의 내용에 대해 상대방에게 물어볼 때 쓰는 표현.
Pas d'expression équivalente
(forme honorifique non formelle) Expression pour poser une question sur la proposition précédente à l'interlocuteur.

나 <u>어떻+어요</u>?
어때요

나 (pronom) : 말하는 사람이 친구나 아랫사람에게 자기를 가리키는 말.
je, moi, me
Terme employé par le locuteur pour se désigner, lorsqu'il s'adresse à une personne du même âge ou plus jeune.

어떻다 (adjectif) : 생각, 느낌, 상태, 형편 등이 어찌 되어 있다.
Pas d'expression équivalente
(Pensée, sentiment, état, situation, etc.) Qui est comme ceci ou comme cela.

-어요 : (두루높임으로) 어떤 사실을 서술하거나 질문, 명령, 권유함을 나타내는 종결 어미.
Pas d'expression équivalente
(forme honorifique non formelle) Terminaison finale pour décrire un fait ou pour indiquer une question, un ordre ou une recommandation. <question>

나 예쁘(예쁘)+어요?
예뻐요

나 (pronom) : 말하는 사람이 친구나 아랫사람에게 자기를 가리키는 말.
je, moi, me
Terme employé par le locuteur pour se désigner, lorsqu'il s'adresse à une personne du même âge ou plus jeune.

예쁘다 (adjectif) : 생긴 모양이 눈으로 보기에 좋을 만큼 아름답다.
beau, splendide, joli, mignon, adorable, ravissant, superbe, séduisant, charmant, gentil
(Apparence) Qui suscite un plaisir esthétique d'ordre visuel.

-어요 : (두루높임으로) 어떤 사실을 서술하거나 질문, 명령, 권유함을 나타내는 종결 어미.
Pas d'expression équivalente
(forme honorifique non formelle) Terminaison finale pour décrire un fait ou pour indiquer une question, un ordre ou une recommandation. <question>

어떻+어요?
어때요

어떻다 (adjectif) : 생각, 느낌, 상태, 형편 등이 어찌 되어 있다.
Pas d'expression équivalente
(Pensée, sentiment, état, situation, etc.) Qui est comme ceci ou comme cela.

-어요 : (두루높임으로) 어떤 사실을 서술하거나 질문, 명령, 권유함을 나타내는 종결 어미.
Pas d'expression équivalente
(forme honorifique non formelle) Terminaison finale pour décrire un fait ou pour indiquer une question, un ordre ou une recommandation. <question>

< 2 절(couplet) >

운동화 신+었+는데 <u>어떻+어요</u>?
어때요

운동화 (nom) : 운동을 할 때 신도록 만든 신발.
baskets, chaussures de sport
Chaussures qu'on porte pour faire du sport.

신다 (verbe) : 신발이나 양말 등의 속으로 발을 넣어 발의 전부나 일부를 덮다.
porter, mettre
Placer le pied dans une chaussure, une chaussette, etc. et le couvrir en entier ou en partie.

-었- : 어떤 사건이 과거에 완료되었거나 그 사건의 결과가 현재까지 지속되는 상황을 나타내는 어미.
Pas d'expression équivalente
Terminaison indiquant une situation où un évènement a été accompli dans le passé ou que le résultat de cet évènement se poursuit jusqu'à présent.

-는데 : 뒤의 말을 하기 위하여 그 대상과 관련이 있는 상황을 미리 말함을 나타내는 연결 어미.
Pas d'expression équivalente
Terminaison connective indiquant le fait de parler à l'avance d'une situation en rapport avec l'objet des propos suivants.

어떻다 (adjectif) : 생각, 느낌, 상태, 형편 등이 어찌 되어 있다.
Pas d'expression équivalente
(Pensée, sentiment, état, situation, etc.) Qui est comme ceci ou comme cela.

-어요 : (두루높임으로) 어떤 사실을 서술하거나 질문, 명령, 권유함을 나타내는 종결 어미.
Pas d'expression équivalente
(forme honorifique non formelle) Terminaison finale pour décrire un fait ou pour indiquer une question, un ordre ou une recommandation. <question>

구두 신+었+는데 <u>어떻+어요</u>?
어때요

구두 (nom) : 정장을 입었을 때 신는 가죽, 비닐 등으로 만든 신발.
chaussure, soulier
Chaussures confectionnées en cuir ou en vinyle, qu'on porte avec un costume.

신다 (verbe) : 신발이나 양말 등의 속으로 발을 넣어 발의 전부나 일부를 덮다.
porter, mettre
Placer le pied dans une chaussure, une chaussette, etc. et le couvrir en entier ou en partie.

-었- : 어떤 사건이 과거에 완료되었거나 그 사건의 결과가 현재까지 지속되는 상황을 나타내는 어미.
Pas d'expression équivalente
Terminaison indiquant une situation où un évènement a été accompli dans le passé ou que le résultat de cet évènement se poursuit jusqu'à présent.

-는데 : 뒤의 말을 하기 위하여 그 대상과 관련이 있는 상황을 미리 말함을 나타내는 연결 어미.
Pas d'expression équivalente
Terminaison connective indiquant le fait de parler à l'avance d'une situation en rapport avec l'objet des propos suivants.

어떻다 (adjectif) : 생각, 느낌, 상태, 형편 등이 어찌 되어 있다.
Pas d'expression équivalente
(Pensée, sentiment, état, situation, etc.) Qui est comme ceci ou comme cela.

-어요 : (두루높임으로) 어떤 사실을 서술하거나 질문, 명령, 권유함을 나타내는 종결 어미.
Pas d'expression équivalente
(forme honorifique non formelle) Terminaison finale pour décrire un fait ou pour indiquer une question, un ordre ou une recommandation. <question>

검은색+은?

검은색 (nom) : 빛이 없을 때의 밤하늘과 같이 매우 어둡고 짙은 색.
noir
Couleur très foncée, obscure comme un ciel nocturne sans aucun rayon lumineux.

은 : 문장 속에서 어떤 대상이 화제임을 나타내는 조사.
Pas d'expression équivalente
Particule indiquant qu'un objet est le principal sujet (de conversation) d'une phrase.

흰색+은?

흰색 (nom) : 눈이나 우유와 같은 밝은 색.
couleur blanche, blanc
Teinte lumineuse comme celle de la neige ou du lait.

은 : 문장 속에서 어떤 대상이 화제임을 나타내는 조사.
Pas d'expression équivalente
Particule indiquant qu'un objet est le principal sujet (de conversation) d'une phrase.

어떻+어요?
어때요

어떻다 (adjectif) : 생각, 느낌, 상태, 형편 등이 어찌 되어 있다.
Pas d'expression équivalente
(Pensée, sentiment, état, situation, etc.) Qui est comme ceci ou comme cela.

-어요 : (두루높임으로) 어떤 사실을 서술하거나 질문, 명령, 권유함을 나타내는 종결 어미.
Pas d'expression équivalente
(forme honorifique non formelle) Terminaison finale pour décrire un fait ou pour indiquer une question, un ordre ou une recommandation. **<question>**

목걸이 차+았+는데 어떻+어요?
찼는데   어때요

목걸이 (nom) : 보석 등을 줄에 꿰어서 목에 거는 장식품.
collier
Accessoire de bijoux ou d'autres décorations reliés à un fil porté au cou.

차다 (verbe) : 물건을 허리나 팔목, 발목 등에 매어 달거나 걸거나 끼우다.
porter, mettre
Suspendre, accrocher ou enfiler quelque chose autour de la hanche, du poignet ou de la cheville.

-았- : 어떤 사건이 과거에 완료되었거나 그 사건의 결과가 현재까지 지속되는 상황을 나타내는 어미.
Pas d'expression équivalente
Terminaison indiquant une situation où un évènement a été accompli dans le passé ou que le résultat de cet évènement se poursuit jusqu'à présent.

-는데 : 뒤의 말을 하기 위하여 그 대상과 관련이 있는 상황을 미리 말함을 나타내는 연결 어미.
Pas d'expression équivalente
Terminaison connective indiquant le fait de parler à l'avance d'une situation en rapport avec l'objet des propos suivants.

어떻다 (adjectif) : 생각, 느낌, 상태, 형편 등이 어찌 되어 있다.
Pas d'expression équivalente
(Pensée, sentiment, état, situation, etc.) Qui est comme ceci ou comme cela.

-어요 : (두루높임으로) 어떤 사실을 서술하거나 질문, 명령, 권유함을 나타내는 종결 어미.
Pas d'expression équivalente
(forme honorifique non formelle) Terminaison finale pour décrire un fait ou pour indiquer une question, un ordre ou une recommandation. <question>

반지 끼+었+는데 <u>어떻+어요</u>?
어때요

반지 (nom) : 손가락에 끼는 동그란 장신구.
bague, anneau
Accessoire rond porté au doigt.

끼다 (verbe) : 무엇에 걸려 빠지지 않도록 꿰거나 꽂다.
mettre, passer, porter
Enfiler ou planter une chose pour qu'elle reste accrochée et ne s'enlève pas.

-었- : 어떤 사건이 과거에 완료되었거나 그 사건의 결과가 현재까지 지속되는 상황을 나타내는 어미.
Pas d'expression équivalente
Terminaison indiquant une situation où un évènement a été accompli dans le passé ou que le résultat de cet évènement se poursuit jusqu'à présent.

-는데 : 뒤의 말을 하기 위하여 그 대상과 관련이 있는 상황을 미리 말함을 나타내는 연결 어미.
Pas d'expression équivalente
Terminaison connective indiquant le fait de parler à l'avance d'une situation en rapport avec l'objet des propos suivants.

어떻다 (adjectif) : 생각, 느낌, 상태, 형편 등이 어찌 되어 있다.
Pas d'expression équivalente
(Pensée, sentiment, état, situation, etc.) Qui est comme ceci ou comme cela.

-어요 : (두루높임으로) 어떤 사실을 서술하거나 질문, 명령, 권유함을 나타내는 종결 어미.
Pas d'expression équivalente
(forme honorifique non formelle) Terminaison finale pour décrire un fait ou pour indiquer une question, un ordre ou une recommandation. <question>

귀걸이+는?

귀걸이 (nom) : 귀에 다는 장식품.
boucles d'oreilles
Ornements portés à l'oreille.

는 : 문장 속에서 어떤 대상이 화제임을 나타내는 조사.
Pas d'expression équivalente
Particule indiquant qu'un objet est le principal sujet d'une phrase.

팔찌+는?

팔찌 (nom) : 팔목에 끼는, 금, 은, 가죽 등으로 만든 장식품.
paljji, bracelet, gourmette
Ornement en or, en argent, en cuir, etc., que l'on porte au poignet.

는 : 문장 속에서 어떤 대상이 화제임을 나타내는 조사.
Pas d'expression équivalente
Particule indiquant qu'un objet est le principal sujet d'une phrase.

어떻+어요?
어때요

어떻다 (adjectif) : 생각, 느낌, 상태, 형편 등이 어찌 되어 있다.
Pas d'expression équivalente
(Pensée, sentiment, état, situation, etc.) Qui est comme ceci ou comme cela.

-어요 : (두루높임으로) 어떤 사실을 서술하거나 질문, 명령, 권유함을 나타내는 종결 어미.
Pas d'expression équivalente
(forme honorifique non formelle) Terminaison finale pour décrire un fait ou pour indiquer une question, un ordre ou une recommandation. **<question>**

저+의 눈+과 코+와 입술+이 얼마나 예쁘(예뻐)+[어 보이]+나요?
제   예뻐 보이나요

저 (pronom) : 말하는 사람이 듣는 사람에게 자신을 낮추어 가리키는 말.
moi, je
Terme utilisé par le locuteur pour se désigner en s'abaissant.

의 : 앞의 말이 뒤의 말에 대하여 소유, 소속, 소재, 관계, 기원, 주체의 관계를 가짐을 나타내는 조사.
Pas d'expression équivalente
Particule pour indiquer que la proposition précédente prend une relation de possession, d'appartenance, d'emplacement, de relation, d'origine ou de sujet d'action par rapport à la proposition suivante.

눈 (nom) : 사람이나 동물의 얼굴에 있으며 빛의 자극을 받아 물체를 볼 수 있는 감각 기관.
œil
Organe sensoriel situé sur le visage d'un homme ou d'un animal et qui permet de voir des objets en étant stimulé par la lumière.

과 : 앞과 뒤의 명사를 같은 자격으로 이어 줄 때 쓰는 조사.
Pas d'expression équivalente
Particule utilisée pour lier à un même titre les deux noms la précédent et la suivant.

코 (nom) : 숨을 쉬고 냄새를 맡는 몸의 한 부분.
nez
Partie du corps servant à respirer et à sentir les odeurs.

와 : 앞과 뒤의 명사를 같은 자격으로 이어주는 조사.
et
Particule utilisée pour relier les deux noms qui se succèdent en les attribuant la même qualité.

입술 (nom) : 사람의 입 주위를 둘러싸고 있는 붉고 부드러운 살.
lèvre
Chair rouge et douce entourant la bouche des êtres humains.

이 : 어떤 상태나 상황의 대상이나 동작의 주체를 나타내는 조사.
Pas d'expression équivalente
Particule qui indique l'objet d'un état ou d'une situation, ou le sujet d'une action.

얼마나 (adverbe) : 어느 정도나.
(adv.) combien, quel
Dans quelle mesure

예쁘다 (adjectif) : 생긴 모양이 눈으로 보기에 좋을 만큼 아름답다.

beau, splendide, joli, mignon, adorable, ravissant, superbe, séduisant, charmant, gentil

(Apparence) Qui suscite un plaisir esthétique d'ordre visuel.

-어 보이다 : 겉으로 볼 때 앞의 말이 나타내는 것처럼 느껴지거나 추측됨을 나타내는 표현.

Pas d'expression équivalente

Expression indiquant le fait de ressentir ce qui est exprimé par les propos précédents ou de supposer ce sentiment en apparence.

-나요 : (두루높임으로) 앞의 내용에 대해 상대방에게 물어볼 때 쓰는 표현.

Pas d'expression équivalente

(forme honorifique non formelle) Expression pour poser une question sur la proposition précédente à l'interlocuteur.

나 어떻+어요?
어때요

나 (pronom) : 말하는 사람이 친구나 아랫사람에게 자기를 가리키는 말.

je, moi, me

Terme employé par le locuteur pour se désigner, lorsqu'il s'adresse à une personne du même âge ou plus jeune.

어떻다 (adjectif) : 생각, 느낌, 상태, 형편 등이 어찌 되어 있다.

Pas d'expression équivalente

(Pensée, sentiment, état, situation, etc.) Qui est comme ceci ou comme cela.

-어요 : (두루높임으로) 어떤 사실을 서술하거나 질문, 명령, 권유함을 나타내는 종결 어미.

Pas d'expression équivalente

(forme honorifique non formelle) Terminaison finale pour décrire un fait ou pour indiquer une question, un ordre ou une recommandation. <question>

나 예쁘(예쁘)+어요?
예뻐요

나 (pronom) : 말하는 사람이 친구나 아랫사람에게 자기를 가리키는 말.

je, moi, me

Terme employé par le locuteur pour se désigner, lorsqu'il s'adresse à une personne du même âge ou plus jeune.

예쁘다 (adjectif) : 생긴 모양이 눈으로 보기에 좋을 만큼 아름답다.

beau, splendide, joli, mignon, adorable, ravissant, superbe, séduisant, charmant, gentil

(Apparence) Qui suscite un plaisir esthétique d'ordre visuel.

-어요 : (두루높임으로) 어떤 사실을 서술하거나 질문, 명령, 권유함을 나타내는 종결 어미.

Pas d'expression équivalente

(forme honorifique non formelle) Terminaison finale pour décrire un fait ou pour indiquer une question, un ordre ou une recommandation. <question>

어떻+어요?
어때요

어떻다 (adjectif) : 생각, 느낌, 상태, 형편 등이 어찌 되어 있다.

Pas d'expression équivalente

(Pensée, sentiment, état, situation, etc.) Qui est comme ceci ou comme cela.

-어요 : (두루높임으로) 어떤 사실을 서술하거나 질문, 명령, 권유함을 나타내는 종결 어미.

Pas d'expression équivalente

(forme honorifique non formelle) Terminaison finale pour décrire un fait ou pour indiquer une question, un ordre ou une recommandation. <question>

< 5 >

하늘, 땅, 사람
(ciel)
(terre)
(homme)

[발음(prononciation)]

< 1 절(couplet) >

하늘에서 비가 내린다고 하는 걸 보니 하늘은 위인가요?
하느레서 비가 내린다고 하는 걸 보니 하느른 위인가요?
haneureseo biga naerindago haneun geol boni haneureun wiingayo?

그 비가 땅을 적신다고 하는 걸 보니 그럼 땅은 아래인가 보네요.
그 비가 땅을 적씬다고 하는 걸 보니 그럼 땅은 아래인가 보네요.
geu biga ttangeul jeoksindago haneun geol boni geureom ttangeun araeinga boneyo.

땅을 밟고 서서 하늘을 바라보는 사람은 하늘과 땅 사이에 있는 거겠군요.
땅을 밥꼬 서서 하느를 바라보는 사라믄 하늘과 땅 사이에 인는 거겔꾸뇨.
ttangeul bapgo seoseo haneureul baraboneun sarameun haneulgwa ttang saie inneun geogetgunyo.

그 사이에 갇혀 지지고 볶으며 오늘도 나는 살아가고 있네요.
그 사이에 가처 지지고 보끄며 오늘도 나는 사라가고 인네요.
geu saie gacheo jijigo bokkeumyeo oneuldo naneun saragago inneyo.

땅에 갇혀 사는 것은 이제 너무 지겨워요.
땅에 가처 사는 거슨 이제 너무 지겨워요.
ttange gacheo saneun geoseun ije neomu jigyeowoyo.

움츠린 가슴을 펴고 하늘 끝까지 날아올라 봐요.
움츠린 가스믈 펴고 하늘 끋까지 나라올라 봐요.
umcheurin gaseumeul pyeogo haneul kkeutkkaji naraolla bwayo.

우리 모두 거기서 행복하게 살아 봐요.
우리 모두 거기서 행보카게 사라 봐요.
uri modu geogiseo haengbokage sara bwayo.

< 후렴(refrain) >

이제부터는 지금부터는
이제부터는 지금부터는
ijebuteoneun jigeumbuteoneun

가슴이 시키는 대로 살아 봐요.
가스미 시키는 대로 사라 봐요.
gaseumi sikineun daero sara bwayo.

이제부터는 지금부터는
이제부터는 지금부터는
ijebuteoneun jigeumbuteoneun

가슴이 느끼는 대로 자유롭게
가스미 느끼는 대로 자유롭께
gaseumi neukkineun daero jayuropge

아무것도 신경 쓰지 마요.
아무걷또 신경 쓰지 마요.
amugeotdo singyeong sseuji mayo.

< 2 절(couplet) >

아직까지 해가 뜨고 진 적은 한 번도 없었어요.
아직까지 해가 뜨고 진 저근 한 번도 업써써요.
ajikkkaji haega tteugo jin jeogeun han beondo eopseosseoyo.

이 땅에 사는 우리들만 어제도 오늘도 쉼 없이 돌고 돌고 또 돌아요.
이 땅에 사는 우리들만 어제도 오늘도 쉼 업씨 돌고 돌고 또 도라요.
i ttange saneun urideulman eojedo oneuldo swim eopsi dolgo dolgo tto dorayo.

배운 대로 남들이 시키는 대로 그렇게 사람들 사이에 숨어 살아가고 있죠.
배운 대로 남드리 시키는 대로 그러케 사람들 사이에 수머 사라가고 읻쬬.
baeun daero namdeuri sikineun daero geureoke saramdeul saie sumeo saragago itjyo.

그 사이에 갇혀 지지고 볶으며 오늘도 나는 살아가고 있네요.
그 사이에 가처 지지고 보끄며 오늘도 나는 사라가고 인네요.
geu saie gacheo jijigo bokkeumyeo oneuldo naneun saragago inneyo.

누가 시키는 대로 사는 것은 이제 너무 짜증이 나요.
누가 시키는 대로 사는 거슨 이제 너무 짜증이 나요.
nuga sikineun daero saneun geoseun ije neomu jjajeungi nayo.

바라고 원하는 생각들을 하늘 너머로 떠나보내요.
바라고 원하는 생각뜨를 하늘 너머로 떠나보내요.
barago wonhaneun saenggakdeureul haneul neomeoro tteonabonaeyo.

우리 모두 거기서 자유롭게 살아 봐요.
우리 모두 거기서 자유롭께 사라 봐요.
uri modu geogiseo jayuropge sara bwayo.

< 후렴(refrain) >

우- 워- 이제부터는 지금부터는
우- 워- 이제부터는 지금부터는
u- wo- ijebuteoneun jigeumbuteoneun

이제부터는 지금부터는
이제부터는 지금부터는
ijebuteoneun jigeumbuteoneun

가슴이 시키는 대로 살아 봐요.
가스미 시키는 대로 사라 봐요.
gaseumi sikineun daero sara bwayo.

이제부터는 지금부터는
이제부터는 지금부터는
ijebuteoneun jigeumbuteoneun

가슴이 느끼는 대로 자유롭게
가스미 느끼는 대로 자유롭께
gaseumi neukkineun daero jayuropge

이제부터는 지금부터는
이제부터는 지금부터는
ijebuteoneun jigeumbuteoneun

(우리 모두 거기서)
(우리 모두 거기서)
(uri modu geogiseo)

가슴이 시키는 대로 살아 봐요.
가스미 시키는 대로 사라 봐요.
gaseumi sikineun daero sara bwayo.

(자유롭게 살아요)
(자유롭께 사라요)
(jayuropge sarayo)

이제부터는 지금부터는
이제부터는 지금부터는
ijebuteoneun jigeumbuteoneun

(우리 모두 거기서)
(우리 모두 거기서)
(uri modu geogiseo)

가슴이 느끼는 대로 자유롭게
가스미 느끼는 대로 자유롭께
gaseumi neukkineun daero jayuropge

(자유롭게)
(자유롭께)
(jayuropge)

그런 사람이었어요.
그런 사라미어써요.
geureon saramieosseoyo.

그런 인생이었어요.
그런 인생이어써요.
geureon insaengieosseoyo.

그렇게 기억해 줘요.
그러케 기어캐 줘요.
geureoke gieokae jwoyo.

< 1 절(couplet) >

하늘+에서 비+가 <u>내리+ㄴ다고</u> <u>하+[는 것(거)]</u>+을 보+니
　　　　　　　내린다고　　　　하는 걸

하늘 (nom) : 땅 위로 펼쳐진 무한히 넓은 공간.
ciel
Espace infiniment large et étendu sur la terre.

에서 : 앞말이 출발점의 뜻을 나타내는 조사.
de, depuis, à partir de
Particule pour indiquer que la proposition précédente est le point de départ.

비 (nom) : 높은 곳에서 구름을 이루고 있던 수증기가 식어서 뭉쳐 떨어지는 물방울.
pluie
Vapeur ayant formé des nuages en hauteur, s'étant refroidie et tombant en s'agglomérant sous forme de gouttes d'eau.

가 : 어떤 상태나 상황에 놓인 대상이나 동작의 주체를 나타내는 조사.
Pas d'expression équivalente
Particule indiquant l'objet d'un état ou d'une situation, ou le sujet d'une action.

내리다 (verbe) : 눈이나 비 등이 오다.
tomber, être donné, venir
(Neige, pluie, etc.) Tomber.

-ㄴ다고 : 다른 사람에게서 들은 내용을 간접적으로 전달하거나 주어의 생각, 의견 등을 나타내는 표현.
Pas d'expression équivalente
Expression indiquant que le locuteur rapporte indirectement un contenu dont il a entendu parler par une autre personne, ou exprimant les paroles, pensées, opinions, etc. du sujet d'une certaine phrase.

하다 (verbe) : 무엇에 대해 말하다.
Pas d'expression équivalente
Parler de quelque chose.

-는 것 : 명사가 아닌 것을 문장에서 명사처럼 쓰이게 하거나 '이다' 앞에 쓰일 수 있게 할 때 쓰는 표현.
Pas d'expression équivalente
Expression permettant d'utiliser un groupe non nominal comme un nom dans une phrase ou de l'utiliser avec '이다'.

을 : 동작이 직접적으로 영향을 미치는 대상을 나타내는 조사.
Pas d'expression équivalente
Particule indiquant un objet directement influencé par un acte.

보다 **(verbe)** : 무엇을 근거로 판단하다.
Pas d'expression équivalente
Juger en se basant sur quelque chose.

-니 : 뒤에 오는 말에 대하여 앞에 오는 말이 원인이나 근거, 전제가 됨을 나타내는 연결 어미.
Pas d'expression équivalente
Terminaison connective indiquant que les propos précédents constituent la cause, la base et la présupposition des propos suivants.

하늘+은 <u>위+이+ㄴ가요</u>?
위인가요

하늘 **(nom)** : 땅 위로 펼쳐진 무한히 넓은 공간.
ciel
Espace infiniment large et étendu sur la terre.

은 : 문장 속에서 어떤 대상이 화제임을 나타내는 조사.
Pas d'expression équivalente
Particule indiquant qu'un objet est le principal sujet (de conversation) d'une phrase.

위 **(nom)** : 어떤 기준보다 더 높은 쪽. 또는 중간보다 더 높은 쪽.
haut, dessus
Partie supérieure à un critère ; partie située plus haut que le milieu d'une chose.

이다 : 주어가 지시하는 대상의 속성이나 부류를 지정하는 뜻을 나타내는 서술격 조사.
Pas d'expression équivalente
Particule du cas prédicatif pour indiquer la caractéristique ou la catégorie d'un objet qui se rapporte au sujet d'une phrase.

-ㄴ가요 : (두루높임으로) 현재의 사실에 대한 물음을 나타내는 종결 어미.
Pas d'expression équivalente
(forme honorifique non formelle) Terminaison finale indiquant que le locuteur s'interroge sur un fait présent.

그 비+가 땅+을 <u>적시+ㄴ다고</u> <u>하+[는 것(거)]+을</u> 보+니
　　　　　　 적신다고　　　　 하는 걸

그 (déterminant) : 앞에서 이미 이야기한 대상을 가리킬 때 쓰는 말.
ce, cette, ces
Terme désignant un objet précédemment évoqué.

비 (nom) : 높은 곳에서 구름을 이루고 있던 수증기가 식어서 뭉쳐 떨어지는 물방울.
pluie
Vapeur ayant formé des nuages en hauteur, s'étant refroidie et tombant en s'agglomérant sous forme de gouttes d'eau.

가 : 어떤 상태나 상황에 놓인 대상이나 동작의 주체를 나타내는 조사.
Pas d'expression équivalente
Particule indiquant l'objet d'un état ou d'une situation, ou le sujet d'une action.

땅 (nom) : 지구에서 물로 된 부분이 아닌 흙이나 돌로 된 부분.
terre, terrain, sol
Sur la planète Terre, partie de terre ou de pierre et non d'eau.

을 : 동작이 직접적으로 영향을 미치는 대상을 나타내는 조사.
Pas d'expression équivalente
Particule indiquant un objet directement influencé par un acte.

적시다 (verbe) : 물 등의 액체를 묻혀 젖게 하다.
imbiber, mouiller, arroser, tremper, baigner
Imprégner quelque chose d'un liquide comme de l'eau, etc.

-ㄴ다고 : 다른 사람에게서 들은 내용을 간접적으로 전달하거나 주어의 생각, 의견 등을 나타내는 표현.
Pas d'expression équivalente
Expression indiquant que le locuteur rapporte indirectement un contenu dont il a entendu parler par une autre personne, ou exprimant les paroles, pensées, opinions, etc. du sujet d'une certaine phrase.

하다 (verbe) : 무엇에 대해 말하다.
Pas d'expression équivalente
Parler de quelque chose.

-는 것 : 명사가 아닌 것을 문장에서 명사처럼 쓰이게 하거나 '이다' 앞에 쓰일 수 있게 할 때 쓰는 표현.
Pas d'expression équivalente
Expression permettant d'utiliser un groupe non nominal comme un nom dans une phrase ou de l'utiliser avec '이다'.

을 : 동작이 직접적으로 영향을 미치는 대상을 나타내는 조사.
Pas d'expression équivalente
Particule indiquant un objet directement influencé par un acte.

보다 (verbe) : 무엇을 근거로 판단하다.
Pas d'expression équivalente
Juger en se basant sur quelque chose.

-니 : 뒤에 오는 말에 대하여 앞에 오는 말이 원인이나 근거, 전제가 됨을 나타내는 연결 어미.
Pas d'expression équivalente
Terminaison connective indiquant que les propos précédents constituent la cause, la base et la présupposition des propos suivants.

그럼 땅+은 아래+이+[ㄴ가 보]+네요.
아래인가 보네요

그럼 (adverbe) : 앞의 내용이 뒤의 내용의 조건이 될 때 쓰는 말.
alors, ainsi
Terme utilisé lorsque les propos d'avant constituent la condition de la partie qui vient après.

땅 (nom) : 지구에서 물로 된 부분이 아닌 흙이나 돌로 된 부분.
terre, terrain, sol
Sur la planète Terre, partie de terre ou de pierre et non d'eau.

은 : 문장 속에서 어떤 대상이 화제임을 나타내는 조사.
Pas d'expression équivalente
Particule indiquant qu'un objet est le principal sujet (de conversation) d'une phrase.

아래 (nom) : 일정한 기준보다 낮은 위치.
(n.) sous, dessous, au-dessous, bas
Position inférieure par rapport à un point déterminé.

이다 : 주어가 지시하는 대상의 속성이나 부류를 지정하는 뜻을 나타내는 서술격 조사.
Pas d'expression équivalente
Particule du cas prédicatif pour indiquer la caractéristique ou la catégorie d'un objet qui se rapporte au sujet d'une phrase.

-ㄴ가 보다 : 앞의 말이 나타내는 사실을 추측함을 나타내는 표현.
Pas d'expression équivalente
Expression indiquant qu'il s'agit d'une supposition à propos du fait mentionné précédemment.

-네요 : (두루높임으로) 말하는 사람이 직접 경험하여 새롭게 알게 된 사실에 대해 감탄함을 나타낼 때 쓰는 표현.

Pas d'expression équivalente

(forme honorifique non formelle) Expression pour indiquer que le locuteur parle d'une chose nouvelle dont il a fait l'expérience lui-même, sur un ton d'exclamation.

땅+을 밟+고 <u>서+(어)서</u> 하늘+을 바라보+는 사람+은
서서

땅 (nom) : 지구에서 물로 된 부분이 아닌 흙이나 돌로 된 부분.

terre, terrain, sol

Sur la planète Terre, partie de terre ou de pierre et non d'eau.

을 : 동작이 직접적으로 영향을 미치는 대상을 나타내는 조사.

Pas d'expression équivalente

Particule indiquant un objet directement influencé par un acte.

밟다 (verbe) : 어떤 대상에 발을 올려놓고 서거나 올려놓으면서 걷다.

Marcher sur quelque chose

Se tenir debout sur quelque chose en mettant les pieds dessus ou marcher dessus.

-고 : 앞의 말이 나타내는 행동이나 그 결과가 뒤에 오는 행동이 일어나는 동안에 그대로 지속됨을 나타내는 연결 어미.

Pas d'expression équivalente

Terminaison connective indiquant que l'action exprimée par les propos précédents ou le résultat de cette action continuent pendant que se déroule l'action suivante.

서다 (verbe) : 사람이나 동물이 바닥에 발을 대고 몸을 곧게 하다.

être debout, se tenir debout

(Homme ou animal) Redresser son corps en posant ses pieds (pattes) sur le sol.

-어서 : 앞의 말과 뒤의 말이 순차적으로 일어남을 나타내는 연결 어미.

Pas d'expression équivalente

Terminaison connective que les propos précédents et les suivants se succèdent consécutivement.

하늘 (nom) : 땅 위로 펼쳐진 무한히 넓은 공간.

ciel

Espace infiniment large et étendu sur la terre.

을 : 동작이 직접적으로 영향을 미치는 대상을 나타내는 조사.

Pas d'expression équivalente

Particule indiquant un objet directement influencé par un acte.

바라보다 (verbe) : 바로 향해 보다.
voir, porter le regard sur, contempler, observer, scruter
Regarder droit devant.

-는 : 앞의 말이 관형어의 기능을 하게 만들고 사건이나 동작이 현재 일어남을 나타내는 어미.
Pas d'expression équivalente
Terminaison attribuant la fonction de déterminant à la proposition précédente, et pour indiquer que la situation ou l'action en question se réalise au présent.

사람 (nom) : 생각할 수 있으며 언어와 도구를 만들어 사용하고 사회를 이루어 사는 존재.
homme, personne, gens, monsieur
Être pouvant penser, créer des langues, fabriquer des outils et vivre en société.

은 : 문장 속에서 어떤 대상이 화제임을 나타내는 조사.
Pas d'expression équivalente
Particule indiquant qu'un objet est le principal sujet (de conversation) d'une phrase.

하늘+과 땅 사이+에 있+[는 것(거)]+(이)+겠+군요.
있는 거겠군요

하늘 (nom) : 땅 위로 펼쳐진 무한히 넓은 공간.
ciel
Espace infiniment large et étendu sur la terre.

과 : 앞과 뒤의 명사를 같은 자격으로 이어 줄 때 쓰는 조사.
Pas d'expression équivalente
Particule utilisée pour lier à un même titre les deux noms la précédent et la suivant.

땅 (nom) : 지구에서 물로 된 부분이 아닌 흙이나 돌로 된 부분.
terre, terrain, sol
Sur la planète Terre, partie de terre ou de pierre et non d'eau.

사이 (nom) : 한 물체에서 다른 물체까지 또는 한곳에서 다른 곳까지의 거리나 공간.
espace, interstice, intervalle, distance
Distance entre un objet et un autre ou entre un lieu et un autre, ou espace entre les deux.

에 : 앞말이 어떤 장소나 자리임을 나타내는 조사.
à, dans, en, sur
Particule indiquant que la proposition précédente (en coréen) est un lieu ou un emplacement.

있다 (adjectif) : 사람이나 동물이 어느 곳에 머무르거나 사는 상태이다.
(adj.) être, vivre
(Personne ou animal) Qui séjourne ou vit dans un endroit.

-는 것 : 명사가 아닌 것을 문장에서 명사처럼 쓰이게 하거나 '이다' 앞에 쓰일 수 있게 할 때 쓰는 표현.
Pas d'expression équivalente
Expression permettant d'utiliser un groupe non nominal comme un nom dans une phrase ou de l'utiliser avec '이다'.

이다 : 주어가 지시하는 대상의 속성이나 부류를 지정하는 뜻을 나타내는 서술격 조사.
Pas d'expression équivalente
Particule du cas prédicatif pour indiquer la caractéristique ou la catégorie d'un objet qui se rapporte au sujet d'une phrase.

-겠- : 미래의 일이나 추측을 나타내는 어미.
Pas d'expression équivalente
Terminaison exprimant un fait à venir ou une supposition.

-군요 : (두루높임으로) 새롭게 알게 된 사실에 주목하거나 감탄함을 나타내는 표현.
Pas d'expression équivalente
(forme honorifique non formelle) Expression indiquant que l'on prête attention ou que l'on s'exclame d'un fait nouveau que l'on vient d'apprendre.

그 사이+에 <u>갇히+어</u> [지지고 볶]+으며 오늘+도 나+는 살아가+[고 있]+네요.
갇혀

그 (déterminant) : 앞에서 이미 이야기한 대상을 가리킬 때 쓰는 말.
ce, cette, ces
Terme désignant un objet précédemment évoqué.

사이 (nom) : 한 물체에서 다른 물체까지 또는 한곳에서 다른 곳까지의 거리나 공간.
espace, interstice, intervalle, distance
Distance entre un objet et un autre ou entre un lieu et un autre, ou espace entre les deux.

에 : 앞말이 어떤 장소나 자리임을 나타내는 조사.
à, dans, en, sur
Particule indiquant que la proposition précédente (en coréen) est un lieu ou un emplacement.

갇히다 (verbe) : 어떤 공간이나 상황에서 나가지 못하게 되다.
être enfermé, être emprisonné
Être dans l'impossibilité de sortir d'un espace ou d'une situation.

-어 : 앞의 말이 뒤의 말보다 먼저 일어났거나 뒤의 말에 대한 방법이나 수단이 됨을 나타내는 연결 어미.
Pas d'expression équivalente
Terminaison connective indiquant que la proposition précédente s'est réalisée avant la suivante, ou qu'elle constitue une méthode ou un moyen pour accomplir ce qui est dans la proposition suivante.

지지고 볶다 (phrase idiomatique) : 온갖 것을 겪으며 함께 살아가다.
faire cuire et griller
Vivre avec quelqu'un en essayant toutes sortes de choses.

-으며 : 두 가지 이상의 동작이나 상태가 함께 일어남을 나타내는 연결 어미.
Pas d'expression équivalente
Terminaison connective indiquant que deux ou plusieurs mouvements, états ou faits se déroulent en même temps.

오늘 (nom) : 지금 지나가고 있는 이날.
aujourd'hui, ce jour
Jour qui est en train de passer.

도 : 이미 있는 어떤 것에 다른 것을 더하거나 포함함을 나타내는 조사.
Pas d'expression équivalente
Particule indiquant qu'une chose est ajoutée ou comprise dans une autre qui existe déjà.

나 (pronom) : 말하는 사람이 친구나 아랫사람에게 자기를 가리키는 말.
je, moi, me
Terme employé par le locuteur pour se désigner, lorsqu'il s'adresse à une personne du même âge ou plus jeune.

는 : 문장 속에서 어떤 대상이 화제임을 나타내는 조사.
Pas d'expression équivalente
Particule indiquant qu'un objet est le principal sujet d'une phrase.

살아가다 (verbe) : 어떤 종류의 삶이나 시대 등을 견디며 생활해 나가다.
vivre, subsister
Continuer à mener la vie en endurant une situation de vie ou une certaine époque.

-고 있다 : 앞의 말이 나타내는 행동이 계속 진행됨을 나타내는 표현.
Pas d'expression équivalente
Expression pour indiquer que l'action de la proposition précédente est toujours en cours.

-네요 : (두루높임으로) 말하는 사람이 직접 경험하여 새롭게 알게 된 사실에 대해 감탄함을 나타낼 때 쓰
는 표현.
Pas d'expression équivalente
(forme honorifique non formelle) Expression pour indiquer que le locuteur parle d'une chose nouvelle dont il a fait l'expérience lui-même, sur un ton d'exclamation.

땅+에 갇히+어 살(사)+[는 것]+은 이제 너무 지겹(지겨우)+어요.
갇혀   사는 것은   지겨워요

땅 (nom) : 지구에서 물로 된 부분이 아닌 흙이나 돌로 된 부분.
terre, terrain, sol
Sur la planète Terre, partie de terre ou de pierre et non d'eau.

에 : 앞말이 어떤 장소나 자리임을 나타내는 조사.
à, dans, en, sur
Particule indiquant que la proposition précédente (en coréen) est un lieu ou un emplacement.

갇히다 (verbe) : 어떤 공간이나 상황에서 나가지 못하게 되다.
être enfermé, être emprisonné
Être dans l'impossibilité de sortir d'un espace ou d'une situation.

-어 : 앞의 말이 뒤의 말보다 먼저 일어났거나 뒤의 말에 대한 방법이나 수단이 됨을 나타내는 연결 어미.
Pas d'expression équivalente
Terminaison connective indiquant que la proposition précédente s'est réalisée avant la suivante, ou qu'elle constitue une méthode ou un moyen pour accomplir ce qui est dans la proposition suivante.

살다 (verbe) : 사람이 생활을 하다.
vivre, habiter, demeurer
(Personne) Mener une vie.

-는 것 : 명사가 아닌 것을 문장에서 명사처럼 쓰이게 하거나 '이다' 앞에 쓰일 수 있게 할 때 쓰는 표현.
Pas d'expression équivalente
Expression permettant d'utiliser un groupe non nominal comme un nom dans une phrase ou de l'utiliser avec '이다'.

은 : 문장 속에서 어떤 대상이 화제임을 나타내는 조사.
Pas d'expression équivalente
Particule indiquant qu'un objet est le principal sujet (de conversation) d'une phrase.

이제 (adverbe) : 지금의 시기가 되어.
maintenant, à présent
Maintenant que nous avons atteint cette période présente.

너무 (adverbe) : 일정한 정도나 한계를 훨씬 넘어선 상태로.
trop, excessivement, à l'excès, avec excès, outre mesure, démesurément
De manière à dépasser de loin un certain niveau ou une limite.

지겹다 (adjectif) : 같은 상태나 일이 반복되어 재미가 없고 지루하고 싫다.

fastidieux, pénible, rébarbatif

Qui est inintéressant, ennuyeux et que l'on aime pas en raison de la répétition d'un même état ou d'une même tâche.

-어요 : (두루높임으로) 어떤 사실을 서술하거나 질문, 명령, 권유함을 나타내는 종결 어미.

Pas d'expression équivalente

(forme honorifique non formelle) Terminaison finale pour décrire un fait ou pour indiquer une question, un ordre ou une recommandation. <description>

<u>움츠리+ㄴ</u> 가슴+을 펴+고 하늘 끝+까지 <u>날아오르(날아올르)+[아 보]+아요</u>.
　움츠린　　　　　　　　　　　　　　　　　　　날아올라 봐요

움츠리다 (verbe) : 몸이나 몸의 일부를 오그려 작아지게 하다.

rétracter

Faire devenir le corps ou une partie du corps plus petit, en le rétrécissant.

-ㄴ : 앞의 말이 관형어의 기능을 하게 만들고 사건이나 동작이 완료되어 그 상태가 유지되고 있음을 나타내는 어미.

Pas d'expression équivalente

Terminaison donnant la fonction de déterminant à la proposition précédente et indiquant que l'événement ou l'action en question est achevé et que cet état est maintenu.

가슴 (nom) : 인간이나 동물의 목과 배 사이에 있는 몸의 앞 부분.

poitrine, poitrail

Partie antérieure du corps humain ou de celui d'un animal située entre le cou et le ventre.

을 : 동작이 직접적으로 영향을 미치는 대상을 나타내는 조사.

Pas d'expression équivalente

Particule indiquant un objet directement influencé par un acte.

펴다 (verbe) : 굽은 것을 곧게 하다. 또는 움츠리거나 오므라든 것을 벌리다.

étendre, défausser

Redresser ce qui a été faussé ; ouvrir ce qui a été accourbé ou crispé.

-고 : 앞의 말이 나타내는 행동이나 그 결과가 뒤에 오는 행동이 일어나는 동안에 그대로 지속됨을 나타내는 연결 어미.

Pas d'expression équivalente

Terminaison connective indiquant que l'action exprimée par les propos précédents ou le résultat de cette action continuent pendant que se déroule l'action suivante.

하늘 (nom) : 땅 위로 펼쳐진 무한히 넓은 공간.
ciel
Espace infiniment large et étendu sur la terre.

끝 (nom) : 공간에서의 마지막 장소.
Pas d'expression équivalente
Dernière partie d'un espace.

까지 : 어떤 범위의 끝임을 나타내는 조사.
Pas d'expression équivalente
Particule indiquant la limite d'un champ.

날아오르다 (verbe) : 날아서 위로 높이 올라가다.
s'élever en volant, se soulever, s'élever
Prendre de l'altitude en volant.

-아 보다 : 앞의 말이 나타내는 행동을 시험 삼아 함을 나타내는 표현.
Pas d'expression équivalente
Expression indiquant le fait d'essayer de faire une action exprimée par les propos précédents.

-아요 : (두루높임으로) 어떤 사실을 서술하거나 질문, 명령, 권유함을 나타내는 종결 어미.
Pas d'expression équivalente
(forme honorifique non formelle) Terminaison finale pour décrire un fait ou pour indiquer une question, un ordre ou une recommandation. <invitation>

우리 모두 거기+서 행복하+게 살+[아 보]+아요.
살아 봐요

우리 (pronom) : 말하는 사람이 자기와 듣는 사람 또는 이를 포함한 여러 사람들을 가리키는 말.
nous, (pro.) notre (problème), nos
Terme employé par le locuteur pour désigner soi-même et son interlocuteur ou de nombreuses personnes y compris ces deux derniers.

모두 (adverbe) : 빠짐없이 다.
tout
Tout sans exception.

거기 (pronom) : 앞에서 이미 이야기한 곳을 가리키는 말.
là, cet endroit-là
Pronom désignant un lieu déjà mentionné auparavant.

서 : 앞말이 행동이 이루어지고 있는 장소임을 나타내는 조사.
Pas d'expression équivalente
Particule indiquant que le mot précédent signifie l'endroit où a lieu une action.

행복하다 (adjectif) : 삶에서 충분한 만족과 기쁨을 느껴 흐뭇하다.
heureux
Être content grâce à la sensation de satisfaction et joie abondante dans la vie.

-게 : 앞의 말이 뒤에서 가리키는 일의 목적이나 결과, 방식, 정도 등이 됨을 나타내는 연결 어미.
Pas d'expression équivalente
Terminaison connective indiquant que les propos précédents constituent l'objectif, le résultat, la méthode ou le degré des propos qui suivent. **<méthode>**

살다 (verbe) : 사람이 생활을 하다.
vivre, habiter, demeurer
(Personne) Mener une vie.

-아 보다 : 앞의 말이 나타내는 행동을 시험 삼아 함을 나타내는 표현.
Pas d'expression équivalente
Expression indiquant le fait d'essayer de faire une action exprimée par les propos précédents.

-아요 : (두루높임으로) 어떤 사실을 서술하거나 질문, 명령, 권유함을 나타내는 종결 어미.
Pas d'expression équivalente
(forme honorifique non formelle) Terminaison finale pour décrire un fait ou pour indiquer une question, un ordre ou une recommandation. **<invitation>**

< 후렴(refrain) >

이제+부터+는 지금+부터+는

이제 (nom) : 지금의 시기.
maintenant
Période présente.

부터 : 어떤 일의 시작이나 처음을 나타내는 조사.
Pas d'expression équivalente
Particule servant à exprimer le début ou l'origine d'une chose.

는 : 어떤 대상이 다른 것과 대조됨을 나타내는 조사.
Pas d'expression équivalente
Particule indiquant qu'un objet contraste avec un autre.

지금 (nom) : 말을 하고 있는 바로 이때.
le moment présent, l'instant présent
Moment précis où l'on est en train de parler.

부터 : 어떤 일의 시작이나 처음을 나타내는 조사.
Pas d'expression équivalente
Particule servant à exprimer le début ou l'origine d'une chose.

는 : 어떤 대상이 다른 것과 대조됨을 나타내는 조사.
Pas d'expression équivalente
Particule indiquant qu'un objet contraste avec un autre.

가슴+이 시키+[는 대로] 살+[아 보]+아요.
살아 봐요

가슴 (nom) : 마음이나 느낌.
cœur
Cœur ou sentiment.

이 : 어떤 상태나 상황의 대상이나 동작의 주체를 나타내는 조사.
Pas d'expression équivalente
Particule qui indique l'objet d'un état ou d'une situation, ou le sujet d'une action.

시키다 (verbe) : 어떤 일이나 행동을 하게 하다.
Pas d'expression équivalente
Faire faire une chose ou une action à quelqu'un.

-는 대로 : 앞에 오는 말이 뜻하는 현재의 행동이나 상황과 같음을 나타내는 표현.
Pas d'expression équivalente
Expression indiquant que l'action ou la situation présente est identique à celle des propos précédents.

살다 (verbe) : 사람이 생활을 하다.
vivre, habiter, demeurer
(Personne) Mener une vie.

-아 보다 : 앞의 말이 나타내는 행동을 시험 삼아 함을 나타내는 표현.
Pas d'expression équivalente
Expression indiquant le fait d'essayer de faire une action exprimée par les propos précédents.

-아요 : (두루높임으로) 어떤 사실을 서술하거나 질문, 명령, 권유함을 나타내는 종결 어미.
Pas d'expression équivalente
(forme honorifique non formelle) Terminaison finale pour décrire un fait ou pour indiquer une question, un ordre ou une recommandation. **<invitation>**

이제+부터+는 지금+부터+는

이제 (nom) : 지금의 시기.
maintenant
Période présente.

부터 : 어떤 일의 시작이나 처음을 나타내는 조사.
Pas d'expression équivalente
Particule servant à exprimer le début ou l'origine d'une chose.

는 : 어떤 대상이 다른 것과 대조됨을 나타내는 조사.
Pas d'expression équivalente
Particule indiquant qu'un objet contraste avec un autre.

지금 (nom) : 말을 하고 있는 바로 이때.
le moment présent, l'instant présent
Moment précis où l'on est en train de parler.

부터 : 어떤 일의 시작이나 처음을 나타내는 조사.
Pas d'expression équivalente
Particule servant à exprimer le début ou l'origine d'une chose.

는 : 어떤 대상이 다른 것과 대조됨을 나타내는 조사.
Pas d'expression équivalente
Particule indiquant qu'un objet contraste avec un autre.

가슴+이 느끼+[는 대로] 자유롭+게

가슴 (nom) : 마음이나 느낌.
cœur
Cœur ou sentiment.

이 : 어떤 상태나 상황의 대상이나 동작의 주체를 나타내는 조사.
Pas d'expression équivalente
Particule qui indique l'objet d'un état ou d'une situation, ou le sujet d'une action.

느끼다 (verbe) : 특정한 대상이나 상황을 어떻다고 생각하거나 인식하다.
connaître, se rendre compte de, prendre connaissance de, être conscient de
Considérer ou comprendre un objet ou une situation déterminés comme tel.

-는 대로 : 앞에 오는 말이 뜻하는 현재의 행동이나 상황과 같음을 나타내는 표현.
Pas d'expression équivalente
Expression indiquant que l'action ou la situation présente est identique à celle des propos précédents.

자유롭다 (adjectif) : 무엇에 얽매이거나 구속되지 않고 자기 생각과 의지대로 할 수 있다.
libre
Qui peut faire ce qu'il pense et selon sa volonté, sans limite ou contrainte.

-게 : 앞의 말이 뒤에서 가리키는 일의 목적이나 결과, 방식, 정도 등이 됨을 나타내는 연결 어미.
Pas d'expression équivalente
Terminaison connective indiquant que les propos précédents constituent l'objectif, le résultat, la méthode ou le degré des propos qui suivent. <méthode>

아무것+도 [신경 쓰]+[지 말(마)]+(아)요.
신경 쓰지 마요

아무것 (nom) : 어떤 것의 조금이나 일부분.
Pas d'expression équivalente
Petite quantité ou partie de quelque chose.

도 : 극단적인 경우를 들어 다른 경우는 말할 것도 없음을 나타내는 조사.
Pas d'expression équivalente
Particule indiquant qu'il ne sert à rien de considérer tout autre cas en évoquant une situation extrême.

신경 쓰다 (phrase idiomatique) : 사소한 일까지 세심하게 생각하다.
utiliser ses nerfs
Penser de manière minutieuse, même à des détails.

-지 말다 : 앞의 말이 나타내는 행동을 하지 못하게 함을 나타내는 표현.
Pas d'expression équivalente
Expression pour indiquer que le locuteur interdit l'action de la proposition précédente.

-아요 : (두루높임으로) 어떤 사실을 서술하거나 질문, 명령, 권유함을 나타내는 종결 어미.
Pas d'expression équivalente
(forme honorifique non formelle) Terminaison finale pour décrire un fait ou pour indiquer une question, un ordre ou une recommandation. <ordre>

< 2 절(couplet) >

아직+까지 해+가 뜨+고 지+[ㄴ 적+은 한 번+도 없]+었+어요.

진 적은 한 번도 없었어요

아직 (adverbe) : 어떤 일이나 상태 또는 어떻게 되기까지 시간이 더 지나야 함을 나타내거나, 어떤 일이나 상태가 끝나지 않고 계속 이어지고 있음을 나타내는 말.

encore, toujours

Terme indiquant qu'il faut encore qu'une certaine période s'écoule pour qu'une chose ou un état devienne tel ou tel, ou continue sans s'arrêter.

까지 : 어떤 범위의 끝임을 나타내는 조사.

Pas d'expression équivalente

Particule indiquant la limite d'un champ.

해 (nom) : 태양계의 중심에 있으며 온도가 매우 높고 스스로 빛을 내는 항성.

soleil

Étoile située au centre du système solaire sur laquelle la température est très élevée et qui émet de la lumière.

가 : 어떤 상태나 상황에 놓인 대상이나 동작의 주체를 나타내는 조사.

Pas d'expression équivalente

Particule indiquant l'objet d'un état ou d'une situation, ou le sujet d'une action.

뜨다 (verbe) : 물 위나 공중에 있거나 위쪽으로 솟아오르다.

flotter, voler, se lever

Se maintenir à la surface de l'eau, dans l'air ou s'élever.

-고 : 두 가지 이상의 대등한 사실을 나열할 때 쓰는 연결 어미.

Pas d'expression équivalente

Terminaison connective utilisée pour énumérer deux faits égaux ou plus.

지다 (verbe) : 해나 달이 서쪽으로 넘어가다.

se coucher

(Soleil, lune) Se coucher vers l'Ouest.

-ㄴ 적 없다 : 앞의 말이 나타내는 동작이 일어나거나 그 상태가 나타난 때가 없음을 나타내는 표현.

Pas d'expression équivalente

Expression pour indiquer que l'action ou l'état exprimé par la proposition précédente ne s'est jamais réalisé.

은 : 문장 속에서 어떤 대상이 화제임을 나타내는 조사.
Pas d'expression équivalente
Particule indiquant qu'un objet est le principal sujet (de conversation) d'une phrase.

한 (déterminant) : 하나의.
un
D'un.

번 (nom) : 일의 횟수를 세는 단위.
Pas d'expression équivalente
Nom dépendant, quantificateur pour compter le nombre de fois.

도 : 극단적인 경우를 들어 다른 경우는 말할 것도 없음을 나타내는 조사.
Pas d'expression équivalente
Particule indiquant qu'il ne sert à rien de considérer tout autre cas en évoquant une situation extrême.

-었- : 어떤 사건이 과거에 완료되었거나 그 사건의 결과가 현재까지 지속되는 상황을 나타내는 어미.
Pas d'expression équivalente
Terminaison indiquant une situation où un évènement a été accompli dans le passé ou que le résultat de cet évènement se poursuit jusqu'à présent.

-어요 : (두루높임으로) 어떤 사실을 서술하거나 질문, 명령, 권유함을 나타내는 종결 어미.
Pas d'expression équivalente
(forme honorifique non formelle) Terminaison finale pour décrire un fait ou pour indiquer une question, un ordre ou une recommandation. <description>

이 땅+에 <u>살(사)</u>+는 우리+들+만 어제+도 오늘+도
사는

이 (déterminant) : 바로 앞에서 이야기한 대상을 가리킬 때 쓰는 말.
ce (cet, cette, ces)
Terme utilisé pour indiquer l'objet venant d'être énoncé.

땅 (nom) : 지구에서 물로 된 부분이 아닌 흙이나 돌로 된 부분.
terre, terrain, sol
Sur la planète Terre, partie de terre ou de pierre et non d'eau.

에 : 앞말이 어떤 장소나 자리임을 나타내는 조사.
à, dans, en, sur
Particule indiquant que la proposition précédente (en coréen) est un lieu ou un emplacement.

살다 (verbe) : 사람이 생활을 하다.

vivre, habiter, demeurer

(Personne) Mener une vie.

-는 : 앞의 말이 관형어의 기능을 하게 만들고 사건이나 동작이 현재 일어남을 나타내는 어미.

Pas d'expression équivalente

Terminaison attribuant la fonction de déterminant à la proposition précédente, et pour indiquer que la situation ou l'action en question se réalise au présent.

우리 (pronom) : 말하는 사람이 자기와 듣는 사람 또는 이를 포함한 여러 사람들을 가리키는 말.

nous, (pro.) notre (problème), nos

Terme employé par le locuteur pour désigner soi-même et son interlocuteur ou de nombreuses personnes y compris ces deux derniers.

들 : '복수'의 뜻을 더하는 접미사.

Pas d'expression équivalente

Suffixe signifiant « pluriel ».

만 : 다른 것은 제외하고 어느 것을 한정함을 나타내는 조사.

Pas d'expression équivalente

Particule exprimant la limitation à une certaine chose en éliminant les autres.

어제 (nom) : 오늘의 하루 전날.

hier

Jour qui précéde aujourd'hui.

도 : 둘 이상의 것을 나열함을 나타내는 조사.

Pas d'expression équivalente

Particule servant à énumérer deux ou plusieurs choses.

오늘 (nom) : 지금 지나가고 있는 이날.

aujourd'hui, ce jour

Jour qui est en train de passer.

도 : 둘 이상의 것을 나열함을 나타내는 조사.

Pas d'expression équivalente

Particule servant à énumérer deux ou plusieurs choses.

<u>쉬+ㅁ</u> 없이 돌+고 돌+고 또 돌+아요.
쉼

쉬다 (verbe) : 하던 일이나 활동 등을 잠시 멈추다. 또는 그렇게 하다.
prendre congé, arrêter, (magasin) fermer, suspendre, (école) avoir congé
(Travail ou activité que l'on faisait) Cesser un moment ; cesser ainsi un travail ou une activité

-ㅁ : 앞의 말이 명사의 기능을 하게 하는 어미.
Pas d'expression équivalente
Terminaison faisant fonctionner le mot précédent comme un nom.

없이 (adverbe) : 어떤 일이나 증상 등이 나타나지 않게.
(adv.) sans, dépourvu de
Dans un état où une affaire, un symptôme, etc., disparaît.

돌다 (verbe) : 무엇을 중심으로 원을 그리면서 움직이다.
tourner, graviter, tournoyer, tourbillonner
Bouger circulairement autour de quelque chose.

-고 : 두 가지 이상의 대등한 사실을 나열할 때 쓰는 연결 어미.
Pas d'expression équivalente
Terminaison connective utilisée pour énumérer deux faits égaux ou plus.

돌다 (verbe) : 무엇을 중심으로 원을 그리면서 움직이다.
tourner, graviter, tournoyer, tourbillonner
Bouger circulairement autour de quelque chose.

-고 : 두 가지 이상의 대등한 사실을 나열할 때 쓰는 연결 어미.
Pas d'expression équivalente
Terminaison connective utilisée pour énumérer deux faits égaux ou plus.

또 (adverbe) : 어떤 일이나 행동이 다시.
encore
(Chose ou action) À nouveau.

돌다 (verbe) : 무엇을 중심으로 원을 그리면서 움직이다.
tourner, graviter, tournoyer, tourbillonner
Bouger circulairement autour de quelque chose.

-아요 : (두루높임으로) 어떤 사실을 서술하거나 질문, 명령, 권유함을 나타내는 종결 어미.
Pas d'expression équivalente
(forme honorifique non formelle) Terminaison finale pour décrire un fait ou pour indiquer une question, un ordre ou une recommandation. <description>

배우+[ㄴ 대로] 남+들+이 시키+[는 대로]
배운 대로

배우다 (verbe) : 남의 행동이나 태도를 그대로 따르다.

imiter

Suivre le comportement ou l'attitude d'une autre personne.

-ㄴ 대로 : 앞에 오는 말이 뜻하는 과거의 행동이나 상황과 같음을 나타내는 표현.

Pas d'expression équivalente

Expression indiquant qu'une action ou une situation est identique à l'action ou à la situation passé, indiqué dans la proposition précédente.

남 (nom) : 내가 아닌 다른 사람.

les autres, autrui, une autre personne

Autre personne, qui n'est pas 'moi' le locuteur.

들 : '복수'의 뜻을 더하는 접미사.

Pas d'expression équivalente

Suffixe signifiant « pluriel ».

이 : 어떤 상태나 상황의 대상이나 동작의 주체를 나타내는 조사.

Pas d'expression équivalente

Particule qui indique l'objet d'un état ou d'une situation, ou le sujet d'une action.

시키다 (verbe) : 어떤 일이나 행동을 하게 하다.

Pas d'expression équivalente

Faire faire une chose ou une action à quelqu'un.

-는 대로 : 앞에 오는 말이 뜻하는 현재의 행동이나 상황과 같음을 나타내는 표현.

Pas d'expression équivalente

Expression indiquant que l'action ou la situation présente est identique à celle des propos précédents.

그렇+게 사람+들 사이+에 숨+어 살아가+[고 있]+죠.

그렇다 (adjectif) : 상태, 모양, 성질 등이 그와 같다.

ainsi

Semblable à l'état, à la forme, à la nature, etc. de quelque chose.

-게 : 앞의 말이 뒤에서 가리키는 일의 목적이나 결과, 방식, 정도 등이 됨을 나타내는 연결 어미.
Pas d'expression équivalente
Terminaison connective indiquant que les propos précédents constituent l'objectif, le résultat, la méthode ou le degré des propos qui suivent. <méthode>

사람 (nom) : 특별히 정해지지 않은 자기 외의 남을 가리키는 말.
monde, gens, les autres, autrui, quelqu'un
Terme désignant les autres personnes que soi qui ne sont pas spécialement déterminées.

들 : '복수'의 뜻을 더하는 접미사.
Pas d'expression équivalente
Suffixe signifiant « pluriel ».

사이 (nom) : 한 물체에서 다른 물체까지 또는 한곳에서 다른 곳까지의 거리나 공간.
espace, interstice, intervalle, distance
Distance entre un objet et un autre ou entre un lieu et un autre, ou espace entre les deux.

에 : 앞말이 어떤 장소나 자리임을 나타내는 조사.
à, dans, en, sur
Particule indiquant que la proposition précédente (en coréen) est un lieu ou un emplacement.

숨다 (verbe) : 남이 볼 수 없게 몸을 감추다.
Pas d'expression équivalente
Se cacher pour ne pas être vu des autres.

-어 : 앞의 말이 뒤의 말보다 먼저 일어났거나 뒤의 말에 대한 방법이나 수단이 됨을 나타내는 연결 어미.
Pas d'expression équivalente
Terminaison connective indiquant que la proposition précédente s'est réalisée avant la suivante, ou qu'elle constitue une méthode ou un moyen pour accomplir ce qui est dans la proposition suivante.

살아가다 (verbe) : 어떤 종류의 삶이나 시대 등을 견디며 생활해 나가다.
vivre, subsister
Continuer à mener la vie en endurant une situation de vie ou une certaine époque.

-고 있다 : 앞의 말이 나타내는 행동이 계속 진행됨을 나타내는 표현.
Pas d'expression équivalente
Expression pour indiquer que l'action de la proposition précédente est toujours en cours.

-죠 : (두루높임으로) 말하는 사람이 자신에 대한 이야기나 자신의 생각을 친근하게 말할 때 쓰는 종결 어미.
Pas d'expression équivalente
(forme honorifique non formelle) Terminaison finale utilisée par le locuteur pour parler d'une chose qui le concerne, ou pour affirmer sa pensée sur un ton familier.

그 사이+에 갇히+어 [지지고 볶]+으며 오늘+도 나+는 살아가+[고 있]+네요.
갇혀

그 (déterminant) : 앞에서 이미 이야기한 대상을 가리킬 때 쓰는 말.
ce, cette, ces
Terme désignant un objet précédemment évoqué.

사이 (nom) : 한 물체에서 다른 물체까지 또는 한곳에서 다른 곳까지의 거리나 공간.
espace, interstice, intervalle, distance
Distance entre un objet et un autre ou entre un lieu et un autre, ou espace entre les deux.

에 : 앞말이 어떤 장소나 자리임을 나타내는 조사.
à, dans, en, sur
Particule indiquant que la proposition précédente (en coréen) est un lieu ou un emplacement.

갇히다 (verbe) : 어떤 공간이나 상황에서 나가지 못하게 되다.
être enfermé, être emprisonné
Être dans l'impossibilité de sortir d'un espace ou d'une situation.

-어 : 앞의 말이 뒤의 말보다 먼저 일어났거나 뒤의 말에 대한 방법이나 수단이 됨을 나타내는 연결 어미.
Pas d'expression équivalente
Terminaison connective indiquant que la proposition précédente s'est réalisée avant la suivante, ou qu'elle constitue une méthode ou un moyen pour accomplir ce qui est dans la proposition suivante.

지지고 볶다 (phrase idiomatique) : 온갖 것을 겪으며 함께 살아가다.
faire cuire et griller
Vivre avec quelqu'un en essayant toutes sortes de choses.

-으며 : 두 가지 이상의 동작이나 상태가 함께 일어남을 나타내는 연결 어미.
Pas d'expression équivalente
Terminaison connective indiquant que deux ou plusieurs mouvements, états ou faits se déroulent en même temps.

오늘 (nom) : 지금 지나가고 있는 이날.
aujourd'hui, ce jour
Jour qui est en train de passer.

도 : 이미 있는 어떤 것에 다른 것을 더하거나 포함함을 나타내는 조사.
Pas d'expression équivalente
Particule indiquant qu'une chose est ajoutée ou comprise dans une autre qui existe déjà.

나 (pronom) : 말하는 사람이 친구나 아랫사람에게 자기를 가리키는 말.

je, moi, me

Terme employé par le locuteur pour se désigner, lorsqu'il s'adresse à une personne du même âge ou plus jeune.

는 : 문장 속에서 어떤 대상이 화제임을 나타내는 조사.

Pas d'expression équivalente

Particule indiquant qu'un objet est le principal sujet d'une phrase.

살아가다 (verbe) : 어떤 종류의 삶이나 시대 등을 견디며 생활해 나가다.

vivre, subsister

Continuer à mener la vie en endurant une situation de vie ou une certaine époque.

-고 있다 : 앞의 말이 나타내는 행동이 계속 진행됨을 나타내는 표현.

Pas d'expression équivalente

Expression pour indiquer que l'action de la proposition précédente est toujours en cours.

-네요 : (두루높임으로) 말하는 사람이 직접 경험하여 새롭게 알게 된 사실에 대해 감탄함을 나타낼 때 쓰는 표현.

Pas d'expression équivalente

(forme honorifique non formelle) Expression pour indiquer que le locuteur parle d'une chose nouvelle dont il a fait l'expérience lui-même, sur un ton d'exclamation.

누(구)+가 시키+[는 대로] 살(사)+[는 것]+은 이제 너무 짜증+이 나+(아)요.
누가   사는 것은   나요

누구 (pronom) : 굳이 이름을 밝힐 필요가 없는 사람을 가리키는 말.

Pas d'expression équivalente

Pronom désignant une personne que l'on n'a pas besoin de nommer.

가 : 어떤 상태나 상황에 놓인 대상이나 동작의 주체를 나타내는 조사.

Pas d'expression équivalente

Particule indiquant l'objet d'un état ou d'une situation, ou le sujet d'une action.

시키다 (verbe) : 어떤 일이나 행동을 하게 하다.

Pas d'expression équivalente

Faire faire une chose ou une action à quelqu'un.

-는 대로 : 앞에 오는 말이 뜻하는 현재의 행동이나 상황과 같음을 나타내는 표현.

Pas d'expression équivalente

Expression indiquant que l'action ou la situation présente est identique à celle des propos précédents.

살다 (verbe) : 사람이 생활을 하다.
vivre, habiter, demeurer
(Personne) Mener une vie.

-는 것 : 명사가 아닌 것을 문장에서 명사처럼 쓰이게 하거나 '이다' 앞에 쓰일 수 있게 할 때 쓰는 표현.
Pas d'expression équivalente
Expression permettant d'utiliser un groupe non nominal comme un nom dans une phrase ou de l'utiliser avec '이다'.

은 : 문장 속에서 어떤 대상이 화제임을 나타내는 조사.
Pas d'expression équivalente
Particule indiquant qu'un objet est le principal sujet (de conversation) d'une phrase.

이제 (adverbe) : 지금의 시기가 되어.
maintenant, à présent
Maintenant que nous avons atteint cette période présente.

너무 (adverbe) : 일정한 정도나 한계를 훨씬 넘어선 상태로.
trop, excessivement, à l'excès, avec excès, outre mesure, démesurément
De manière à dépasser de loin un certain niveau ou une limite.

짜증 (nom) : 마음에 들지 않아서 화를 내거나 싫은 느낌을 겉으로 드러내는 일. 또는 그런 성미.
énervement, agacement, incommodité
Fait d'exprimer sa colère suite à une insatisfaction ou de laisser paraître son mécontentement ; un tel tempérament.

이 : 어떤 상태나 상황의 대상이나 동작의 주체를 나타내는 조사.
Pas d'expression équivalente
Particule qui indique l'objet d'un état ou d'une situation, ou le sujet d'une action.

나다 (verbe) : 어떤 감정이나 느낌이 생기다.
Pas d'expression équivalente
(Sentiment, impression, etc.) Surgir.

-아요 : (두루높임으로) 어떤 사실을 서술하거나 질문, 명령, 권유함을 나타내는 종결 어미.
Pas d'expression équivalente
(forme honorifique non formelle) Terminaison finale pour décrire un fait ou pour indiquer une question, un ordre ou une recommandation. <description>

바라+고 원하+는 생각+들+을 하늘 너머+로 <u>떠나보내+(어)요</u>.
떠나보내요

바라다 (verbe) : 생각이나 희망대로 어떤 일이 이루어지기를 기대하다.
souhaiter, vouloir, désirer, espérer
Souhaiter que quelque chose se produise, comme on y pensait ou comme on l'espérait.

-고 : 두 가지 이상의 대등한 사실을 나열할 때 쓰는 연결 어미.
Pas d'expression équivalente
Terminaison connective utilisée pour énumérer deux faits égaux ou plus.

원하다 (verbe) : 무엇을 바라거나 하고자 하다.
désirer, vouloir, attendre
Souhaiter une chose, ou tenir à faire quelque chose.

-는 : 앞의 말이 관형어의 기능을 하게 만들고 사건이나 동작이 현재 일어남을 나타내는 어미.
Pas d'expression équivalente
Terminaison attribuant la fonction de déterminant à la proposition précédente, et pour indiquer que la situation ou l'action en question se réalise au présent.

생각 (nom) : 사람이 머리를 써서 판단하거나 인식하는 것.
pensée, réflexion, idée
Fait que l'homme juge ou comprend en faisant travailler son cerveau.

들 : '복수'의 뜻을 더하는 접미사.
Pas d'expression équivalente
Suffixe signifiant « pluriel ».

을 : 동작이 직접적으로 영향을 미치는 대상을 나타내는 조사.
Pas d'expression équivalente
Particule indiquant un objet directement influencé par un acte.

하늘 (nom) : 땅 위로 펼쳐진 무한히 넓은 공간.
ciel
Espace infiniment large et étendu sur la terre.

너머 (nom) : 경계나 가로막은 것을 넘어선 건너편.
(n.) au-delà de, de l'autre côté de
Autre côté d'une frontière ou d'une barrière.

로 : 움직임의 방향을 나타내는 조사.
à, vers, pour, en, à destination de, en direction de
Particule indiquant la direction d'un mouvement.

떠나보내다 (verbe) : 있던 곳을 떠나 다른 곳으로 가게 하다.

voïr quelqu'un partir

Laisser partir quelqu'un de l'endroit où il était pour aller ailleurs.

-어요 : (두루높임으로) 어떤 사실을 서술하거나 질문, 명령, 권유함을 나타내는 종결 어미.

Pas d'expression équivalente

(forme honorifique non formelle) Terminaison finale pour décrire un fait ou pour indiquer une question, un ordre ou une recommandation. **<invitation>**

우리 모두 거기+서 자유롭+게 살+[아 보]+아요.
살아 봐요

우리 (pronom) : 말하는 사람이 자기와 듣는 사람 또는 이를 포함한 여러 사람들을 가리키는 말.

nous, (pro.) notre (problème), nos

Terme employé par le locuteur pour désigner soi-même et son interlocuteur ou de nombreuses personnes y compris ces deux derniers.

모두 (adverbe) : 빠짐없이 다.

tout

Tout sans exception.

거기 (pronom) : 앞에서 이미 이야기한 곳을 가리키는 말.

là, cet endroit-là

Pronom désignant un lieu déjà mentionné auparavant.

서 : 앞말이 행동이 이루어지고 있는 장소임을 나타내는 조사.

Pas d'expression équivalente

Particule indiquant que le mot précédent signifie l'endroit où a lieu une action.

자유롭다 (adjectif) : 무엇에 얽매이거나 구속되지 않고 자기 생각과 의지대로 할 수 있다.

libre

Qui peut faire ce qu'il pense et selon sa volonté, sans limite ou contrainte.

-게 : 앞의 말이 뒤에서 가리키는 일의 목적이나 결과, 방식, 정도 등이 됨을 나타내는 연결 어미.

Pas d'expression équivalente

Terminaison connective indiquant que les propos précédents constituent l'objectif, le résultat, la méthode ou le degré des propos qui suivent. **<méthode>**

살다 (verbe) : 사람이 생활을 하다.

vivre, habiter, demeurer

(Personne) Mener une vie.

-아 보다 : 앞의 말이 나타내는 행동을 시험 삼아 함을 나타내는 표현.
Pas d'expression équivalente
Expression indiquant le fait d'essayer de faire une action exprimée par les propos précédents.

-아요 : (두루높임으로) 어떤 사실을 서술하거나 질문, 명령, 권유함을 나타내는 종결 어미.
Pas d'expression équivalente
(forme honorifique non formelle) Terminaison finale pour décrire un fait ou pour indiquer une question, un ordre ou une recommandation. **<invitation>**

< 후렴(refrain) >

이제+부터+는 지금+부터+는

이제 (nom) : 지금의 시기.
maintenant
Période présente.

부터 : 어떤 일의 시작이나 처음을 나타내는 조사.
Pas d'expression équivalente
Particule servant à exprimer le début ou l'origine d'une chose.

는 : 어떤 대상이 다른 것과 대조됨을 나타내는 조사.
Pas d'expression équivalente
Particule indiquant qu'un objet contraste avec un autre.

지금 (nom) : 말을 하고 있는 바로 이때.
le moment présent, l'instant présent
Moment précis où l'on est en train de parler.

부터 : 어떤 일의 시작이나 처음을 나타내는 조사.
Pas d'expression équivalente
Particule servant à exprimer le début ou l'origine d'une chose.

는 : 어떤 대상이 다른 것과 대조됨을 나타내는 조사.
Pas d'expression équivalente
Particule indiquant qu'un objet contraste avec un autre.

이제+부터+는 지금+부터+는

이제 (nom) : 지금의 시기.
maintenant
Période présente.

부터 : 어떤 일의 시작이나 처음을 나타내는 조사.
Pas d'expression équivalente
Particule servant à exprimer le début ou l'origine d'une chose.

는 : 어떤 대상이 다른 것과 대조됨을 나타내는 조사.
Pas d'expression équivalente
Particule indiquant qu'un objet contraste avec un autre.

지금 (nom) : 말을 하고 있는 바로 이때.
le moment présent, l'instant présent
Moment précis où l'on est en train de parler.

부터 : 어떤 일의 시작이나 처음을 나타내는 조사.
Pas d'expression équivalente
Particule servant à exprimer le début ou l'origine d'une chose.

는 : 어떤 대상이 다른 것과 대조됨을 나타내는 조사.
Pas d'expression équivalente
Particule indiquant qu'un objet contraste avec un autre.

가슴+이 시키+[는 대로] 살+[아 보]+아요.
살아 봐요

가슴 (nom) : 마음이나 느낌.
cœur
Cœur ou sentiment.

이 : 어떤 상태나 상황의 대상이나 동작의 주체를 나타내는 조사.
Pas d'expression équivalente
Particule qui indique l'objet d'un état ou d'une situation, ou le sujet d'une action.

시키다 (verbe) : 어떤 일이나 행동을 하게 하다.
Pas d'expression équivalente
Faire faire une chose ou une action à quelqu'un.

-는 대로 : 앞에 오는 말이 뜻하는 현재의 행동이나 상황과 같음을 나타내는 표현.
Pas d'expression équivalente
Expression indiquant que l'action ou la situation présente est identique à celle des propos précédents.

살다 (verbe) : 사람이 생활을 하다.
vivre, habiter, demeurer
(Personne) Mener une vie.

-아 보다 : 앞의 말이 나타내는 행동을 시험 삼아 함을 나타내는 표현.
Pas d'expression équivalente
Expression indiquant le fait d'essayer de faire une action exprimée par les propos précédents.

-아요 : (두루높임으로) 어떤 사실을 서술하거나 질문, 명령, 권유함을 나타내는 종결 어미.
Pas d'expression équivalente
(forme honorifique non formelle) Terminaison finale pour décrire un fait ou pour indiquer une question, un ordre ou une recommandation. **<invitation>**

이제+부터+는 지금+부터+는

이제 (nom) : 지금의 시기.
maintenant
Période présente.

부터 : 어떤 일의 시작이나 처음을 나타내는 조사.
Pas d'expression équivalente
Particule servant à exprimer le début ou l'origine d'une chose.

는 : 어떤 대상이 다른 것과 대조됨을 나타내는 조사.
Pas d'expression équivalente
Particule indiquant qu'un objet contraste avec un autre.

지금 (nom) : 말을 하고 있는 바로 이때.
le moment présent, l'instant présent
Moment précis où l'on est en train de parler.

부터 : 어떤 일의 시작이나 처음을 나타내는 조사.
Pas d'expression équivalente
Particule servant à exprimer le début ou l'origine d'une chose.

는 : 어떤 대상이 다른 것과 대조됨을 나타내는 조사.
Pas d'expression équivalente
Particule indiquant qu'un objet contraste avec un autre.

가슴+이 느끼+[는 대로] 자유롭+게

가슴 (nom) : 마음이나 느낌.
cœur
Cœur ou sentiment.

이 : 어떤 상태나 상황의 대상이나 동작의 주체를 나타내는 조사.
Pas d'expression équivalente
Particule qui indique l'objet d'un état ou d'une situation, ou le sujet d'une action.

느끼다 (verbe) : 특정한 대상이나 상황을 어떻다고 생각하거나 인식하다.
connaître, se rendre compte de, prendre connaissance de, être conscient de
Considérer ou comprendre un objet ou une situation déterminés comme tel.

-는 대로 : 앞에 오는 말이 뜻하는 현재의 행동이나 상황과 같음을 나타내는 표현.
Pas d'expression équivalente
Expression indiquant que l'action ou la situation présente est identique à celle des propos précédents.

자유롭다 (adjectif) : 무엇에 얽매이거나 구속되지 않고 자기 생각과 의지대로 할 수 있다.
libre
Qui peut faire ce qu'il pense et selon sa volonté, sans limite ou contrainte.

-게 : 앞의 말이 뒤에서 가리키는 일의 목적이나 결과, 방식, 정도 등이 됨을 나타내는 연결 어미.
Pas d'expression équivalente
Terminaison connective indiquant que les propos précédents constituent l'objectif, le résultat, la méthode ou le degré des propos qui suivent. <méthode>

이제+부터+는 지금+부터+는

이제 (nom) : 지금의 시기.
maintenant
Période présente.

부터 : 어떤 일의 시작이나 처음을 나타내는 조사.
Pas d'expression équivalente
Particule servant à exprimer le début ou l'origine d'une chose.

는 : 어떤 대상이 다른 것과 대조됨을 나타내는 조사.
Pas d'expression équivalente
Particule indiquant qu'un objet contraste avec un autre.

지금 (nom) : 말을 하고 있는 바로 이때.
le moment présent, l'instant présent
Moment précis où l'on est en train de parler.

부터 : 어떤 일의 시작이나 처음을 나타내는 조사.
Pas d'expression équivalente
Particule servant à exprimer le début ou l'origine d'une chose.

는 : 어떤 대상이 다른 것과 대조됨을 나타내는 조사.
Pas d'expression équivalente
Particule indiquant qu'un objet contraste avec un autre.

(우리 모두 거기+서)

우리 (pronom) : 말하는 사람이 자기와 듣는 사람 또는 이를 포함한 여러 사람들을 가리키는 말.
nous, (pro.) notre (problème), nos
Terme employé par le locuteur pour désigner soi-même et son interlocuteur ou de nombreuses personnes y compris ces deux derniers.

모두 (adverbe) : 빠짐없이 다.
tout
Tout sans exception.

거기 (pronom) : 앞에서 이미 이야기한 곳을 가리키는 말.
là, cet endroit-là
Pronom désignant un lieu déjà mentionné auparavant.

서 : 앞말이 행동이 이루어지고 있는 장소임을 나타내는 조사.
Pas d'expression équivalente
Particule indiquant que le mot précédent signifie l'endroit où a lieu une action.

가슴+이 시키+[는 대로] 살+[아 보]+아요.
살아 봐요

가슴 (nom) : 마음이나 느낌.
cœur
Cœur ou sentiment.

이 : 어떤 상태나 상황의 대상이나 동작의 주체를 나타내는 조사.
Pas d'expression équivalente
Particule qui indique l'objet d'un état ou d'une situation, ou le sujet d'une action.

시키다 (verbe) : 어떤 일이나 행동을 하게 하다.
Pas d'expression équivalente
Faire faire une chose ou une action à quelqu'un.

-는 대로 : 앞에 오는 말이 뜻하는 현재의 행동이나 상황과 같음을 나타내는 표현.
Pas d'expression équivalente
Expression indiquant que l'action ou la situation présente est identique à celle des propos précédents.

살다 (verbe) : 사람이 생활을 하다.
vivre, habiter, demeurer
(Personne) Mener une vie.

-아 보다 : 앞의 말이 나타내는 행동을 시험 삼아 함을 나타내는 표현.
Pas d'expression équivalente
Expression indiquant le fait d'essayer de faire une action exprimée par les propos précédents.

-아요 : (두루높임으로) 어떤 사실을 서술하거나 질문, 명령, 권유함을 나타내는 종결 어미.
Pas d'expression équivalente
(forme honorifique non formelle) Terminaison finale pour décrire un fait ou pour indiquer une question, un ordre ou une recommandation. **<invitation>**

(자유롭+게 살+아요)

자유롭다 (adjectif) : 무엇에 얽매이거나 구속되지 않고 자기 생각과 의지대로 할 수 있다.
libre
Qui peut faire ce qu'il pense et selon sa volonté, sans limite ou contrainte.

-게 : 앞의 말이 뒤에서 가리키는 일의 목적이나 결과, 방식, 정도 등이 됨을 나타내는 연결 어미.
Pas d'expression équivalente
Terminaison connective indiquant que les propos précédents constituent l'objectif, le résultat, la méthode ou le degré des propos qui suivent. **<méthode>**

살다 (verbe) : 사람이 생활을 하다.
vivre, habiter, demeurer
(Personne) Mener une vie.

-아요 : (두루높임으로) 어떤 사실을 서술하거나 질문, 명령, 권유함을 나타내는 종결 어미.

Pas d'expression équivalente

(forme honorifique non formelle) Terminaison finale pour décrire un fait ou pour indiquer une question, un ordre ou une recommandation. <invitation>

이제+부터+는 지금+부터+는

이제 (nom) : 지금의 시기.

maintenant

Période présente.

부터 : 어떤 일의 시작이나 처음을 나타내는 조사.

Pas d'expression équivalente

Particule servant à exprimer le début ou l'origine d'une chose.

는 : 어떤 대상이 다른 것과 대조됨을 나타내는 조사.

Pas d'expression équivalente

Particule indiquant qu'un objet contraste avec un autre.

지금 (nom) : 말을 하고 있는 바로 이때.

le moment présent, l'instant présent

Moment précis où l'on est en train de parler.

부터 : 어떤 일의 시작이나 처음을 나타내는 조사.

Pas d'expression équivalente

Particule servant à exprimer le début ou l'origine d'une chose.

는 : 어떤 대상이 다른 것과 대조됨을 나타내는 조사.

Pas d'expression équivalente

Particule indiquant qu'un objet contraste avec un autre.

(우리 모두 거기+서)

우리 (pronom) : 말하는 사람이 자기와 듣는 사람 또는 이를 포함한 여러 사람들을 가리키는 말.

nous, (pro.) notre (problème), nos

Terme employé par le locuteur pour désigner soi-même et son interlocuteur ou de nombreuses personnes y compris ces deux derniers.

모두 (adverbe) : 빠짐없이 다.

tout

Tout sans exception.

거기 (pronom) : 앞에서 이미 이야기한 곳을 가리키는 말.
là, cet endroit-là
Pronom désignant un lieu déjà mentionné auparavant.

서 : 앞말이 행동이 이루어지고 있는 장소임을 나타내는 조사.
Pas d'expression équivalente
Particule indiquant que le mot précédent signifie l'endroit où a lieu une action.

가슴+이 느끼+[는 대로] 자유롭+게

가슴 (nom) : 마음이나 느낌.
cœur
Cœur ou sentiment.

이 : 어떤 상태나 상황의 대상이나 동작의 주체를 나타내는 조사.
Pas d'expression équivalente
Particule qui indique l'objet d'un état ou d'une situation, ou le sujet d'une action.

느끼다 (verbe) : 특정한 대상이나 상황을 어떻다고 생각하거나 인식하다.
connaître, se rendre compte de, prendre connaissance de, être conscient de
Considérer ou comprendre un objet ou une situation déterminés comme tel.

-는 대로 : 앞에 오는 말이 뜻하는 현재의 행동이나 상황과 같음을 나타내는 표현.
Pas d'expression équivalente
Expression indiquant que l'action ou la situation présente est identique à celle des propos précédents.

자유롭다 (adjectif) : 무엇에 얽매이거나 구속되지 않고 자기 생각과 의지대로 할 수 있다.
libre
Qui peut faire ce qu'il pense et selon sa volonté, sans limite ou contrainte.

-게 : 앞의 말이 뒤에서 가리키는 일의 목적이나 결과, 방식, 정도 등이 됨을 나타내는 연결 어미.
Pas d'expression équivalente
Terminaison connective indiquant que les propos précédents constituent l'objectif, le résultat, la méthode ou le degré des propos qui suivent. **<méthode>**

(자유롭+게)

자유롭다 (adjectif) : 무엇에 얽매이거나 구속되지 않고 자기 생각과 의지대로 할 수 있다.
libre
Qui peut faire ce qu'il pense et selon sa volonté, sans limite ou contrainte.

-게 : 앞의 말이 뒤에서 가리키는 일의 목적이나 결과, 방식, 정도 등이 됨을 나타내는 연결 어미.
Pas d'expression équivalente
Terminaison connective indiquant que les propos précédents constituent l'objectif, le résultat, la méthode ou le degré des propos qui suivent. <méthode>

그런 사람+이+었+어요.

그런 (déterminant) : 상태, 모양, 성질 등이 그러한.
(dét.) ce genre de, ce type de, un(e) tel(le)
(État, forme, caractère, etc.) Qui est comme cela.

사람 (nom) : 생각할 수 있으며 언어와 도구를 만들어 사용하고 사회를 이루어 사는 존재.
homme, personne, gens, monsieur
Être pouvant penser, créer des langues, fabriquer des outils et vivre en société.

이다 : 주어가 지시하는 대상의 속성이나 부류를 지정하는 뜻을 나타내는 서술격 조사.
Pas d'expression équivalente
Particule du cas prédicatif pour indiquer la caractéristique ou la catégorie d'un objet qui se rapporte au sujet d'une phrase.

-었- : 어떤 사건이 과거에 완료되었거나 그 사건의 결과가 현재까지 지속되는 상황을 나타내는 어미.
Pas d'expression équivalente
Terminaison indiquant une situation où un évènement a été accompli dans le passé ou que le résultat de cet évènement se poursuit jusqu'à présent.

-어요 : (두루높임으로) 어떤 사실을 서술하거나 질문, 명령, 권유함을 나타내는 종결 어미.
Pas d'expression équivalente
(forme honorifique non formelle) Terminaison finale pour décrire un fait ou pour indiquer une question, un ordre ou une recommandation. <description>

그런 인생+이+었+어요.

그런 (déterminant) : 상태, 모양, 성질 등이 그러한.
(dét.) ce genre de, ce type de, un(e) tel(le)
(État, forme, caractère, etc.) Qui est comme cela.

인생 (nom) : 사람이 세상을 살아가는 일.
vie
Fait pour l'homme de vivre dans le monde.

이다 : 주어가 지시하는 대상의 속성이나 부류를 지정하는 뜻을 나타내는 서술격 조사.

Pas d'expression équivalente

Particule du cas prédicatif pour indiquer la caractéristique ou la catégorie d'un objet qui se rapporte au sujet d'une phrase.

-었- : 어떤 사건이 과거에 완료되었거나 그 사건의 결과가 현재까지 지속되는 상황을 나타내는 어미.

Pas d'expression équivalente

Terminaison indiquant une situation où un évènement a été accompli dans le passé ou que le résultat de cet évènement se poursuit jusqu'à présent.

-어요 : (두루높임으로) 어떤 사실을 서술하거나 질문, 명령, 권유함을 나타내는 종결 어미.

Pas d'expression équivalente

(forme honorifique non formelle) Terminaison finale pour décrire un fait ou pour indiquer une question, un ordre ou une recommandation. **<description>**

그렇+게 기억하+[여 주]+어요.
기억해 줘요

그렇다 (adjectif) : 상태, 모양, 성질 등이 그와 같다.

ainsi

Semblable à l'état, à la forme, à la nature, etc. de quelque chose.

-게 : 앞의 말이 뒤에서 가리키는 일의 목적이나 결과, 방식, 정도 등이 됨을 나타내는 연결 어미.

Pas d'expression équivalente

Terminaison connective indiquant que les propos précédents constituent l'objectif, le résultat, la méthode ou le degré des propos qui suivent. **<méthode>**

기억하다 (verbe) : 이전의 모습, 사실, 지식, 경험 등을 잊지 않거나 다시 생각해 내다.

se souvenir, graver dans la mémoire, retenir, mémoriser

Ne pas oublier ou se rappeler un aspect, des événements, des faits, des connaissances, ou une expérience, etc. passé(e)(s).

-여 주다 : 남을 위해 앞의 말이 나타내는 행동을 함을 나타내는 표현.

Pas d'expression équivalente

Expression indiquant le fait d'effectuer l'action exprimée par les propos précédents pour autrui.

-어요 : (두루높임으로) 어떤 사실을 서술하거나 질문, 명령, 권유함을 나타내는 종결 어미.

Pas d'expression équivalente

(forme honorifique non formelle) Terminaison finale pour décrire un fait ou pour indiquer une question, un ordre ou une recommandation. **<ordre>**

< 6 >

독주
(spiritueux)

[발음(prononciation)]

< 1 절(couplet) >

누구라도 한 잔 술을 따라 줘요
누구라도 한 잔 수를 따라 줘요
nugurado han jan sureul ttara jwoyo

비우고 싶은 것이 많아서
비우고 시픈 거시 마나서
biugo sipeun geosi manaseo

이 한 잔 마시고 나면 잊을 수 있을까요?
이 한 잔 마시고 나면 이즐 쑤 이쓸까요?
i han jan masigo namyeon ijeul su isseulkkayo?

버리고 싶은 것이 가득해서
버리고 시픈 거시 가드캐서
beorigo sipeun geosi gadeukaeseo

뜨거웠던 가슴, 마지막 온기가 사라지기 전에
뜨거월떤 가슴, 마지막 온기가 사라지기 저네
tteugeowotdeon gaseum, majimak ongiga sarajigi jeone

누구라도 독한 술 한 잔 따라 줘요.
누구라도 도칸 술 한 잔 따라 줘요.
nugurado dokan sul han jan ttara jwoyo.

< 후렴(refrain) >

이제부터 하얀 여백에 가득 찬
이제부터 하얀 여배게 가득 찬
ijebuteo hayan yeobaege gadeuk chan

내가 모르는 나를 지울 거예요
내가 모르는 나를 지울 꺼예요
naega moreuneun nareul jiul geoyeyo

오늘은 꼭 당신이 따라 준
오느른 꼭 당시니 따라 준
oneureun kkok dangsini ttara jun

한 잔의 가득한 독주를 비울 거예요.
한 자네 가드칸 독쭈를 비울 꺼예요.
han jane gadeukan dokjureul biul geoyeyo.

< 2 절(couplet) >

누구라도 술 한 잔 따라 줘요
누구라도 술 한 잔 따라 줘요
nugurado sul han jan ttara jwoyo

추억에 취해 비틀거리기 전에
추어게 취해 비틀거리기 저네
chueoge chwihae biteulgeorigi jeone

이 한 잔 마시고 나면 지울 수 있을까요?
이 한 잔 마시고 나면 지울 쑤 이쓸까요?
i han jan masigo namyeon jiul su isseulkkayo?

그리움에 취해 잠들기 전에
그리우메 취해 잠들기 저네
geuriume chwihae jamdeulgi jeone

아직 어제를 살고 있는 이 꿈속에서 깨지 않도록
아직 어제를 살고 인는 이 꿈쏘게서 깨지 안토록
ajik eojereul salgo inneun i kkumsogeseo kkaeji antorok

누구라도 지독한 술 한 잔 따라 줘요.
누구라도 지도칸 술 한 잔 따라 줘요.
nugurado jidokan sul han jan ttara jwoyo.

< 후렴(refrain) >

이제부터 하얀 여백에 가득 찬
이제부터 하얀 여배게 가득 찬
ijebuteo hayan yeobaege gadeuk chan

내가 모르는 나를 지울 거예요
내가 모르는 나를 지울 꺼예요
naega moreuneun nareul jiul geoyeyo

오늘은 꼭 당신이 따라 준
오느른 꼭 당시니 따라 준
oneureun kkok dangsini ttara jun

한 잔의 가득한 독주를 비울 거예요.
한 자네 가드칸 독쭈를 비울 꺼예요.
han jane gadeukan dokjureul biul geoyeyo.

이제부터 하얀 여백에 가득 찬
이제부터 하얀 여배게 가득 찬
ijebuteo hayan yeobaege gadeuk chan

내가 모르는 나를 지울 거예요
내가 모르는 나를 지울 꺼예요
naega moreuneun nareul jiul geoyeyo

오늘은 꼭 당신이 따라 준
오느른 꼭 당시니 따라 준
oneureun kkok dangsini ttara jun

한 잔의 가득한 독주를 비울 거예요.
한 자네 가드칸 독쭈를 비울 꺼예요.
han jane gadeukan dokjureul biul geoyeyo.

< 1 절(couplet) >

누구+라도 한 잔 술+을 <u>따르(따르)+[아 주]+어요</u>.
따라 줘요

누구 (pronom) : 정해지지 않은 어떤 사람을 가리키는 말.
on, quelqu'un(e), quiconque, personne
Pronom désignant une personne indéterminée.

라도 : 그것이 최선은 아니나 여럿 중에서는 그런대로 괜찮음을 나타내는 조사.
Pas d'expression équivalente
Particule indiquant que la chose indiquée parmi d'autres est plus ou moins bonne, même si elle n'est pas la meilleure.

한 (déterminant) : 하나의.
un
D'un.

잔 (nom) : 음료나 술 등을 담은 그릇을 기준으로 그 분량을 세는 단위.
Pas d'expression équivalente
Unité de calcul pour une quantité de boisson, d'alcool, etc. basée sur le récipient servant à en contenir.

술 (nom) : 맥주나 소주 등과 같이 알코올 성분이 들어 있어서 마시면 취하는 음료.
alcool, boisson alcoolique, boisson alcoolisée
Boisson qui contient une substance alcoolique et rend ivre, comme la bière, le soju, etc.

을 : 동작이 직접적으로 영향을 미치는 대상을 나타내는 조사.
Pas d'expression équivalente
Particule indiquant un objet directement influencé par un acte.

따르다 (verbe) : 액체가 담긴 물건을 기울여 액체를 밖으로 조금씩 흐르게 하다.
verser, remplir, mettre, servir
Faire couler petit à petit un liquide hors d'un récipient.

-아 주다 : 남을 위해 앞의 말이 나타내는 행동을 함을 나타내는 표현.
Pas d'expression équivalente
Expression indiquant le fait d'effectuer pour autrui une action exprimée par les propos précédents.

-어요 : (두루높임으로) 어떤 사실을 서술하거나 질문, 명령, 권유함을 나타내는 종결 어미.

Pas d'expression équivalente

(forme honorifique non formelle) Terminaison finale pour décrire un fait ou pour indiquer une question, un ordre ou une recommandation. **<ordre>**

비우+[고 싶]+[은 것]+이 많+아서

비우다 (verbe) : 욕심이나 집착을 버리다.

(se) vider

Laisser tomber une désir ou une obsession.

-고 싶다 : 앞의 말이 나타내는 행동을 하기를 원함을 나타내는 표현.

Pas d'expression équivalente

Expression utilisée pour montrer le désir à vouloir faire l'action de la proposition précédente.

-은 것 : 명사가 아닌 것을 문장에서 명사처럼 쓰이게 하거나 '이다' 앞에 쓰일 수 있게 할 때 쓰는 표현.

Pas d'expression équivalente

Expression faisant jouer un rôle de nom à quelque chose qui ne l'est pas dans une phrase, ou pour être utilisée devant '이다'.

이 : 어떤 상태나 상황의 대상이나 동작의 주체를 나타내는 조사.

Pas d'expression équivalente

Particule qui indique l'objet d'un état ou d'une situation, ou le sujet d'une action.

많다 (adjectif) : 수나 양, 정도 등이 일정한 기준을 넘다.

nombreux, abondant, riche, plein, rempli

(Nombre, quantité, degré, etc.) Qui est au-delà d'un critère donné.

-아서 : 이유나 근거를 나타내는 연결 어미.

Pas d'expression équivalente

Terminaison connective indiquant la raison ou la base.

이 한 잔 마시+[고 나]+면 잊+[을 수 있]+을까요?

이 (déterminant) : 바로 앞에서 이야기한 대상을 가리킬 때 쓰는 말.

ce (cet, cette, ces)

Terme utilisé pour indiquer l'objet venant d'être énoncé.

한 (déterminant) : 하나의.

un

D'un.

잔 (nom) : 음료나 술 등을 담은 그릇을 기준으로 그 분량을 세는 단위.
Pas d'expression équivalente
Unité de calcul pour une quantité de boisson, d'alcool, etc. basée sur le récipient servant à en contenir.

마시다 (verbe) : 물 등의 액체를 목구멍으로 넘어가게 하다.
boire, prendre une boisson
Absorber un liquide tel que de l'eau par la gorge.

-고 나다 : 앞에 오는 말이 나타내는 행동이 끝났음을 나타내는 표현.
Pas d'expression équivalente
Expression pour indiquer que l'action de la proposition précédente est terminée.

-면 : 뒤에 오는 말에 대한 근거나 조건이 됨을 나타내는 연결 어미.
Pas d'expression équivalente
Terminaison connective indiquant une chose qui constitue le fondement ou la condition des propos suivants.

잊다 (verbe) : 어려움이나 고통, 또는 좋지 않은 지난 일을 마음속에 두지 않거나 신경 쓰지 않다.
oublier
Ne pas garder à cœur ou ne pas se préoccuper d'une difficulté, d'une souffrance ou d'une mauvaise chose passée.

-을 수 있다 : 어떤 행동이나 상태가 가능함을 나타내는 표현.
Pas d'expression équivalente
Expression indiquant qu'une action ou un état est possible.

-을까요 : (두루높임으로) 아직 일어나지 않았거나 모르는 일에 대해서 말하는 사람이 추측하며 질문할 때 쓰는 표현.
Pas d'expression équivalente
(forme honorifique non formelle) Expression utilisée quand le locuteur fait une supposition en posant une question au sujet d'une chose pas encore advenue ou qu'il ne connaît pas.

버리+[고 싶]+[은 것]+이 <u>가득하+여서</u>
가득해서

버리다 (verbe) : 마음속에 가졌던 생각을 스스로 잊다.
renoncer à, abandonner
Renoncer à une idée qu'on gardait dans le coeur.

-고 싶다 : 앞의 말이 나타내는 행동을 하기를 원함을 나타내는 표현.
Pas d'expression équivalente
Expression utilisée pour montrer le désir à vouloir faire l'action de la proposition précédente.

-은 것 : 명사가 아닌 것을 문장에서 명사처럼 쓰이게 하거나 '이다' 앞에 쓰일 수 있게 할 때 쓰는 표현.
Pas d'expression équivalente
Expression faisant jouer un rôle de nom à quelque chose qui ne l'est pas dans une phrase, ou pour être utilisée devant '이다'.

이 : 어떤 상태나 상황의 대상이나 동작의 주체를 나타내는 조사.
Pas d'expression équivalente
Particule qui indique l'objet d'un état ou d'une situation, ou le sujet d'une action.

가득하다 (adjectif) : 어떤 감정이나 생각이 강하다.
plein, rempli
(Sentiment, idée) Qui est fort, intense.

-여서 : 이유나 근거를 나타내는 연결 어미.
Pas d'expression équivalente
Terminaison connective indiquant la raison ou la base.

<u>뜨겁(뜨거우)+었던</u> 가슴, 마지막 온기+가 사라지+[기 전에]
뜨거웠던

뜨겁다 (adjectif) : (비유적으로) 감정이나 열정 등이 격렬하고 강하다.
ardent, enthousiaste, empressé, chaleureux, véhément, passionné, zélé
(figuré) (Émotion, passion, etc.) Violente et forte.

-었던 : 과거의 사건이나 상태를 다시 떠올리거나 그 사건이나 상태가 완료되지 않고 중단되었다는 의미
　　　를 나타내는 표현.
Pas d'expression équivalente
Expression indiquant le fait de se rappeler un évènement ou un état du passé, ou bien le fait que cet évènement ou cet état s'est arrêté sans être achevé.

가슴 (nom) : 마음이나 느낌.
cœur
Cœur ou sentiment.

마지막 (nom) : 시간이나 순서의 맨 끝.
fin, achèvement, terme, bout
Dernier point dans le temps ou dans l'ordre.

온기 (nom) : (비유적으로) 다정하거나 따뜻하게 베푸는 분위기나 마음.
chaleur, tiédeur, générosité
(figuré) Ambiance ou cœur affectueux ou généreux.

가 : 어떤 상태나 상황에 놓인 대상이나 동작의 주체를 나타내는 조사.
Pas d'expression équivalente
Particule indiquant l'objet d'un état ou d'une situation, ou le sujet d'une action.

사라지다 (verbe) : 생각이나 감정 등이 없어지다.
Pas d'expression équivalente
(Pensée, sentiment, etc.) Disparaître.

-기 전에 : 뒤에 오는 말이 나타내는 행동이 앞에 오는 말이 나타내는 행동보다 앞서는 것을 나타내는 표
　　　현.
Pas d'expression équivalente
Expression pour indiquer que l'action de la proposition suivante précède celle de la proposition précédente.

누구+라도 독하+ㄴ 술 한 잔 따르(따르)+[아 주]+어요.
　　　　독한　　　　　　　따라 줘요

누구 (pronom) : 정해지지 않은 어떤 사람을 가리키는 말.
on, quelqu'un(e), quiconque, personne
Pronom désignant une personne indéterminée.

라도 : 그것이 최선은 아니나 여럿 중에서는 그런대로 괜찮음을 나타내는 조사.
Pas d'expression équivalente
Particule indiquant que la chose indiquée parmi d'autres est plus ou moins bonne, même si elle n'est pas la meilleure.

독하다 (adjectif) : 맛이나 냄새 등이 지나치게 자극적이다.
fort
(Saveur, odeur etc.) Trop stimulant.

-ㄴ : 앞의 말이 관형어의 기능을 하게 만들고 현재의 상태를 나타내는 어미.
Pas d'expression équivalente
Terminaison donnant la fonction de déterminant à la proposition précédente et exprimant l'état présent.

술 (nom) : 맥주나 소주 등과 같이 알코올 성분이 들어 있어서 마시면 취하는 음료.
alcool, boisson alcoolique, boisson alcoolisée
Boisson qui contient une substance alcoolique et rend ivre, comme la bière, le soju, etc.

한 (déterminant) : 하나의.
un
D'un.

잔 (nom) : 음료나 술 등을 담은 그릇을 기준으로 그 분량을 세는 단위.

Pas d'expression équivalente

Unité de calcul pour une quantité de boisson, d'alcool, etc. basée sur le récipient servant à en contenir.

따르다 (verbe) : 액체가 담긴 물건을 기울여 액체를 밖으로 조금씩 흐르게 하다.

verser, remplir, mettre, servir

Faire couler petit à petit un liquide hors d'un récipient.

-아 주다 : 남을 위해 앞의 말이 나타내는 행동을 함을 나타내는 표현.

Pas d'expression équivalente

Expression indiquant le fait d'effectuer pour autrui une action exprimée par les propos précédents.

-어요 : (두루높임으로) 어떤 사실을 서술하거나 질문, 명령, 권유함을 나타내는 종결 어미.

Pas d'expression équivalente

(forme honorifique non formelle) Terminaison finale pour décrire un fait ou pour indiquer une question, un ordre ou une recommandation. <ordre>

< 후렴(refrain) >

이제+부터 <u>하얗(하야)+ㄴ</u> 여백+에 가득 <u>차+ㄴ</u>
　　　　　　하얀　　　　　　　　　　　찬

이제 (nom) : 말하고 있는 바로 이때.

maintenant, présent

Moment présent où je parle.

부터 : 어떤 일의 시작이나 처음을 나타내는 조사.

Pas d'expression équivalente

Particule servant à exprimer le début ou l'origine d'une chose.

하얗다 (adjectif) : 눈이나 우유의 빛깔과 같이 밝고 선명하게 희다.

blanc

Clair et net, semblable à la couleur de la neige ou du lait.

-ㄴ : 앞의 말이 관형어의 기능을 하게 만들고 현재의 상태를 나타내는 어미.

Pas d'expression équivalente

Terminaison donnant la fonction de déterminant à la proposition précédente et exprimant l'état présent.

여백 (nom) : 종이 등에 글씨를 쓰거나 그림을 그리고 남은 빈 자리.

marge

Espace vide qui reste après avoir écrit ou après avoir dessiné sur un papier etc.

에 : 앞말이 어떤 장소나 자리임을 나타내는 조사.

à, dans, en, sur

Particule indiquant que la proposition précédente (en coréen) est un lieu ou un emplacement.

가득 (adverbe) : 어떤 감정이나 생각이 강한 모양.

plein, entièrement, complètement

De manière qu'un sentiment ou qu'une idée soient forts.

차다 (verbe) : 감정이나 느낌 등이 가득하게 되다.

être plein, être satisfait de

être plein, être satisfait de

-ㄴ : 앞의 말이 관형어의 기능을 하게 만들고 사건이나 동작이 완료되어 그 상태가 유지되고 있음을 나타내는 어미.

Pas d'expression équivalente

Terminaison donnant la fonction de déterminant à la proposition précédente et indiquant que l'événement ou l'action en question est achevé et que cet état est maintenu.

내+가 모르+는 나+를 지우+[ㄹ 것(거)]+이+에요.
지울 거예요

내 (pronom) : '나'에 조사 '가'가 붙을 때의 형태.

je

Forme issue de l'ajout de la particule '가' au pronom '나'.

가 : 어떤 상태나 상황에 놓인 대상이나 동작의 주체를 나타내는 조사.

Pas d'expression équivalente

Particule indiquant l'objet d'un état ou d'une situation, ou le sujet d'une action.

모르다 (verbe) : 사람이나 사물, 사실 등을 알지 못하거나 이해하지 못하다.

ignorer, ne pas savoir, ne pas connaître

Ne pas connaître ou comprendre une personne, un objet, un fait, etc.

-는 : 앞의 말이 관형어의 기능을 하게 만들고 사건이나 동작이 현재 일어남을 나타내는 어미.

Pas d'expression équivalente

Terminaison attribuant la fonction de déterminant à la proposition précédente, et pour indiquer que la situation ou l'action en question se réalise au présent.

나 (pronom) : 말하는 사람이 친구나 아랫사람에게 자기를 가리키는 말.
je, moi, me
Terme employé par le locuteur pour se désigner, lorsqu'il s'adresse à une personne du même âge ou plus jeune.

를 : 동작이 직접적으로 영향을 미치는 대상을 나타내는 조사.
Pas d'expression équivalente
Particule indiquant un objet directement influencé par un mouvement.

지우다 (verbe) : 생각이나 기억을 없애거나 잊다.
effacer
Éliminer ou oublier des pensées ou des souvenirs.

-ㄹ 것 : 명사가 아닌 것을 문장에서 명사처럼 쓰이게 하거나 '이다' 앞에 쓰일 수 있게 할 때 쓰는 표현.
Pas d'expression équivalente
Expression utilisée pour qu'un mot qui n'est pas un nom soit utilisé comme tel dans une phrase, ou pour que ce mot se place devant l'expression « Ida(être) »

이다 : 주어가 지시하는 대상의 속성이나 부류를 지정하는 뜻을 나타내는 서술격 조사.
Pas d'expression équivalente
Particule du cas prédicatif pour indiquer la caractéristique ou la catégorie d'un objet qui se rapporte au sujet d'une phrase.

-에요 : (두루높임으로) 어떤 사실을 서술하거나 질문함을 나타내는 종결 어미.
Pas d'expression équivalente
(forme honorifique non formelle) Terminaison finale pour décrire un fait ou pour indiquer une question. <description>

오늘+은 꼭 당신+이 따르(따르)+[아 주]+ㄴ
따라 준

오늘 (nom) : 지금 지나가고 있는 이날.
aujourd'hui, ce jour
Jour qui est en train de passer.

은 : 문장 속에서 어떤 대상이 화제임을 나타내는 조사.
Pas d'expression équivalente
Particule indiquant qu'un objet est le principal sujet (de conversation) d'une phrase.

꼭 (adverbe) : 어떤 일이 있어도 반드시.
certainement, sûrement, sans doute
Absolument à faire quoi qu'il arrive.

당신 (pronom) : (조금 높이는 말로) 듣는 사람을 가리키는 말.

toi, vous

(forme légèrement honorifique) Terme désignant l'interlocuteur.

이 : 어떤 상태나 상황의 대상이나 동작의 주체를 나타내는 조사.

Pas d'expression équivalente

Particule qui indique l'objet d'un état ou d'une situation, ou le sujet d'une action.

따르다 (verbe) : 액체가 담긴 물건을 기울여 액체를 밖으로 조금씩 흐르게 하다.

verser, remplir, mettre, servir

Faire couler petit à petit un liquide hors d'un récipient.

-아 주다 : 남을 위해 앞의 말이 나타내는 행동을 함을 나타내는 표현.

Pas d'expression équivalente

Expression indiquant le fait d'effectuer pour autrui une action exprimée par les propos précédents.

-ㄴ : 앞의 말이 관형어의 기능을 하게 만들고 사건이나 동작이 완료되어 그 상태가 유지되고 있음을 나타내는 어미.

Pas d'expression équivalente

Terminaison donnant la fonction de déterminant à la proposition précédente et indiquant que l'événement ou l'action en question est achevé et que cet état est maintenu.

한 잔+의 <u>가득하+ㄴ</u> 독주+를 <u>비우+[ㄹ 것(거)]+이+에요</u>.
　　　　　가득한　　　　　　　　**비울 거예요**

한 (déterminant) : 하나의.

un

D'un.

잔 (nom) : 음료나 술 등을 담은 그릇을 기준으로 그 분량을 세는 단위.

Pas d'expression équivalente

Unité de calcul pour une quantité de boisson, d'alcool, etc. basée sur le récipient servant à en contenir.

의 : 앞의 말이 뒤의 말에 대하여 속성이나 수량을 한정하거나 같은 자격임을 나타내는 조사.

Pas d'expression équivalente

Particule pour indiquer que la proposition précédente a une caractéristique ou une quantité limitée, ou la même qualité que la proposition suivante.

가득하다 (adjectif) : 양이나 수가 정해진 범위에 꽉 차 있다.

rempli, plein, comble

(Quantité ou nombre) Qui est entièrement rempli, jusqu'à ce que la limite soit atteinte.

-ㄴ : 앞의 말이 관형어의 기능을 하게 만들고 현재의 상태를 나타내는 어미.
Pas d'expression équivalente
Terminaison donnant la fonction de déterminant à la proposition précédente et exprimant l'état présent.

독주 (nom) : 매우 독한 술.
spiritueux, liqueur forte
Alcool très fort.

를 : 동작이 직접적으로 영향을 미치는 대상을 나타내는 조사.
Pas d'expression équivalente
Particule indiquant un objet directement influencé par un mouvement.

비우다 (verbe) : 안에 든 것을 없애 속을 비게 하다.
vider, finir
Enlever ce qui se trouvait à l'intérieur d'une chose, et le rendre vide.

-ㄹ 것 : 명사가 아닌 것을 문장에서 명사처럼 쓰이게 하거나 '이다' 앞에 쓰일 수 있게 할 때 쓰는 표현.
Pas d'expression équivalente
Expression utilisée pour qu'un mot qui n'est pas un nom soit utilisé comme tel dans une phrase, ou pour que ce mot se place devant l'expression « Ida(être) »

이다 : 주어가 지시하는 대상의 속성이나 부류를 지정하는 뜻을 나타내는 서술격 조사.
Pas d'expression équivalente
Particule du cas prédicatif pour indiquer la caractéristique ou la catégorie d'un objet qui se rapporte au sujet d'une phrase.

-에요 : (두루높임으로) 어떤 사실을 서술하거나 질문함을 나타내는 종결 어미.
Pas d'expression équivalente
(forme honorifique non formelle) Terminaison finale pour décrire un fait ou pour indiquer une question. <description>

< 2 절(couplet) >

누구+라도 술 한 잔 <u>따르(따ㄹ)</u>+[아 주]+어요.
따라 줘요

누구 (pronom) : 정해지지 않은 어떤 사람을 가리키는 말.
on, quelqu'un(e), quiconque, personne
Pronom désignant une personne indéterminée.

라도 : 그것이 최선은 아니나 여럿 중에서는 그런대로 괜찮음을 나타내는 조사.
Pas d'expression équivalente
Particule indiquant que la chose indiquée parmi d'autres est plus ou moins bonne, même si elle n'est pas la meilleure.

술 (nom) : 맥주나 소주 등과 같이 알코올 성분이 들어 있어서 마시면 취하는 음료.
alcool, boisson alcoolique, boisson alcoolisée
Boisson qui contient une substance alcoolique et rend ivre, comme la bière, le soju, etc.

한 (déterminant) : 하나의.
un
D'un.

잔 (nom) : 음료나 술 등을 담은 그릇을 기준으로 그 분량을 세는 단위.
Pas d'expression équivalente
Unité de calcul pour une quantité de boisson, d'alcool, etc. basée sur le récipient servant à en contenir.

따르다 (verbe) : 액체가 담긴 물건을 기울여 액체를 밖으로 조금씩 흐르게 하다.
verser, remplir, mettre, servir
Faire couler petit à petit un liquide hors d'un récipient.

-아 주다 : 남을 위해 앞의 말이 나타내는 행동을 함을 나타내는 표현.
Pas d'expression équivalente
Expression indiquant le fait d'effectuer pour autrui une action exprimée par les propos précédents.

-어요 : (두루높임으로) 어떤 사실을 서술하거나 질문, 명령, 권유함을 나타내는 종결 어미.
Pas d'expression équivalente
(forme honorifique non formelle) Terminaison finale pour décrire un fait ou pour indiquer une question, un ordre ou une recommandation. <ordre>

추억+에 취하+여 비틀거리+[기 전에]
취해

추억 (nom) : 지나간 일을 생각함. 또는 그런 생각이나 일.
souvenir, mémoire
Action de penser à ce qui s'est passé autrefois ; une telle pensée ou une telle chose.

에 : 앞말이 어떤 행위나 감정 등의 대상임을 나타내는 조사.
Pas d'expression équivalente
Particule indiquant que la proposition précédente est l'objet d'une action ou d'un sentiment.

취하다 (verbe) : 무엇에 매우 깊이 빠져 마음을 빼앗기다.
s'enivrer, s'exciter
S'adonner à quelque chose et se laisser absorber.

-여 : 앞에 오는 말이 뒤에 오는 말에 대한 원인이나 이유임을 나타내는 연결 어미.
Pas d'expression équivalente
Terminaison connective indiquant que les propos précédents constituent la cause ou la raison des propos suivants.

비틀거리다 (verbe) : 몸을 가누지 못하고 계속 이리저리 쓰러질 듯이 걷다.
chanceler
Marcher en titubant et en donnant l'impression de tomber, sans parvenir à garder l'équilibre.

-기 전에 : 뒤에 오는 말이 나타내는 행동이 앞에 오는 말이 나타내는 행동보다 앞서는 것을 나타내는 표현.
Pas d'expression équivalente
Expression pour indiquer que l'action de la proposition suivante précède celle de la proposition précédente.

이 한 잔 마시+[고 나]+면 지우+[ㄹ 수 있]+을까요?
지울 수 있을까요

이 (déterminant) : 바로 앞에서 이야기한 대상을 가리킬 때 쓰는 말.
ce (cet, cette, ces)
Terme utilisé pour indiquer l'objet venant d'être énoncé.

한 (déterminant) : 하나의.
un
D'un.

잔 (nom) : 음료나 술 등을 담은 그릇을 기준으로 그 분량을 세는 단위.
Pas d'expression équivalente
Unité de calcul pour une quantité de boisson, d'alcool, etc. basée sur le récipient servant à en contenir.

마시다 (verbe) : 물 등의 액체를 목구멍으로 넘어가게 하다.
boire, prendre une boisson
Absorber un liquide tel que de l'eau par la gorge.

-고 나다 : 앞에 오는 말이 나타내는 행동이 끝났음을 나타내는 표현.
Pas d'expression équivalente
Expression pour indiquer que l'action de la proposition précédente est terminée.

-면 : 뒤에 오는 말에 대한 근거나 조건이 됨을 나타내는 연결 어미.
Pas d'expression équivalente
Terminaison connective indiquant une chose qui constitue le fondement ou la condition des propos suivants.

지우다 (verbe) : 생각이나 기억을 없애거나 잊다.
effacer
Éliminer ou oublier des pensées ou des souvenirs.

-ㄹ 수 있다 : 어떤 행동이나 상태가 가능함을 나타내는 표현.
Pas d'expression équivalente
Expression indiquant qu'une action ou un état est possible.

-을까요 : (두루높임으로) 아직 일어나지 않았거나 모르는 일에 대해서 말하는 사람이 추측하며 질문할 때 쓰는 표현.
Pas d'expression équivalente
(forme honorifique non formelle) Expression utilisée quand le locuteur fait une supposition en posant une question au sujet d'une chose pas encore advenue ou qu'il ne connaît pas.

그리움+에 취하+여 잠들+[기 전에]
취해

그리움 (nom) : 어떤 대상을 몹시 보고 싶어 하는 안타까운 마음.
nostalgie, regret, affection, attachement
Désir douloureux de revoir quelque chose ou quelqu'un qui lui manque.

에 : 앞말이 어떤 행위나 감정 등의 대상임을 나타내는 조사.
Pas d'expression équivalente
Particule indiquant que la proposition précédente est l'objet d'une action ou d'un sentiment.

취하다 (verbe) : 무엇에 매우 깊이 빠져 마음을 빼앗기다.
s'enivrer, s'exciter
S'adonner à quelque chose et se laisser absorber.

-여 : 앞에 오는 말이 뒤에 오는 말에 대한 원인이나 이유임을 나타내는 연결 어미.
Pas d'expression équivalente
Terminaison connective indiquant que les propos précédents constituent la cause ou la raison des propos suivants.

잠들다 (verbe) : 잠을 자는 상태가 되다.
s'endormir
Se retrouver dans un état de sommeil.

-기 전에 : 뒤에 오는 말이 나타내는 행동이 앞에 오는 말이 나타내는 행동보다 앞서는 것을 나타내는 표현.

Pas d'expression équivalente
Expression pour indiquer que l'action de la proposition suivante précède celle de la proposition précédente.

아직 어제+를 살+[고 있]+는 이 꿈속+에서 깨+[지 않]+도록

아직 (adverbe) : 어떤 일이나 상태 또는 어떻게 되기까지 시간이 더 지나야 함을 나타내거나, 어떤 일이나 상태가 끝나지 않고 계속 이어지고 있음을 나타내는 말.

encore, toujours
Terme indiquant qu'il faut encore qu'une certaine période s'écoule pour qu'une chose ou un état devienne tel ou tel, ou continue sans s'arrêter.

어제 (nom) : 지나간 때.
Pas d'expression équivalente
Temps qui s'est déjà écoulé.

를 : 동작이 직접적으로 영향을 미치는 대상을 나타내는 조사.
Pas d'expression équivalente
Particule indiquant un objet directement influencé par un mouvement.

살다 (verbe) : 사람이 생활을 하다.
vivre, habiter, demeurer
(Personne) Mener une vie.

-고 있다 : 앞의 말이 나타내는 행동이 계속 진행됨을 나타내는 표현.
Pas d'expression équivalente
Expression pour indiquer que l'action de la proposition précédente est toujours en cours.

-는 : 앞의 말이 관형어의 기능을 하게 만들고 사건이나 동작이 현재 일어남을 나타내는 어미.
Pas d'expression équivalente
Terminaison attribuant la fonction de déterminant à la proposition précédente, et pour indiquer que la situation ou l'action en question se réalise au présent.

이 (déterminant) : 말하는 사람에게 가까이 있거나 말하는 사람이 생각하고 있는 대상을 가리킬 때 쓰는 말.
ce (cet, cette, ces)
Terme utilisé pour indiquer l'objet qui se trouve près du locuteur ou auquel pense ce dernier.

꿈속 (nom) : 현실과 동떨어진 환상 속.
de rêve
Dans l'illusion qui est loin de la réalité.

에서 : 앞말이 행동이 이루어지고 있는 장소임을 나타내는 조사.
à, dans, en, chez
Particule indiquant que la proposition précédente est le lieu où se passe une action.

깨다 (verbe) : 잠이 든 상태에서 벗어나 정신을 차리다. 또는 그렇게 하다.
(se) réveiller
Recouvrer ses esprits après un somme ; rendre ainsi.

-지 않다 : 앞의 말이 나타내는 행위나 상태를 부정하는 뜻을 나타내는 표현.
Pas d'expression équivalente
Expression pour indiquer la négation d'une action ou d'un état précisé dans la proposition
précédente.

-도록 : 앞에 오는 말이 뒤에 오는 말에 대한 목적이나 결과, 방식, 정도임을 나타내는 연결 어미.
Pas d'expression équivalente
Terminaison connective indiquant que les propos précédents constituent l'objectif, le résultat,
la méthode ou le degré des propos qui suivent. <objectif>

누구+라도 지독하+ㄴ 술 한 잔 따르(따르)+[아 주]+어요.
지독한　　　　　　따라 줘요

누구 (pronom) : 정해지지 않은 어떤 사람을 가리키는 말.
on, quelqu'un(e), quiconque, personne
Pronom désignant une personne indéterminée.

라도 : 그것이 최선은 아니나 여럿 중에서는 그런대로 괜찮음을 나타내는 조사.
Pas d'expression équivalente
Particule indiquant que la chose indiquée parmi d'autres est plus ou moins bonne, même si
elle n'est pas la meilleure.

지독하다 (adjectif) : 맛이나 냄새 등이 해롭거나 참기 어려울 정도로 심하다.
fort, extrême, atroce, horrible
(Goût, odeur, etc.) Qui est nocif ou très fort au point de ne pas être supportable.

-ㄴ : 앞의 말이 관형어의 기능을 하게 만들고 현재의 상태를 나타내는 어미.
Pas d'expression équivalente
Terminaison donnant la fonction de déterminant à la proposition précédente et exprimant
l'état présent.

술 (nom) : 맥주나 소주 등과 같이 알코올 성분이 들어 있어서 마시면 취하는 음료.
alcool, boisson alcoolique, boisson alcoolisée
Boisson qui contient une substance alcoolique et rend ivre, comme la bière, le soju, etc.

한 (déterminant) : 하나의.
un
D'un.

잔 (nom) : 음료나 술 등을 담은 그릇을 기준으로 그 분량을 세는 단위.
Pas d'expression équivalente
Unité de calcul pour une quantité de boisson, d'alcool, etc. basée sur le récipient servant à en contenir.

따르다 (verbe) : 액체가 담긴 물건을 기울여 액체를 밖으로 조금씩 흐르게 하다.
verser, remplir, mettre, servir
Faire couler petit à petit un liquide hors d'un récipient.

-아 주다 : 남을 위해 앞의 말이 나타내는 행동을 함을 나타내는 표현.
Pas d'expression équivalente
Expression indiquant le fait d'effectuer pour autrui une action exprimée par les propos précédents.

-어요 : (두루높임으로) 어떤 사실을 서술하거나 질문, 명령, 권유함을 나타내는 종결 어미.
Pas d'expression équivalente
(forme honorifique non formelle) Terminaison finale pour décrire un fait ou pour indiquer une question, un ordre ou une recommandation. <ordre>

< 후렴(refrain) >

이제+부터 <u>하얗(하야)</u>+ㄴ 여백+에 가득 <u>차</u>+ㄴ
　　　　　 하얀　　　　　　　　　　 찬

이제 (nom) : 말하고 있는 바로 이때.
maintenant, présent
Moment présent où je parle.

부터 : 어떤 일의 시작이나 처음을 나타내는 조사.
Pas d'expression équivalente
Particule servant à exprimer le début ou l'origine d'une chose.

하얗다 (adjectif) : 눈이나 우유의 빛깔과 같이 밝고 선명하게 희다.
blanc
Clair et net, semblable à la couleur de la neige ou du lait.

-ㄴ : 앞의 말이 관형어의 기능을 하게 만들고 현재의 상태를 나타내는 어미.

Pas d'expression équivalente

Terminaison donnant la fonction de déterminant à la proposition précédente et exprimant l'état présent.

여백 (nom) : 종이 등에 글씨를 쓰거나 그림을 그리고 남은 빈 자리.

marge

Espace vide qui reste après avoir écrit ou après avoir dessiné sur un papier etc.

에 : 앞말이 어떤 장소나 자리임을 나타내는 조사.

à, dans, en, sur

Particule indiquant que la proposition précédente (en coréen) est un lieu ou un emplacement.

가득 (adverbe) : 어떤 감정이나 생각이 강한 모양.

plein, entièrement, complètement

De manière qu'un sentiment ou qu'une idée soient forts.

차다 (verbe) : 감정이나 느낌 등이 가득하게 되다.

être plein, être satisfait de

être plein, être satisfait de

-ㄴ : 앞의 말이 관형어의 기능을 하게 만들고 사건이나 동작이 완료되어 그 상태가 유지되고 있음을 나타내는 어미.

Pas d'expression équivalente

Terminaison donnant la fonction de déterminant à la proposition précédente et indiquant que l'événement ou l'action en question est achevé et que cet état est maintenu.

내+가 모르+는 나+를 지우+[ㄹ 것(거)]+이+에요.
지울 거예요

내 (pronom) : '나'에 조사 '가'가 붙을 때의 형태.

je

Forme issue de l'ajout de la particule '가' au pronom '나'.

가 : 어떤 상태나 상황에 놓인 대상이나 동작의 주체를 나타내는 조사.

Pas d'expression équivalente

Particule indiquant l'objet d'un état ou d'une situation, ou le sujet d'une action.

모르다 (verbe) : 사람이나 사물, 사실 등을 알지 못하거나 이해하지 못하다.

ignorer, ne pas savoir, ne pas connaître

Ne pas connaître ou comprendre une personne, un objet, un fait, etc.

-는 : 앞의 말이 관형어의 기능을 하게 만들고 사건이나 동작이 현재 일어남을 나타내는 어미.

Pas d'expression équivalente

Terminaison attribuant la fonction de déterminant à la proposition précédente, et pour indiquer que la situation ou l'action en question se réalise au présent.

나 (pronom) : 말하는 사람이 친구나 아랫사람에게 자기를 가리키는 말.

je, moi, me

Terme employé par le locuteur pour se désigner, lorsqu'il s'adresse à une personne du même âge ou plus jeune.

를 : 동작이 직접적으로 영향을 미치는 대상을 나타내는 조사.

Pas d'expression équivalente

Particule indiquant un objet directement influencé par un mouvement.

지우다 (verbe) : 생각이나 기억을 없애거나 잊다.

effacer

Éliminer ou oublier des pensées ou des souvenirs.

-ㄹ 것 : 명사가 아닌 것을 문장에서 명사처럼 쓰이게 하거나 '이다' 앞에 쓰일 수 있게 할 때 쓰는 표현.

Pas d'expression équivalente

Expression utilisée pour qu'un mot qui n'est pas un nom soit utilisé comme tel dans une phrase, ou pour que ce mot se place devant l'expression « Ida(être) »

이다 : 주어가 지시하는 대상의 속성이나 부류를 지정하는 뜻을 나타내는 서술격 조사.

Pas d'expression équivalente

Particule du cas prédicatif pour indiquer la caractéristique ou la catégorie d'un objet qui se rapporte au sujet d'une phrase.

-에요 : (두루높임으로) 어떤 사실을 서술하거나 질문함을 나타내는 종결 어미.

Pas d'expression équivalente

(forme honorifique non formelle) Terminaison finale pour décrire un fait ou pour indiquer une question. <description>

오늘+은 꼭 당신+이 따르(따르)+[아 주]+ㄴ
따라 준

오늘 (nom) : 지금 지나가고 있는 이날.

aujourd'hui, ce jour

Jour qui est en train de passer.

은 : 문장 속에서 어떤 대상이 화제임을 나타내는 조사.

Pas d'expression équivalente

Particule indiquant qu'un objet est le principal sujet (de conversation) d'une phrase.

꼭 (adverbe) : 어떤 일이 있어도 반드시.
certainement, sûrement, sans doute
Absolument à faire quoi qu'il arrive.

당신 (pronom) : (조금 높이는 말로) 듣는 사람을 가리키는 말.
toi, vous
(forme légèrement honorifique) Terme désignant l'interlocuteur.

이 : 어떤 상태나 상황의 대상이나 동작의 주체를 나타내는 조사.
Pas d'expression équivalente
Particule qui indique l'objet d'un état ou d'une situation, ou le sujet d'une action.

따르다 (verbe) : 액체가 담긴 물건을 기울여 액체를 밖으로 조금씩 흐르게 하다.
verser, remplir, mettre, servir
Faire couler petit à petit un liquide hors d'un récipient.

-아 주다 : 남을 위해 앞의 말이 나타내는 행동을 함을 나타내는 표현.
Pas d'expression équivalente
Expression indiquant le fait d'effectuer pour autrui une action exprimée par les propos précédents.

-ㄴ : 앞의 말이 관형어의 기능을 하게 만들고 사건이나 동작이 완료되어 그 상태가 유지되고 있음을 나타내는 어미.
Pas d'expression équivalente
Terminaison donnant la fonction de déterminant à la proposition précédente et indiquant que l'événement ou l'action en question est achevé et que cet état est maintenu.

한 잔+의 가득하+ㄴ 독주+를 비우+[ㄹ 것(거)]+이+에요.
　　　　가득한　　　　　　　비울 거예요

한 (déterminant) : 하나의.
un
D'un.

잔 (nom) : 음료나 술 등을 담은 그릇을 기준으로 그 분량을 세는 단위.
Pas d'expression équivalente
Unité de calcul pour une quantité de boisson, d'alcool, etc. basée sur le récipient servant à en contenir.

의 : 앞의 말이 뒤의 말에 대하여 속성이나 수량을 한정하거나 같은 자격임을 나타내는 조사.
Pas d'expression équivalente
Particule pour indiquer que la proposition précédente a une caractéristique ou une quantité limitée, ou la même qualité que la proposition suivante.

가득하다 (adjectif) : 양이나 수가 정해진 범위에 꽉 차 있다.
rempli, plein, comble
(Quantité ou nombre) Qui est entièrement rempli, jusqu'à ce que la limite soit atteinte.

-ㄴ : 앞의 말이 관형어의 기능을 하게 만들고 현재의 상태를 나타내는 어미.
Pas d'expression équivalente
Terminaison donnant la fonction de déterminant à la proposition précédente et exprimant l'état présent.

독주 (nom) : 매우 독한 술.
spiritueux, liqueur forte
Alcool très fort.

를 : 동작이 직접적으로 영향을 미치는 대상을 나타내는 조사.
Pas d'expression équivalente
Particule indiquant un objet directement influencé par un mouvement.

비우다 (verbe) : 안에 든 것을 없애 속을 비게 하다.
vider, finir
Enlever ce qui se trouvait à l'intérieur d'une chose, et le rendre vide.

-ㄹ 것 : 명사가 아닌 것을 문장에서 명사처럼 쓰이게 하거나 '이다' 앞에 쓰일 수 있게 할 때 쓰는 표현.
Pas d'expression équivalente
Expression utilisée pour qu'un mot qui n'est pas un nom soit utilisé comme tel dans une phrase, ou pour que ce mot se place devant l'expression « Ida(être) »

이다 : 주어가 지시하는 대상의 속성이나 부류를 지정하는 뜻을 나타내는 서술격 조사.
Pas d'expression équivalente
Particule du cas prédicatif pour indiquer la caractéristique ou la catégorie d'un objet qui se rapporte au sujet d'une phrase.

-에요 : (두루높임으로) 어떤 사실을 서술하거나 질문함을 나타내는 종결 어미.
Pas d'expression équivalente
(forme honorifique non formelle) Terminaison finale pour décrire un fait ou pour indiquer une question. <description>

이제+부터 하얗(하야)+ㄴ 여백+에 가득 차+ㄴ
　　　　　 하얀　　　　　　　　　　　　 찬

이제 (nom) : 말하고 있는 바로 이때.
maintenant, présent
Moment présent où je parle.

부터 : 어떤 일의 시작이나 처음을 나타내는 조사.
Pas d'expression équivalente
Particule servant à exprimer le début ou l'origine d'une chose.

하얗다 (adjectif) : 눈이나 우유의 빛깔과 같이 밝고 선명하게 희다.
blanc
Clair et net, semblable à la couleur de la neige ou du lait.

-ㄴ : 앞의 말이 관형어의 기능을 하게 만들고 현재의 상태를 나타내는 어미.
Pas d'expression équivalente
Terminaison donnant la fonction de déterminant à la proposition précédente et exprimant l'état présent.

여백 (nom) : 종이 등에 글씨를 쓰거나 그림을 그리고 남은 빈 자리.
marge
Espace vide qui reste après avoir écrit ou après avoir dessiné sur un papier etc.

에 : 앞말이 어떤 장소나 자리임을 나타내는 조사.
à, dans, en, sur
Particule indiquant que la proposition précédente (en coréen) est un lieu ou un emplacement.

가득 (adverbe) : 어떤 감정이나 생각이 강한 모양.
plein, entièrement, complètement
De manière qu'un sentiment ou qu'une idée soient forts.

차다 (verbe) : 감정이나 느낌 등이 가득하게 되다.
être plein, être satisfait de
être plein, être satisfait de

-ㄴ : 앞의 말이 관형어의 기능을 하게 만들고 사건이나 동작이 완료되어 그 상태가 유지되고 있음을 나타내는 어미.
Pas d'expression équivalente
Terminaison donnant la fonction de déterminant à la proposition précédente et indiquant que l'événement ou l'action en question est achevé et que cet état est maintenu.

내+가 모르+는 나+를 지우+[ㄹ 것(거)]+이+에요.
지울 거예요

내 (pronom) : '나'에 조사 '가'가 붙을 때의 형태.
je
Forme issue de l'ajout de la particule '가' au pronom '나'.

가 : 어떤 상태나 상황에 놓인 대상이나 동작의 주체를 나타내는 조사.

Pas d'expression équivalente

Particule indiquant l'objet d'un état ou d'une situation, ou le sujet d'une action.

모르다 (verbe) : 사람이나 사물, 사실 등을 알지 못하거나 이해하지 못하다.

ignorer, ne pas savoir, ne pas connaître

Ne pas connaître ou comprendre une personne, un objet, un fait, etc.

–는 : 앞의 말이 관형어의 기능을 하게 만들고 사건이나 동작이 현재 일어남을 나타내는 어미.

Pas d'expression équivalente

Terminaison attribuant la fonction de déterminant à la proposition précédente, et pour indiquer que la situation ou l'action en question se réalise au présent.

나 (pronom) : 말하는 사람이 친구나 아랫사람에게 자기를 가리키는 말.

je, moi, me

Terme employé par le locuteur pour se désigner, lorsqu'il s'adresse à une personne du même âge ou plus jeune.

를 : 동작이 직접적으로 영향을 미치는 대상을 나타내는 조사.

Pas d'expression équivalente

Particule indiquant un objet directement influencé par un mouvement.

지우다 (verbe) : 생각이나 기억을 없애거나 잊다.

effacer

Éliminer ou oublier des pensées ou des souvenirs.

–ㄹ 것 : 명사가 아닌 것을 문장에서 명사처럼 쓰이게 하거나 '이다' 앞에 쓰일 수 있게 할 때 쓰는 표현.

Pas d'expression équivalente

Expression utilisée pour qu'un mot qui n'est pas un nom soit utilisé comme tel dans une phrase, ou pour que ce mot se place devant l'expression « Ida(être) »

이다 : 주어가 지시하는 대상의 속성이나 부류를 지정하는 뜻을 나타내는 서술격 조사.

Pas d'expression équivalente

Particule du cas prédicatif pour indiquer la caractéristique ou la catégorie d'un objet qui se rapporte au sujet d'une phrase.

–에요 : (두루높임으로) 어떤 사실을 서술하거나 질문함을 나타내는 종결 어미.

Pas d'expression équivalente

(forme honorifique non formelle) Terminaison finale pour décrire un fait ou pour indiquer une question. **<description>**

오늘+은 꼭 당신+이 따르(따르)+[아 주]+ㄴ
따라 준

오늘 (nom) : 지금 지나가고 있는 이날.
aujourd'hui, ce jour
Jour qui est en train de passer.

은 : 문장 속에서 어떤 대상이 화제임을 나타내는 조사.
Pas d'expression équivalente
Particule indiquant qu'un objet est le principal sujet (de conversation) d'une phrase.

꼭 (adverbe) : 어떤 일이 있어도 반드시.
certainement, sûrement, sans doute
Absolument à faire quoi qu'il arrive.

당신 (pronom) : (조금 높이는 말로) 듣는 사람을 가리키는 말.
toi, vous
(forme légèrement honorifique) Terme désignant l'interlocuteur.

이 : 어떤 상태나 상황의 대상이나 동작의 주체를 나타내는 조사.
Pas d'expression équivalente
Particule qui indique l'objet d'un état ou d'une situation, ou le sujet d'une action.

따르다 (verbe) : 액체가 담긴 물건을 기울여 액체를 밖으로 조금씩 흐르게 하다.
verser, remplir, mettre, servir
Faire couler petit à petit un liquide hors d'un récipient.

-아 주다 : 남을 위해 앞의 말이 나타내는 행동을 함을 나타내는 표현.
Pas d'expression équivalente
Expression indiquant le fait d'effectuer pour autrui une action exprimée par les propos précédents.

-ㄴ : 앞의 말이 관형어의 기능을 하게 만들고 사건이나 동작이 완료되어 그 상태가 유지되고 있음을 나타내는 어미.
Pas d'expression équivalente
Terminaison donnant la fonction de déterminant à la proposition précédente et indiquant que l'événement ou l'action en question est achevé et que cet état est maintenu.

한 잔+의 가득하+ㄴ 독주+를 비우+[ㄹ 것(거)]+이+에요.
　　　가득한　　　　　　　　비울 거예요

한 (déterminant) : 하나의.
un
D'un.

잔 (nom) : 음료나 술 등을 담은 그릇을 기준으로 그 분량을 세는 단위.
Pas d'expression équivalente
Unité de calcul pour une quantité de boisson, d'alcool, etc. basée sur le récipient servant à en contenir.

의 : 앞의 말이 뒤의 말에 대하여 속성이나 수량을 한정하거나 같은 자격임을 나타내는 조사.
Pas d'expression équivalente
Particule pour indiquer que la proposition précédente a une caractéristique ou une quantité limitée, ou la même qualité que la proposition suivante.

가득하다 (adjectif) : 양이나 수가 정해진 범위에 꽉 차 있다.
rempli, plein, comble
(Quantité ou nombre) Qui est entièrement rempli, jusqu'à ce que la limite soit atteinte.

-ㄴ : 앞의 말이 관형어의 기능을 하게 만들고 현재의 상태를 나타내는 어미.
Pas d'expression équivalente
Terminaison donnant la fonction de déterminant à la proposition précédente et exprimant l'état présent.

독주 (nom) : 매우 독한 술.
spiritueux, liqueur forte
Alcool très fort.

를 : 동작이 직접적으로 영향을 미치는 대상을 나타내는 조사.
Pas d'expression équivalente
Particule indiquant un objet directement influencé par un mouvement.

비우다 (verbe) : 안에 든 것을 없애 속을 비게 하다.
vider, finir
Enlever ce qui se trouvait à l'intérieur d'une chose, et le rendre vide.

-ㄹ 것 : 명사가 아닌 것을 문장에서 명사처럼 쓰이게 하거나 '이다' 앞에 쓰일 수 있게 할 때 쓰는 표현.
Pas d'expression équivalente
Expression utilisée pour qu'un mot qui n'est pas un nom soit utilisé comme tel dans une phrase, ou pour que ce mot se place devant l'expression « Ida(être) »

이다 : 주어가 지시하는 대상의 속성이나 부류를 지정하는 뜻을 나타내는 서술격 조사.

Pas d'expression équivalente

Particule du cas prédicatif pour indiquer la caractéristique ou la catégorie d'un objet qui se rapporte au sujet d'une phrase.

-에요 : (두루높임으로) 어떤 사실을 서술하거나 질문함을 나타내는 종결 어미.

Pas d'expression équivalente

(forme honorifique non formelle) Terminaison finale pour décrire un fait ou pour indiquer une question. <description>

< 7 >

애창곡
(chanson favorite)

[발음(prononciation)]

< 1 절(couplet) >

내가 부르는 이 노래
내가 부르는 이 노래
naega bureuneun i norae

너에게 아직 다 못다 한 말
너에게 아직 다 몯따 한 말
neoege ajik da motda han mal

이 곡조엔 우리만 아는 속삭임
이 곡쪼엔 우리만 아는 속싸김
i gokjoen uriman aneun soksagim

내가 부르는 이 노래
내가 부르는 이 노래
naega bureuneun i norae

너에게 꼭 하고 싶은 말
너에게 꼭 하고 시픈 말
neoege kkok hago sipeun mal

이 선율엔 우리만 아는 귓속말
이 서뉴렌 우리만 아는 귇쏭말
i seonyuren uriman aneun gwitsongmal

아무리 화가 나도 삐져 있어도
아무리 화가 나도 삐저 이써도
amuri hwaga nado ppijeo isseodo

이 가락에 취해
이 가라게 취해
i garage chwihae

우린 서로 남몰래 눈을 맞춰요.
우린 서로 남몰래 누늘 맏춰요.
urin seoro nammollae nuneul matchwoyo.

내가 즐겨 부르는 이 노래
내가 즐겨 부르는 이 노래
naega jeulgyeo bureuneun i norae

이 음악이 흐르면
이 으마기 흐르면
i eumagi heureumyeon

너의 눈빛, 너의 표정
너에 눈삩, 너에 표정
neoe nunbit, neoe pyojeong

내 가슴이 살살 녹아요.
내 가스미 살살 노가요.
nae gaseumi salsal nogayo.

< 2 절(couplet) >

내가 부르는 이 노래
내가 부르는 이 노래
naega bureuneun i norae

너에게만 들려줬던 말
너에게만 들려줠떤 말
neoegeman deullyeojwotdeon mal

이 곡조엔 둘이만 아는 짜릿함
이 곡쪼엔 두리만 아는 짜리탐
i gokjoen duriman aneun jjaritam

내가 부르는 이 노래
내가 부르는 이 노래
naega bureuneun i norae

너에게만 속삭였던 말
너에게만 속싸겯떤 말
neoegeman soksagyeotdeon mal

이 선율엔 둘이만 아는 아찔함
이 서뉴렌 두리만 아는 아찔함
i seonyuren duriman aneun ajjilham

아무리 토라져도 삐져 있어도
아무리 토라저도 삐저 이써도
amuri torajeodo ppijeo isseodo

이 노랫말에 잠겨
이 노랜마레 잠겨
i noraenmare jamgyeo

우린 서로 남몰래 눈을 맞춰요.
우린 서로 남몰래 누늘 맏춰요.
urin seoro nammollae nuneul matchwoyo.

내가 즐겨 부르는 이 노래
내가 즐겨 부르는 이 노래
naega jeulgyeo bureuneun i norae

이 음악이 흐르면
이 으마기 흐르면
i eumagi heureumyeon

너의 눈빛, 너의 표정
너에 눈삧, 너에 표정
neoe nunbit, neoe pyojeong

내 가슴이 살살 녹아요.
내 가스미 살살 노가요.
nae gaseumi salsal nogayo.

< 3 절(couplet) >

우리 둘이 부르는 이 노래
우리 두리 부르는 이 노래
uri duri bureuneun i norae

우리 둘만 아는 이 노래
우리 둘만 아는 이 노래
uri dulman aneun i norae

우리 둘이 영원히 함께 불러요
우리 두리 영원히 함께 불러요
uri duri yeongwonhi hamkke bulleoyo

이 음표에 우리 사랑 싣고
이 음표에 우리 사랑 싣꼬
i eumpyoe uri sarang sitgo

높고 낮게 길고 짧은 리듬
놉꼬 낟께 길고 짤븐 리듬
nopgo natge gilgo jjalbeun rideum

이 가락에 밤새도록 취해 봐요.
이 가라게 밤새도록 취해 봐요.
i garage bamsaedorok chwihae bwayo.

< 1 절(couplet) >

내+가 부르+는 이 노래

내 (pronom) : '나'에 조사 '가'가 붙을 때의 형태.
je
Forme issue de l'ajout de la particule '가' au pronom '나'.

가 : 어떤 상태나 상황에 놓인 대상이나 동작의 주체를 나타내는 조사.
Pas d'expression équivalente
Particule indiquant l'objet d'un état ou d'une situation, ou le sujet d'une action.

부르다 (verbe) : 곡조에 따라 노래하다.
chanter, fredonner, chantonner
Chanter en suivant une mélodie.

-는 : 앞의 말이 관형어의 기능을 하게 만들고 사건이나 동작이 현재 일어남을 나타내는 어미.
Pas d'expression équivalente
Terminaison attribuant la fonction de déterminant à la proposition précédente, et pour indiquer que la situation ou l'action en question se réalise au présent.

이 (déterminant) : 말하는 사람에게 가까이 있거나 말하는 사람이 생각하고 있는 대상을 가리킬 때 쓰는 말.
ce (cet, cette, ces)
Terme utilisé pour indiquer l'objet qui se trouve près du locuteur ou auquel pense ce dernier.

노래 (nom) : 운율에 맞게 지은 가사에 곡을 붙인 음악. 또는 그런 음악을 소리 내어 부름.
chant, chanson
Musique composée sur des paroles écrites en vers ; fait de chanter une telle musique à haute voix.

너+에게 아직 다 못다 하+ㄴ 말
한

너 (pronom) : 듣는 사람이 친구나 아랫사람일 때, 그 사람을 가리키는 말.
tu, toi
Terme designant l'interlocuteur, quand celui-ci est un ami ou une personne de rang inférieur.

에게 : 어떤 행동이 미치는 대상임을 나타내는 조사.
Pas d'expression équivalente
Particule indiquant l'objet affecté par une action.

아직 (adverbe) : 어떤 일이나 상태 또는 어떻게 되기까지 시간이 더 지나야 함을 나타내거나, 어떤 일이나 상태가 끝나지 않고 계속 이어지고 있음을 나타내는 말.
encore, toujours
Terme indiquant qu'il faut encore qu'une certaine période s'écoule pour qu'une chose ou un état devienne tel ou tel, ou continue sans s'arrêter.

다 (adverbe) : 남거나 빠진 것이 없이 모두.
tout, toute, tous, toutes, complètement, parfaitement, vraiment, même, dans son intégralité
Tout sans que rien ne reste ou ne soit ôté.

못다 (adverbe) : '어떤 행동을 완전히 다하지 못함'을 나타내는 말.
Pas d'expression équivalente
(adv.) Mot signifiant "ne pas pouvoir finaliser un acte".

하다 (verbe) : 어떤 행동이나 동작, 활동 등을 행하다.
faire, exécuter, effectuer, s'occuper de
Effectuer une action, un mouvement, une activité, etc.

-ㄴ : 앞의 말이 관형어의 기능을 하게 만들고 사건이나 동작이 완료되어 그 상태가 유지되고 있음을 나타내는 어미.
Pas d'expression équivalente
Terminaison donnant la fonction de déterminant à la proposition précédente et indiquant que l'événement ou l'action en question est achevé et que cet état est maintenu.

말 (nom) : 생각이나 느낌을 표현하고 전달하는 사람의 소리.
Pas d'expression équivalente
Son d'un homme exprimant ou transmettant ses pensées ou ses sentiments.

이 곡조+에+는 우리+만 알(아)+는 속삭임
       곡조엔   **아는**

이 (déterminant) : 말하는 사람에게 가까이 있거나 말하는 사람이 생각하고 있는 대상을 가리킬 때 쓰는 말.
ce (cet, cette, ces)
Terme utilisé pour indiquer l'objet qui se trouve près du locuteur ou auquel pense ce dernier.

곡조 (nom) : 음악이나 노래의 흐름.
mélodie, air musical
Suite de sons d'une musique ou d'une chanson.

에 : 앞말이 어떤 장소나 자리임을 나타내는 조사.

à, dans, en, sur

Particule indiquant que la proposition précédente (en coréen) est un lieu ou un emplacement.

는 : 문장 속에서 어떤 대상이 화제임을 나타내는 조사.

Pas d'expression équivalente

Particule indiquant qu'un objet est le principal sujet d'une phrase.

우리 (pronom) : 말하는 사람이 자기보다 높지 않은 사람에게 자기를 포함한 여러 사람들을 가리키는 말.

nous, (pro.) notre, nos

Terme employé par le locuteur pour désigner de nombreuses personnes y compris lui-même, lorsqu'il s'adresse à quelqu'un qui occupe une position moins élevée que lui.

만 : 다른 것은 제외하고 어느 것을 한정함을 나타내는 조사.

Pas d'expression équivalente

Particule exprimant la limitation à une certaine chose en éliminant les autres.

알다 (verbe) : 교육이나 경험, 생각 등을 통해 사물이나 상황에 대한 정보 또는 지식을 갖추다.

savoir, connaître, apprendre

Acquérir une information ou une connaissance sur un objet ou sur une situation par l'éducation, l'expérience, la réflexion, etc.

-는 : 앞의 말이 관형어의 기능을 하게 만들고 사건이나 동작이 현재 일어남을 나타내는 어미.

Pas d'expression équivalente

Terminaison attribuant la fonction de déterminant à la proposition précédente, et pour indiquer que la situation ou l'action en question se réalise au présent.

속삭임 (nom) : 작고 낮은 목소리로 가만가만히 하는 이야기.

chuchotement, murmure

Conversation qu'on fait avec quelqu'un, à voix basse et doucement.

내+가 부르+는 이 노래

내 (pronom) : '나'에 조사 '가'가 붙을 때의 형태.

je

Forme issue de l'ajout de la particule '가' au pronom '나'.

가 : 어떤 상태나 상황에 놓인 대상이나 동작의 주체를 나타내는 조사.

Pas d'expression équivalente

Particule indiquant l'objet d'un état ou d'une situation, ou le sujet d'une action.

부르다 (verbe) : 곡조에 따라 노래하다.
chanter, fredonner, chantonner
Chanter en suivant une mélodie.

-는 : 앞의 말이 관형어의 기능을 하게 만들고 사건이나 동작이 현재 일어남을 나타내는 어미.
Pas d'expression équivalente
Terminaison attribuant la fonction de déterminant à la proposition précédente, et pour indiquer que la situation ou l'action en question se réalise au présent.

이 (déterminant) : 말하는 사람에게 가까이 있거나 말하는 사람이 생각하고 있는 대상을 가리킬 때 쓰는 말.
ce (cet, cette, ces)
Terme utilisé pour indiquer l'objet qui se trouve près du locuteur ou auquel pense ce dernier.

노래 (nom) : 운율에 맞게 지은 가사에 곡을 붙인 음악. 또는 그런 음악을 소리 내어 부름.
chant, chanson
Musique composée sur des paroles écrites en vers ; fait de chanter une telle musique à haute voix.

너+에게 꼭 하+[고 싶]+은 말

너 (pronom) : 듣는 사람이 친구나 아랫사람일 때, 그 사람을 가리키는 말.
tu, toi
Terme designant l'interlocuteur, quand celui-ci est un ami ou une personne de rang inférieur.

에게 : 어떤 행동이 미치는 대상임을 나타내는 조사.
Pas d'expression équivalente
Particule indiquant l'objet affecté par une action.

꼭 (adverbe) : 어떤 일이 있어도 반드시.
certainement, sûrement, sans doute
Absolument à faire quoi qu'il arrive.

하다 (verbe) : 어떤 행동이나 동작, 활동 등을 행하다.
faire, exécuter, effectuer, s'occuper de
Effectuer une action, un mouvement, une activité, etc.

-고 싶다 : 앞의 말이 나타내는 행동을 하기를 원함을 나타내는 표현.
Pas d'expression équivalente
Expression utilisée pour montrer le désir à vouloir faire l'action de la proposition précédente.

-은 : 앞의 말이 관형어의 기능을 하게 만들고 현재의 상태를 나타내는 어미.
Pas d'expression équivalente
Terminaison faisant fonctionner le mot précédent comme un déterminant et exprimant l'état présent.

말 (nom) : 생각이나 느낌을 표현하고 전달하는 사람의 소리.
Pas d'expression équivalente
Son d'un homme exprimant ou transmettant ses pensées ou ses sentiments.

이 <u>선율+에+는</u> 우리+만 <u>알(아)+는</u> 귓속말
선율엔   아는

이 (déterminant) : 말하는 사람에게 가까이 있거나 말하는 사람이 생각하고 있는 대상을 가리킬 때 쓰는 말.
ce (cet, cette, ces)
Terme utilisé pour indiquer l'objet qui se trouve près du locuteur ou auquel pense ce dernier.

선율 (nom) : 길고 짧거나 높고 낮은 소리가 어우러진 음의 흐름.
mélodie
Succession harmonieuse de sons courts, longs, hauts et bas.

에 : 앞말이 어떤 장소나 자리임을 나타내는 조사.
à, dans, en, sur
Particule indiquant que la proposition précédente (en coréen) est un lieu ou un emplacement.

는 : 문장 속에서 어떤 대상이 화제임을 나타내는 조사.
Pas d'expression équivalente
Particule indiquant qu'un objet est le principal sujet d'une phrase.

우리 (pronom) : 말하는 사람이 자기보다 높지 않은 사람에게 자기를 포함한 여러 사람들을 가리키는 말.
nous, (pro.) notre, nos
Terme employé par le locuteur pour désigner de nombreuses personnes y compris lui-même, lorsqu'il s'adresse à quelqu'un qui occupe une position moins élevée que lui.

만 : 다른 것은 제외하고 어느 것을 한정함을 나타내는 조사.
Pas d'expression équivalente
Particule exprimant la limitation à une certaine chose en éliminant les autres.

알다 (verbe) : 교육이나 경험, 생각 등을 통해 사물이나 상황에 대한 정보 또는 지식을 갖추다.
savoir, connaître, apprendre
Acquérir une information ou une connaissance sur un objet ou sur une situation par l'éducation, l'expérience, la réflexion, etc.

-는 : 앞의 말이 관형어의 기능을 하게 만들고 사건이나 동작이 현재 일어남을 나타내는 어미.
Pas d'expression équivalente
Terminaison attribuant la fonction de déterminant à la proposition précédente, et pour indiquer que la situation ou l'action en question se réalise au présent.

귓속말 (nom) : 남의 귀에 입을 가까이 대고 작은 소리로 말함. 또는 그런 말.
chuchotement, murmure
Action de parler tout bas en approchant sa bouche à l'oreille de quelqu'un ; ce genre de parole.

아무리 화+가 <u>나+(아)도</u> <u>삐지+[어 있]+어도</u>
나도   삐져 있어도

아무리 (adverbe) : 비록 그렇다 하더라도.
quelque...que, si...que, si aussi...que, tout...que
Bien que ce soit ainsi.

화 (nom) : 몹시 못마땅하거나 노여워하는 감정.
irritation, colère, rage, ire
Sentiment de grand insatisfaction ou de colère.

가 : 어떤 상태나 상황에 놓인 대상이나 동작의 주체를 나타내는 조사.
Pas d'expression équivalente
Particule indiquant l'objet d'un état ou d'une situation, ou le sujet d'une action.

나다 (verbe) : 어떤 감정이나 느낌이 생기다.
Pas d'expression équivalente
(Sentiment, impression, etc.) Surgir.

-아도 : 앞에 오는 말을 가정하거나 인정하지만 뒤에 오는 말에는 관계가 없거나 영향을 끼치지 않음을
         나타내는 연결 어미.
Pas d'expression équivalente
Terminaison connective indiquant que bien que l'on suppose ou reconnaisse les propos précédents, ceux-ci n'ont aucun rapport ou n'exercent aucune influence sur les propos suivants.

삐지다 (verbe) : 화가 나거나 서운해서 마음이 뒤틀리다.
bouder, faire la tête
Avoir le cœur plein de tourments de colère ou de peine.

-어 있다 : 앞의 말이 나타내는 상태가 계속됨을 나타내는 표현.
Pas d'expression équivalente
Expression indiquant le maintien de l'état exprimé par les propos précédents.

-어도 : 앞에 오는 말을 가정하거나 인정하지만 뒤에 오는 말에는 관계가 없거나 영향을 끼치지 않음을
       나타내는 연결 어미.
Pas d'expression équivalente
Terminaison connective indiquant que bien que l'on suppose ou reconnaisse les propos précédents, ceux-ci n'ont aucun rapport ou n'exercent aucune influence sur les propos suivants.

이 가락+에 취하+여
취해

이 (déterminant) : 말하는 사람에게 가까이 있거나 말하는 사람이 생각하고 있는 대상을 가리킬 때 쓰는
           말.
ce (cet, cette, ces)
Terme utilisé pour indiquer l'objet qui se trouve près du locuteur ou auquel pense ce dernier.

가락 (nom) : 음악에서 음의 높낮이의 흐름.
mélodie, air
En musique, succession de sons de différentes hauteurs.

에 : 앞말이 어떤 행위나 감정 등의 대상임을 나타내는 조사.
Pas d'expression équivalente
Particule indiquant que la proposition précédente est l'objet d'une action ou d'un sentiment.

취하다 (verbe) : 무엇에 매우 깊이 빠져 마음을 빼앗기다.
s'enivrer, s'exciter
S'adonner à quelque chose et se laisser absorber.

-여 : 앞의 말이 뒤의 말보다 먼저 일어났거나 뒤의 말에 대한 방법이나 수단이 됨을 나타내는 연결 어미.
Pas d'expression équivalente
Terminaison connective indiquant que la proposition précédente s'est réalisée avant la suivante, ou qu'elle constitue une méthode ou un moyen pour accomplir ce qui est dans la proposition suivante.

우리+는 서로 남몰래 [눈을 맞추]+어요.
　우린　　　　　　　　눈을 맞춰요

우리 (pronom) : 말하는 사람이 자기보다 높지 않은 사람에게 자기를 포함한 여러 사람들을 가리키는 말.
nous, (pro.) notre, nos
Terme employé par le locuteur pour désigner de nombreuses personnes y compris lui-même,
lorsqu'il s'adresse à quelqu'un qui occupe une position moins élevée que lui.

는 : 문장 속에서 어떤 대상이 화제임을 나타내는 조사.
Pas d'expression équivalente
Particule indiquant qu'un objet est le principal sujet d'une phrase.

서로 (adverbe) : 관계를 맺고 있는 둘 이상의 대상이 함께. 또는 같이.
mutuellement, réciproquement
Avec deux ou plusieurs personnes en relation : ensemble.

남몰래 (adverbe) : 다른 사람이 모르게.
à l'insu de tous, en cachette, secrètement, dans la discrétion
De façon à ce que les autres ne puissent connaître.

눈을 맞추다 (phrase idiomatique) : 서로 눈을 마주 보다.
accorder ses yeux
Se regarder dans les yeux l'un l'autre.

-어요 : (두루높임으로) 어떤 사실을 서술하거나 질문, 명령, 권유함을 나타내는 종결 어미.
Pas d'expression équivalente
(forme honorifique non formelle) Terminaison finale pour décrire un fait ou pour indiquer
une question, un ordre ou une recommandation.

내+가 즐기+어 부르+는 이 노래
　　　즐겨

내 (pronom) : '나'에 조사 '가'가 붙을 때의 형태.
je
Forme issue de l'ajout de la particule '가' au pronom '나'.

가 : 어떤 상태나 상황에 놓인 대상이나 동작의 주체를 나타내는 조사.
Pas d'expression équivalente
Particule indiquant l'objet d'un état ou d'une situation, ou le sujet d'une action.

즐기다 (verbe) : 어떤 것을 좋아하여 자주 하다.
se réjouir de quelque chose
Aimer faire quelque chose et le faire fréquemment.

-어 : 앞의 말이 뒤의 말보다 먼저 일어났거나 뒤의 말에 대한 방법이나 수단이 됨을 나타내는 연결 어미.
Pas d'expression équivalente
Terminaison connective indiquant que la proposition précédente s'est réalisée avant la
suivante, ou qu'elle constitue une méthode ou un moyen pour accomplir ce qui est dans la
proposition suivante.

부르다 (verbe) : 곡조에 따라 노래하다.
chanter, fredonner, chantonner
Chanter en suivant une mélodie.

-는 : 앞의 말이 관형어의 기능을 하게 만들고 사건이나 동작이 현재 일어남을 나타내는 어미.
Pas d'expression équivalente
Terminaison attribuant la fonction de déterminant à la proposition précédente, et pour
indiquer que la situation ou l'action en question se réalise au présent.

이 (déterminant) : 말하는 사람에게 가까이 있거나 말하는 사람이 생각하고 있는 대상을 가리킬 때 쓰는
말.
ce (cet, cette, ces)
Terme utilisé pour indiquer l'objet qui se trouve près du locuteur ou auquel pense ce dernier.

노래 (nom) : 운율에 맞게 지은 가사에 곡을 붙인 음악. 또는 그런 음악을 소리 내어 부름.
chant, chanson
Musique composée sur des paroles écrites en vers ; fait de chanter une telle musique à haute
voix.

이 음악+이 흐르+면

이 (déterminant) : 말하는 사람에게 가까이 있거나 말하는 사람이 생각하고 있는 대상을 가리킬 때 쓰는
말.
ce (cet, cette, ces)
Terme utilisé pour indiquer l'objet qui se trouve près du locuteur ou auquel pense ce dernier.

음악 (nom) : 목소리나 악기로 박자와 가락이 있게 소리 내어 생각이나 감정을 표현하는 예술.
musique
Art qui permet d'exprimer une pensée ou un sentiment par l'intermédiaire de sons rythmiques
et mélodiques produits avec la voix humaine ou des instruments musicaux.

이 : 어떤 상태나 상황의 대상이나 동작의 주체를 나타내는 조사.
Pas d'expression équivalente
Particule qui indique l'objet d'un état ou d'une situation, ou le sujet d'une action.

흐르다 (verbe) : 빛, 소리, 향기 등이 부드럽게 퍼지다.
retentir, pénétrer dans, retentir, se propager
(Lumière, son, parfum, etc.) Se répandre doucement.

-면 : 뒤에 오는 말에 대한 근거나 조건이 됨을 나타내는 연결 어미.
Pas d'expression équivalente
Terminaison connective indiquant une chose qui constitue le fondement ou la condition des propos suivants.

너+의 눈빛, 너+의 표정

너 (pronom) : 듣는 사람이 친구나 아랫사람일 때, 그 사람을 가리키는 말.
tu, toi
Terme designant l'interlocuteur, quand celui-ci est un ami ou une personne de rang inférieur.

의 : 앞의 말이 뒤의 말에 대하여 소유, 소속, 소재, 관계, 기원, 주체의 관계를 가짐을 나타내는 조사.
Pas d'expression équivalente
Particule pour indiquer que la proposition précédente prend une relation de possession, d'appartenance, d'emplacement, de relation, d'origine ou de sujet d'action par rapport à la proposition suivante.

눈빛 (nom) : 눈에 나타나는 감정.
regard, lueur
Expression des yeux.

너 (pronom) : 듣는 사람이 친구나 아랫사람일 때, 그 사람을 가리키는 말.
tu, toi
Terme designant l'interlocuteur, quand celui-ci est un ami ou une personne de rang inférieur.

의 : 앞의 말이 뒤의 말에 대하여 소유, 소속, 소재, 관계, 기원, 주체의 관계를 가짐을 나타내는 조사.
Pas d'expression équivalente
Particule pour indiquer que la proposition précédente prend une relation de possession, d'appartenance, d'emplacement, de relation, d'origine ou de sujet d'action par rapport à la proposition suivante.

표정 (nom) : 마음속에 품은 감정이나 생각 등이 얼굴에 드러남. 또는 그런 모습.
expression, air, figure, mine
Fait de laisser paraître sur le visage un sentiment ou une pensée que l'on a dans le cœur ; un tel aspect.

나+의 가슴+이 살살 녹+아요.
내

나 (pronom) : 말하는 사람이 친구나 아랫사람에게 자기를 가리키는 말.
je, moi, me
Terme employé par le locuteur pour se désigner, lorsqu'il s'adresse à une personne du même âge ou plus jeune.

의 : 앞의 말이 뒤의 말에 대하여 소유, 소속, 소재, 관계, 기원, 주체의 관계를 가짐을 나타내는 조사.
Pas d'expression équivalente
Particule pour indiquer que la proposition précédente prend une relation de possession, d'appartenance, d'emplacement, de relation, d'origine ou de sujet d'action par rapport à la proposition suivante.

가슴 (nom) : 마음이나 느낌.
cœur
Cœur ou sentiment.

이 : 어떤 상태나 상황의 대상이나 동작의 주체를 나타내는 조사.
Pas d'expression équivalente
Particule qui indique l'objet d'un état ou d'une situation, ou le sujet d'une action.

살살 (adverbe) : 눈이나 설탕 등이 모르는 사이에 저절로 녹는 모양.
Pas d'expression équivalente
Idéophone illustrant la manière dont la neige ou le sucre fond naturellement sans qu'on s'en aperçoive.

녹다 (verbe) : 어떤 대상에게 몹시 반하거나 빠지다.
tomber amoureux, s'éprendre de, tomber sous le charme de
Être ravi par une personne ou une chose et se passionner pour elle.

-아요 : (두루높임으로) 어떤 사실을 서술하거나 질문, 명령, 권유함을 나타내는 종결 어미.
Pas d'expression équivalente
(forme honorifique non formelle) Terminaison finale pour décrire un fait ou pour indiquer une question, un ordre ou une recommandation.

< 2 절(couplet) >

내+가 부르+는 이 노래

내 (pronom) : '나'에 조사 '가'가 붙을 때의 형태.
je
Forme issue de l'ajout de la particule '가' au pronom '나'.

가 : 어떤 상태나 상황에 놓인 대상이나 동작의 주체를 나타내는 조사.
Pas d'expression équivalente
Particule indiquant l'objet d'un état ou d'une situation, ou le sujet d'une action.

부르다 (verbe) : 곡조에 따라 노래하다.
chanter, fredonner, chantonner
Chanter en suivant une mélodie.

-는 : 앞의 말이 관형어의 기능을 하게 만들고 사건이나 동작이 현재 일어남을 나타내는 어미.
Pas d'expression équivalente
Terminaison attribuant la fonction de déterminant à la proposition précédente, et pour indiquer que la situation ou l'action en question se réalise au présent.

이 (déterminant) : 말하는 사람에게 가까이 있거나 말하는 사람이 생각하고 있는 대상을 가리킬 때 쓰는 말.
ce (cet, cette, ces)
Terme utilisé pour indiquer l'objet qui se trouve près du locuteur ou auquel pense ce dernier.

노래 (nom) : 운율에 맞게 지은 가사에 곡을 붙인 음악. 또는 그런 음악을 소리 내어 부름.
chant, chanson
Musique composée sur des paroles écrites en vers ; fait de chanter une telle musique à haute voix.

너+에게+만 들려주+었던 말
들려줬던

너 (pronom) : 듣는 사람이 친구나 아랫사람일 때, 그 사람을 가리키는 말.
tu, toi
Terme designant l'interlocuteur, quand celui-ci est un ami ou une personne de rang inférieur.

에게 : 어떤 행동이 미치는 대상임을 나타내는 조사.
Pas d'expression équivalente
Particule indiquant l'objet affecté par une action.

만 : 다른 것은 제외하고 어느 것을 한정함을 나타내는 조사.
Pas d'expression équivalente
Particule exprimant la limitation à une certaine chose en éliminant les autres.

들려주다 (verbe) : 소리나 말을 듣게 해 주다.
faire savoir, faire connaître, apprendre, informer, mettre quelqu'un au courant de
Faire entendre un son ou des voix.

-었던 : 과거의 사건이나 상태를 다시 떠올리거나 그 사건이나 상태가 완료되지 않고 중단되었다는 의미
　　　 를 나타내는 표현.
Pas d'expression équivalente
Expression indiquant le fait de se rappeler un évènement ou un état du passé, ou bien le fait
que cet évènement ou cet état s'est arreté sans être achevé.

말 (nom) : 생각이나 느낌을 표현하고 전달하는 사람의 소리.
Pas d'expression équivalente
Son d'un homme exprimant ou transmettant ses pensées ou ses sentiments.

이 곡조+에+는 둘+이+만 알(아)+는 짜릿하+ㅁ
　　곡조엔　　　　　　　 아는　　 짜릿함

이 (déterminant) : 말하는 사람에게 가까이 있거나 말하는 사람이 생각하고 있는 대상을 가리킬 때 쓰는
　　　　　　　　　말.
ce (cet, cette, ces)
Terme utilisé pour indiquer l'objet qui se trouve près du locuteur ou auquel pense ce dernier.

곡조 (nom) : 음악이나 노래의 흐름.
mélodie, air musical
Suite de sons d'une musique ou d'une chanson.

에 : 앞말이 어떤 장소나 자리임을 나타내는 조사.
à, dans, en, sur
Particule indiquant que la proposition précédente (en coréen) est un lieu ou un emplacement.

는 : 문장 속에서 어떤 대상이 화제임을 나타내는 조사.
Pas d'expression équivalente
Particule indiquant qu'un objet est le principal sujet d'une phrase.

둘 (numéral) : 하나에 하나를 더한 수.
deux
Chiffre résultant de l'addition de 1 plus 1.

이 : 어떤 상태나 상황의 대상이나 동작의 주체를 나타내는 조사.
Pas d'expression équivalente
Particule qui indique l'objet d'un état ou d'une situation, ou le sujet d'une action.

만 : 다른 것은 제외하고 어느 것을 한정함을 나타내는 조사.
Pas d'expression équivalente
Particule exprimant la limitation à une certaine chose en éliminant les autres.

알다 (verbe) : 교육이나 경험, 생각 등을 통해 사물이나 상황에 대한 정보 또는 지식을 갖추다.
savoir, connaître, apprendre
Acquérir une information ou une connaissance sur un objet ou sur une situation par l'éducation, l'expérience, la réflexion, etc.

-는 : 앞의 말이 관형어의 기능을 하게 만들고 사건이나 동작이 현재 일어남을 나타내는 어미.
Pas d'expression équivalente
Terminaison attribuant la fonction de déterminant à la proposition précédente, et pour indiquer que la situation ou l'action en question se réalise au présent.

짜릿하다 (adjectif) : 심리적 자극을 받아 마음이 순간적으로 조금 흥분되고 떨리는 듯하다.
électrisant, palpitant, piquant
(Cœur) Qui ressent d'un coup un peu d'excitation et tremble suite à une stimulation psychologique.

-ㅁ : 앞의 말이 명사의 기능을 하게 하는 어미.
Pas d'expression équivalente
Terminaison faisant fonctionner le mot précédent comme un nom.

내+가 부르+는 이 노래

내 (pronom) : '나'에 조사 '가'가 붙을 때의 형태.
je
Forme issue de l'ajout de la particule '가' au pronom '나'.

가 : 어떤 상태나 상황에 놓인 대상이나 동작의 주체를 나타내는 조사.
Pas d'expression équivalente
Particule indiquant l'objet d'un état ou d'une situation, ou le sujet d'une action.

부르다 (verbe) : 곡조에 따라 노래하다.
chanter, fredonner, chantonner
Chanter en suivant une mélodie.

-는 : 앞의 말이 관형어의 기능을 하게 만들고 사건이나 동작이 현재 일어남을 나타내는 어미.
Pas d'expression équivalente
Terminaison attribuant la fonction de déterminant à la proposition précédente, et pour indiquer que la situation ou l'action en question se réalise au présent.

이 (déterminant) : 말하는 사람에게 가까이 있거나 말하는 사람이 생각하고 있는 대상을 가리킬 때 쓰는 말.
ce (cet, cette, ces)
Terme utilisé pour indiquer l'objet qui se trouve près du locuteur ou auquel pense ce dernier.

노래 (nom) : 운율에 맞게 지은 가사에 곡을 붙인 음악. 또는 그런 음악을 소리 내어 부름.
chant, chanson
Musique composée sur des paroles écrites en vers ; fait de chanter une telle musique à haute voix.

너+에게+만 속삭이+었던 말
속삭였던

너 (pronom) : 듣는 사람이 친구나 아랫사람일 때, 그 사람을 가리키는 말.
tu, toi
Terme designant l'interlocuteur, quand celui-ci est un ami ou une personne de rang inférieur.

에게 : 어떤 행동이 미치는 대상임을 나타내는 조사.
Pas d'expression équivalente
Particule indiquant l'objet affecté par une action.

만 : 다른 것은 제외하고 어느 것을 한정함을 나타내는 조사.
Pas d'expression équivalente
Particule exprimant la limitation à une certaine chose en éliminant les autres.

속삭이다 (verbe) : 남이 알아듣지 못하게 작은 목소리로 가만가만 이야기하다.
Pas d'expression équivalente
Parler doucement et à voix basse, de façon à ce que les autres n'entendent pas ce qui est dit.

-었던 : 과거의 사건이나 상태를 다시 떠올리거나 그 사건이나 상태가 완료되지 않고 중단되었다는 의미를 나타내는 표현.

Pas d'expression équivalente

Expression indiquant le fait de se rappeler un évènement ou un état du passé, ou bien le fait que cet évènement ou cet état s'est arreté sans être achevé.

말 (nom) : 생각이나 느낌을 표현하고 전달하는 사람의 소리.

Pas d'expression équivalente

Son d'un homme exprimant ou transmettant ses pensées ou ses sentiments.

이 선율+에+ㄴ 둘+이+만 알(아)+는 아찔하+ㅁ
　선율엔　　　　　　　　　아는　　　아찔함

이 (déterminant) : 말하는 사람에게 가까이 있거나 말하는 사람이 생각하고 있는 대상을 가리킬 때 쓰는 말.

ce (cet, cette, ces)

Terme utilisé pour indiquer l'objet qui se trouve près du locuteur ou auquel pense ce dernier.

선율 (nom) : 길고 짧거나 높고 낮은 소리가 어우러진 음의 흐름.

mélodie

Succession harmonieuse de sons courts, longs, hauts et bas.

에 : 앞말이 어떤 장소나 자리임을 나타내는 조사.

à, dans, en, sur

Particule indiquant que la proposition précédente (en coréen) est un lieu ou un emplacement.

는 : 문장 속에서 어떤 대상이 화제임을 나타내는 조사.

Pas d'expression équivalente

Particule indiquant qu'un objet est le principal sujet d'une phrase.

둘 (numéral) : 하나에 하나를 더한 수.

deux

Chiffre résultant de l'addition de 1 plus 1.

이 : 어떤 상태나 상황의 대상이나 동작의 주체를 나타내는 조사.

Pas d'expression équivalente

Particule qui indique l'objet d'un état ou d'une situation, ou le sujet d'une action.

만 : 다른 것은 제외하고 어느 것을 한정함을 나타내는 조사.

Pas d'expression équivalente

Particule exprimant la limitation à une certaine chose en éliminant les autres.

알다 (verbe) : 교육이나 경험, 생각 등을 통해 사물이나 상황에 대한 정보 또는 지식을 갖추다.

savoir, connaître, apprendre

Acquérir une information ou une connaissance sur un objet ou sur une situation par l'éducation, l'expérience, la réflexion, etc.

-는 : 앞의 말이 관형어의 기능을 하게 만들고 사건이나 동작이 현재 일어남을 나타내는 어미.

Pas d'expression équivalente

Terminaison attribuant la fonction de déterminant à la proposition précédente, et pour indiquer que la situation ou l'action en question se réalise au présent.

아찔하다 (adjectif) : 놀라거나 해서 갑자기 정신이 흐려지고 어지럽다.

étourdi

Ayant l'esprit confus et ayant soudainement des vertiges, suite à une surprise, etc.

-ㅁ : 앞의 말이 명사의 기능을 하게 하는 어미.

Pas d'expression équivalente

Terminaison faisant fonctionner le mot précédent comme un nom.

아무리 토라지+어도 삐지+[어 있]+어도
토라져도   삐져 있어도

아무리 (adverbe) : 비록 그렇다 하더라도.

quelque...que, si...que, si aussi...que, tout...que

Bien que ce soit ainsi.

토라지다 (verbe) : 마음에 들지 않아 불만스러워 싹 돌아서다.

bouder, faire la tête, faire la moue

Se retourner complètement, insatisfait par une chose qui ne plaît pas.

-어도 : 앞에 오는 말을 가정하거나 인정하지만 뒤에 오는 말에는 관계가 없거나 영향을 끼치지 않음을 나타내는 연결 어미.

Pas d'expression équivalente

Terminaison connective indiquant que bien que l'on suppose ou reconnaisse les propos précédents, ceux-ci n'ont aucun rapport ou n'exercent aucune influence sur les propos suivants.

삐지다 (verbe) : 화가 나거나 서운해서 마음이 뒤틀리다.

bouder, faire la tête

Avoir le cœur plein de tourments de colère ou de peine.

-어 있다 : 앞의 말이 나타내는 상태가 계속됨을 나타내는 표현.

Pas d'expression équivalente

Expression indiquant le maintien de l'état exprimé par les propos précédents.

-어도 : 앞에 오는 말을 가정하거나 인정하지만 뒤에 오는 말에는 관계가 없거나 영향을 끼치지 않음을
　　　 나타내는 연결 어미.

Pas d'expression équivalente

Terminaison connective indiquant que bien que l'on suppose ou reconnaisse les propos précédents, ceux-ci n'ont aucun rapport ou n'exercent aucune influence sur les propos suivants.

이 노랫말+에 잠기+어
　　　　　　 잠겨

이 (déterminant) : 말하는 사람에게 가까이 있거나 말하는 사람이 생각하고 있는 대상을 가리킬 때 쓰는
　　　　　　　　　 말.

ce (cet, cette, ces)

Terme utilisé pour indiquer l'objet qui se trouve près du locuteur ou auquel pense ce dernier.

노랫말 (nom) : 노래의 가락에 따라 부를 수 있게 만든 글이나 말.

paroles d'une chanson

Texte ou parole chanté(e) au rythme d'une musique.

에 : 앞말이 어떤 행위나 감정 등의 대상임을 나타내는 조사.

Pas d'expression équivalente

Particule indiquant que la proposition précédente est l'objet d'une action ou d'un sentiment.

잠기다 (verbe) : 생각이나 느낌 속에 빠지다.

être submergé, être inondé

Plonger dans une réflexion ou être envahi d'une impression.

-어 : 앞의 말이 뒤의 말보다 먼저 일어났거나 뒤의 말에 대한 방법이나 수단이 됨을 나타내는 연결 어미.

Pas d'expression équivalente

Terminaison connective indiquant que la proposition précédente s'est réalisée avant la suivante, ou qu'elle constitue une méthode ou un moyen pour accomplir ce qui est dans la proposition suivante.

우리+는 서로 남몰래 [눈을 맞추]+어요.
　우린 　　　　　　　　 눈을 맞춰요

우리 (pronom) : 말하는 사람이 자기보다 높지 않은 사람에게 자기를 포함한 여러 사람들을 가리키는 말.

nous, (pro.) notre, nos

Terme employé par le locuteur pour désigner de nombreuses personnes y compris lui-même, lorsqu'il s'adresse à quelqu'un qui occupe une position moins élevée que lui.

는 : 문장 속에서 어떤 대상이 화제임을 나타내는 조사.
Pas d'expression équivalente
Particule indiquant qu'un objet est le principal sujet d'une phrase.

서로 (adverbe) : 관계를 맺고 있는 둘 이상의 대상이 함께. 또는 같이.
mutuellement, réciproquement
Avec deux ou plusieurs personnes en relation ; ensemble.

남몰래 (adverbe) : 다른 사람이 모르게.
à l'insu de tous, en cachette, secrètement, dans la discrétion
De façon à ce que les autres ne puissent connaître.

눈을 맞추다 (phrase idiomatique) : 서로 눈을 마주 보다.
accorder ses yeux
Se regarder dans les yeux l'un l'autre.

-어요 : (두루높임으로) 어떤 사실을 서술하거나 질문, 명령, 권유함을 나타내는 종결 어미.
Pas d'expression équivalente
(forme honorifique non formelle) Terminaison finale pour décrire un fait ou pour indiquer une question, un ordre ou une recommandation.

내+가 <u>즐기+어</u> 부르+는 이 노래
즐겨

내 (pronom) : '나'에 조사 '가'가 붙을 때의 형태.
je
Forme issue de l'ajout de la particule '가' au pronom '나'.

가 : 어떤 상태나 상황에 놓인 대상이나 동작의 주체를 나타내는 조사.
Pas d'expression équivalente
Particule indiquant l'objet d'un état ou d'une situation, ou le sujet d'une action.

즐기다 (verbe) : 어떤 것을 좋아하여 자주 하다.
se réjouir de quelque chose
Aimer faire quelque chose et le faire fréquemment.

-어 : 앞의 말이 뒤의 말보다 먼저 일어났거나 뒤의 말에 대한 방법이나 수단이 됨을 나타내는 연결 어미.
Pas d'expression équivalente
Terminaison connective indiquant que la proposition précédente s'est réalisée avant la suivante, ou qu'elle constitue une méthode ou un moyen pour accomplir ce qui est dans la proposition suivante.

부르다 (verbe) : 곡조에 따라 노래하다.
chanter, fredonner, chantonner
Chanter en suivant une mélodie.

-는 : 앞의 말이 관형어의 기능을 하게 만들고 사건이나 동작이 현재 일어남을 나타내는 어미.
Pas d'expression équivalente
Terminaison attribuant la fonction de déterminant à la proposition précédente, et pour indiquer que la situation ou l'action en question se réalise au présent.

이 (déterminant) : 말하는 사람에게 가까이 있거나 말하는 사람이 생각하고 있는 대상을 가리킬 때 쓰는 말.
ce (cet, cette, ces)
Terme utilisé pour indiquer l'objet qui se trouve près du locuteur ou auquel pense ce dernier.

노래 (nom) : 운율에 맞게 지은 가사에 곡을 붙인 음악. 또는 그런 음악을 소리 내어 부름.
chant, chanson
Musique composée sur des paroles écrites en vers ; fait de chanter une telle musique à haute voix.

이 음악+이 흐르+면

이 (déterminant) : 말하는 사람에게 가까이 있거나 말하는 사람이 생각하고 있는 대상을 가리킬 때 쓰는 말.
ce (cet, cette, ces)
Terme utilisé pour indiquer l'objet qui se trouve près du locuteur ou auquel pense ce dernier.

음악 (nom) : 목소리나 악기로 박자와 가락이 있게 소리 내어 생각이나 감정을 표현하는 예술.
musique
Art qui permet d'exprimer une pensée ou un sentiment par l'intermédiaire de sons rythmiques et mélodiques produits avec la voix humaine ou des instruments musicaux.

이 : 어떤 상태나 상황의 대상이나 동작의 주체를 나타내는 조사.
Pas d'expression équivalente
Particule qui indique l'objet d'un état ou d'une situation, ou le sujet d'une action.

흐르다 (verbe) : 빛, 소리, 향기 등이 부드럽게 퍼지다.
retentir, pénétrer dans, retentir, se propager
(Lumière, son, parfum, etc.) Se répandre doucement.

-면 : 뒤에 오는 말에 대한 근거나 조건이 됨을 나타내는 연결 어미.
Pas d'expression équivalente
Terminaison connective indiquant une chose qui constitue le fondement ou la condition des propos suivants.

너+의 눈빛, 너+의 표정

너 (pronom) : 듣는 사람이 친구나 아랫사람일 때, 그 사람을 가리키는 말.
tu, toi
Terme designant l'interlocuteur, quand celui-ci est un ami ou une personne de rang inférieur.

의 : 앞의 말이 뒤의 말에 대하여 소유, 소속, 소재, 관계, 기원, 주체의 관계를 가짐을 나타내는 조사.
Pas d'expression équivalente
Particule pour indiquer que la proposition précédente prend une relation de possession, d'appartenance, d'emplacement, de relation, d'origine ou de sujet d'action par rapport à la proposition suivante.

눈빛 (nom) : 눈에 나타나는 감정.
regard, lueur
Expression des yeux.

너 (pronom) : 듣는 사람이 친구나 아랫사람일 때, 그 사람을 가리키는 말.
tu, toi
Terme designant l'interlocuteur, quand celui-ci est un ami ou une personne de rang inférieur.

의 : 앞의 말이 뒤의 말에 대하여 소유, 소속, 소재, 관계, 기원, 주체의 관계를 가짐을 나타내는 조사.
Pas d'expression équivalente
Particule pour indiquer que la proposition précédente prend une relation de possession, d'appartenance, d'emplacement, de relation, d'origine ou de sujet d'action par rapport à la proposition suivante.

표정 (nom) : 마음속에 품은 감정이나 생각 등이 얼굴에 드러남. 또는 그런 모습.
expression, air, figure, mine
Fait de laisser paraître sur le visage un sentiment ou une pensée que l'on a dans le cœur : un tel aspect.

나+의 가슴+이 살살 녹+아요.
내

나 (pronom) : 말하는 사람이 친구나 아랫사람에게 자기를 가리키는 말.
je, moi, me
Terme employé par le locuteur pour se désigner, lorsqu'il s'adresse à une personne du même âge ou plus jeune.

의 : 앞의 말이 뒤의 말에 대하여 소유, 소속, 소재, 관계, 기원, 주체의 관계를 가짐을 나타내는 조사.
Pas d'expression équivalente
Particule pour indiquer que la proposition précédente prend une relation de possession, d'appartenance, d'emplacement, de relation, d'origine ou de sujet d'action par rapport à la proposition suivante.

가슴 (nom) : 마음이나 느낌.
cœur
Cœur ou sentiment.

이 : 어떤 상태나 상황의 대상이나 동작의 주체를 나타내는 조사.
Pas d'expression équivalente
Particule qui indique l'objet d'un état ou d'une situation, ou le sujet d'une action.

살살 (adverbe) : 눈이나 설탕 등이 모르는 사이에 저절로 녹는 모양.
Pas d'expression équivalente
Idéophone illustrant la manière dont la neige ou le sucre fond naturellement sans qu'on s'en aperçoive.

녹다 (verbe) : 어떤 대상에게 몹시 반하거나 빠지다.
tomber amoureux, s'éprendre de, tomber sous le charme de
Être ravi par une personne ou une chose et se passionner pour elle.

-아요 : (두루높임으로) 어떤 사실을 서술하거나 질문, 명령, 권유함을 나타내는 종결 어미.
Pas d'expression équivalente
(forme honorifique non formelle) Terminaison finale pour décrire un fait ou pour indiquer une question, un ordre ou une recommandation.

< 3 절(couplet) >

우리 둘+이 부르+는 이 노래

우리 (pronom) : 말하는 사람이 자기보다 높지 않은 사람에게 자기를 포함한 여러 사람들을 가리키는 말.
nous, (pro.) notre, nos
Terme employé par le locuteur pour désigner de nombreuses personnes y compris lui-même, lorsqu'il s'adresse à quelqu'un qui occupe une position moins élevée que lui.

둘 (numéral) : 하나에 하나를 더한 수.
deux
Chiffre résultant de l'addition de 1 plus 1.

이 : 어떤 상태나 상황의 대상이나 동작의 주체를 나타내는 조사.
Pas d'expression équivalente
Particule qui indique l'objet d'un état ou d'une situation, ou le sujet d'une action.

부르다 (verbe) : 곡조에 따라 노래하다.
chanter, fredonner, chantonner
Chanter en suivant une mélodie.

-는 : 앞의 말이 관형어의 기능을 하게 만들고 사건이나 동작이 현재 일어남을 나타내는 어미.
Pas d'expression équivalente
Terminaison attribuant la fonction de déterminant à la proposition précédente, et pour indiquer que la situation ou l'action en question se réalise au présent.

이 (déterminant) : 말하는 사람에게 가까이 있거나 말하는 사람이 생각하고 있는 대상을 가리킬 때 쓰는 말.
ce (cet, cette, ces)
Terme utilisé pour indiquer l'objet qui se trouve près du locuteur ou auquel pense ce dernier.

노래 (nom) : 운율에 맞게 지은 가사에 곡을 붙인 음악. 또는 그런 음악을 소리 내어 부름.
chant, chanson
Musique composée sur des paroles écrites en vers ; fait de chanter une telle musique à haute voix.

우리 둘+만 <u>알(아)</u>+는 이 노래
아는

우리 (pronom) : 말하는 사람이 자기보다 높지 않은 사람에게 자기를 포함한 여러 사람들을 가리키는 말.
nous, (pro.) notre, nos
Terme employé par le locuteur pour désigner de nombreuses personnes y compris lui-même, lorsqu'il s'adresse à quelqu'un qui occupe une position moins élevée que lui.

둘 (numéral) : 하나에 하나를 더한 수.
deux
Chiffre résultant de l'addition de 1 plus 1.

만 : 다른 것은 제외하고 어느 것을 한정함을 나타내는 조사.
Pas d'expression équivalente
Particule exprimant la limitation à une certaine chose en éliminant les autres.

알다 (verbe) : 교육이나 경험, 생각 등을 통해 사물이나 상황에 대한 정보 또는 지식을 갖추다.
savoir, connaître, apprendre
Acquérir une information ou une connaissance sur un objet ou sur une situation par l'éducation, l'expérience, la réflexion, etc.

-는 : 앞의 말이 관형어의 기능을 하게 만들고 사건이나 동작이 현재 일어남을 나타내는 어미.

Pas d'expression équivalente

Terminaison attribuant la fonction de déterminant à la proposition précédente, et pour indiquer que la situation ou l'action en question se réalise au présent.

이 (déterminant) : 말하는 사람에게 가까이 있거나 말하는 사람이 생각하고 있는 대상을 가리킬 때 쓰는 말.

ce (cet, cette, ces)

Terme utilisé pour indiquer l'objet qui se trouve près du locuteur ou auquel pense ce dernier.

노래 (nom) : 운율에 맞게 지은 가사에 곡을 붙인 음악. 또는 그런 음악을 소리 내어 부름.

chant, chanson

Musique composée sur des paroles écrites en vers ; fait de chanter une telle musique à haute voix.

우리 둘+이 영원히 함께 <u>부르(불르)+어요</u>.
불러요

우리 (pronom) : 말하는 사람이 자기보다 높지 않은 사람에게 자기를 포함한 여러 사람들을 가리키는 말.

nous, (pro.) notre, nos

Terme employé par le locuteur pour désigner de nombreuses personnes y compris lui-même, lorsqu'il s'adresse à quelqu'un qui occupe une position moins élevée que lui.

둘 (numéral) : 하나에 하나를 더한 수.

deux

Chiffre résultant de l'addition de 1 plus 1.

이 : 어떤 상태나 상황의 대상이나 동작의 주체를 나타내는 조사.

Pas d'expression équivalente

Particule qui indique l'objet d'un état ou d'une situation, ou le sujet d'une action.

영원히 (adverbe) : 끝없이 이어지는 상태로. 또는 언제까지나 변하지 않는 상태로.

éternellement, pour toujours

De manière à continuer sans fin ; de manière à continuer sans changement.

함께 (adverbe) : 여럿이서 한꺼번에 같이.

ensemble

De manière à faire quelque chose en même temps à plusieurs.

부르다 (verbe) : 곡조에 따라 노래하다.

chanter, fredonner, chantonner

Chanter en suivant une mélodie.

-어요 : (두루높임으로) 어떤 사실을 서술하거나 질문, 명령, 권유함을 나타내는 종결 어미.
Pas d'expression équivalente
(forme honorifique non formelle) Terminaison finale pour décrire un fait ou pour indiquer une question, un ordre ou une recommandation.

이 음표+에 우리 사랑 싣+고

이 (déterminant) : 말하는 사람에게 가까이 있거나 말하는 사람이 생각하고 있는 대상을 가리킬 때 쓰는 말.
ce (cet, cette, ces)
Terme utilisé pour indiquer l'objet qui se trouve près du locuteur ou auquel pense ce dernier.

음표 (nom) : 악보에서 음의 길이와 높낮이를 나타내는 기호.
note (de musique)
Signe servant à distinguer la longueur et la hauteur d'un son sur une partition.

에 : 앞말이 어떤 행위나 작용이 미치는 대상임을 나타내는 조사.
à, dans, sur, en
Particule indiquant que la proposition précédente (en coréen) est l'objet influencé par une action ou un effet.

우리 (pronom) : 말하는 사람이 자기보다 높지 않은 사람에게 자기를 포함한 여러 사람들을 가리키는 말.
nous, (pro.) notre, nos
Terme employé par le locuteur pour désigner de nombreuses personnes y compris lui-même, lorsqu'il s'adresse à quelqu'un qui occupe une position moins élevée que lui.

사랑 (nom) : 상대에게 성적으로 매력을 느껴 열렬히 좋아하는 마음.
amour, affection, tendresse
Sentiment d'amour passionné éprouvé pour l'autre partie en lui trouvant un charme sensuel.

싣다 (verbe) : 어떤 현상이나 뜻을 나타내거나 담다.
mettre dans, contenir, comprendre, remplir
Manifester un phénomène ou porter une signification.

-고 : 앞의 말이 나타내는 행동이나 그 결과가 뒤에 오는 행동이 일어나는 동안에 그대로 지속됨을 나타내는 연결 어미.
Pas d'expression équivalente
Terminaison connective indiquant que l'action exprimée par les propos précédents ou le résultat de cette action continuent pendant que se déroule l'action suivante.

높+고 낮+게 길+고 짧+은 리듬

높다 (adjectif) : 소리가 음의 차례에서 위쪽이거나 진동수가 크다.
haut, sonore, aigu
(Son) Situé dans les hautes notes ou qui a un grand nombre de vibrations.

-고 : 두 가지 이상의 대등한 사실을 나열할 때 쓰는 연결 어미.
Pas d'expression équivalente
Terminaison connective utilisée pour énumérer deux faits égaux ou plus.

낮다 (adjectif) : 소리가 음의 차례에서 아래쪽이거나 진동수가 작다.
bas, grave
Son situé au bas de l'échelle musicale ou de fréquence basse.

-게 : 앞의 말이 뒤에서 가리키는 일의 목적이나 결과, 방식, 정도 등이 됨을 나타내는 연결 어미.
Pas d'expression équivalente
Terminaison connective indiquant que les propos précédents constituent l'objectif, le résultat, la méthode ou le degré des propos qui suivent.

길다 (adjectif) : 한 때에서 다음의 한 때까지 이어지는 시간이 오래다.
long
(Période entre deux moments) Longue.

-고 : 두 가지 이상의 대등한 사실을 나열할 때 쓰는 연결 어미.
Pas d'expression équivalente
Terminaison connective utilisée pour énumérer deux faits égaux ou plus.

짧다 (adjectif) : 한 때에서 다른 때까지의 동안이 오래지 않다.
court
(Période) Qui n'est pas long.

-은 : 앞의 말이 관형어의 기능을 하게 만들고 현재의 상태를 나타내는 어미.
Pas d'expression équivalente
Terminaison faisant fonctionner le mot précédent comme un déterminant et exprimant l'état présent.

리듬 (nom) : 소리의 높낮이, 길이, 세기 등이 일정하게 반복되는 것.
rythme
Répétition régulière des notes, des longueurs, des intensités, etc. d'un son.

높+고 낮+게 길+고 짧+은 리듬

이 가락+에 밤새+도록 <u>취하+[여 보]</u>+아요.
취해 봐요

이 (déterminant) : 말하는 사람에게 가까이 있거나 말하는 사람이 생각하고 있는 대상을 가리킬 때 쓰는 말.

ce (cet, cette, ces)

Terme utilisé pour indiquer l'objet qui se trouve près du locuteur ou auquel pense ce dernier.

가락 (nom) : 음악에서 음의 높낮이의 흐름.

mélodie, air

En musique, succession de sons de différentes hauteurs.

에 : 앞말이 어떤 행위나 감정 등의 대상임을 나타내는 조사.

Pas d'expression équivalente

Particule indiquant que la proposition précédente est l'objet d'une action ou d'un sentiment.

밤새다 (verbe) : 밤이 지나 아침이 오다.

veiller, faire nuit blanche, (v.) tout au long de la nuit

(Jour) Se lever après la nuit.

-도록 : 앞에 오는 말이 뒤에 오는 말에 대한 목적이나 결과, 방식, 정도임을 나타내는 연결 어미.

Pas d'expression équivalente

Terminaison connective indiquant que les propos précédents constituent l'objectif, le résultat, la méthode ou le degré des propos qui suivent.

취하다 (verbe) : 무엇에 매우 깊이 빠져 마음을 빼앗기다.

s'enivrer, s'exciter

S'adonner à quelque chose et se laisser absorber.

-여 보다 : 앞의 말이 나타내는 행동을 시험 삼아 함을 나타내는 표현.

Pas d'expression équivalente

Expression indiquant le fait d'essayer d'effectuer une action exprimée par les propos précédents.

-아요 : (두루높임으로) 어떤 사실을 서술하거나 질문, 명령, 권유함을 나타내는 종결 어미.

Pas d'expression équivalente

(forme honorifique non formelle) Terminaison finale pour décrire un fait ou pour indiquer une question, un ordre ou une recommandation.

< 8 >

최고야

너는 최고야.
(vous êtes le meilleur)

[발음(prononciation)]

< 1 절(couplet) >

엄마, 치킨 먹고 싶어.
엄마, 치킨 먹꼬 시퍼.
eomma, chikin meokgo sipeo.

아빠, 피자 먹고 싶어.
아빠, 피자 먹꼬 시퍼.
appa, pija meokgo sipeo.

치킨 먹고 싶어.
치킨 먹꼬 시퍼.
chikin meokgo sipeo.

피자 먹고 싶어.
피자 먹꼬 시퍼.
pija meokgo sipeo.

시켜 줘, 시켜 줘.
시켜 줘, 시켜 줘.
sikyeo jwo, sikyeo jwo.

전부 시켜 줘.
전부 시켜 줘.
jeonbu sikyeo jwo.

시켜, 뭐든지 시켜.
시켜, 뭐든지 시켜.
sikyeo, mwodeunji sikyeo.

시켜, 전부 다 시켜.
시켜, 전부 다 시켜.
sikyeo, jeonbu da sikyeo.

먹고 싶은 거, 맛보고 싶은 거 전부 다 시켜.
먹꼬 시픈 거, 맏뽀고 시픈 거 전부 다 시켜.
meokgo sipeun geo, matbogo sipeun geo jeonbu da sikyeo.

엄만 언제나 최고야.
엄만 언제나 최고야.
eomman eonjena choegoya.

최고, 최고, 최고

최고, 최고, 최고

choego, choego, choego

아빠 언제나 최고야.

아빠 언제나 최고야.

appan eonjena choegoya.

최고, 최고, 아빠 최고.

최고, 최고, 아빠 최고.

choego, choego, appa choego.

엄마 최고, 아빠 최고, 엄마 최고, 아빠 최고.

엄마 최고, 아빠 최고, 엄마 최고, 아빠 최고.

eomma choego, appa choego, eomma choego, appa choego.

< 2 절(couplet) >

언니, 햄버거 먹고 싶어.

언니, 햄버거 먹꼬 시퍼.

eonni, haembeogeo meokgo sipeo.

오빠, 돈가스 먹고 싶어.

오빠, 돈가스 먹꼬 시퍼.

oppa, dongaseu meokgo sipeo.

햄버거 먹고 싶어.

햄버거 먹꼬 시퍼.

haembeogeo meokgo sipeo.

돈가스 먹고 싶어.

돈가스 먹꼬 시퍼.

dongaseu meokgo sipeo.

시켜 줘, 시켜 줘.

시켜 줘, 시켜 줘.

sikyeo jwo, sikyeo jwo.

전부 시켜 줘.

전부 시켜 줘.

jeonbu sikyeo jwo.

시켜, 뭐든지 시켜.

시켜, 뭐든지 시켜.

sikyeo, mwodeunji sikyeo.

시켜, 전부 다 시켜.

시켜, 전부 다 시켜.

sikyeo, jeonbu da sikyeo.

먹고 싶은 거, 맛보고 싶은 거 전부 다 시켜.

먹꼬 시픈 거, 맏뽀고 시픈 거 전부 다 시켜.

meokgo sipeun geo, matbogo sipeun geo jeonbu da sikyeo.

초밥도, 짜장면도, 짬뽕도, 탕수육도, 떡볶이도, 순대도, 김밥도, 냉면도.

초밥또, 짜장면도, 짬뽕도, 탕수육또, 떡뽀끼도, 순대도, 김밥또, 냉면도.

chobapdo, jjajangmyeondo, jjamppongdo, tangsuyukdo, tteokbokkido, sundaedo, gimbapdo, naengmyeondo.

시켜, 시켜, 뭐든지 시켜.

시켜, 시켜, 뭐든지 시켜.

sikyeo, sikyeo, mwodeunji sikyeo.

먹고 싶은 거 다 시켜.

먹꼬 시픈 거 다 시켜.

meokgo sipeun geo da sikyeo.

뭐든지 다 시켜 줄게.

뭐든지 다 시켜 줄께.

mwodeunji da sikyeo julge.

전부 다 시켜 줄게.

전부 다 시켜 줄께.

jeonbu da sikyeo julge.

언닌 언제나 최고야.

언닌 언제나 최고야.

eonnin eonjena choegoya.

최고, 최고, 최고.

최고, 최고, 최고.

choego, choego, choego.

오빠 언제나 최고야.

오빠 언제나 최고야.

oppan eonjena choegoya.

최고, 최고, 오빠 최고.

최고, 최고, 오빠 최고.

choego, choego, oppa choego.

엄마가 최고야, 엄마 최고.

엄마가 최고야, 엄마 최고.

eommaga choegoya, eomma choego.

아빠가 최고야, 아빠 최고.

아빠가 최고야, 아빠 최고.

appaga choegoya, appa choego.

최고, 최고, 언니 최고.

최고, 최고, 언니 최고.

choego, choego, eonni choego.

오빠가 최고야, 오빠 최고.

오빠가 최고야, 오빠 최고.

oppaga choegoya, oppa choego.

< 1 절(couplet) >

엄마, 치킨 먹+[고 싶]+어.

엄마 (nom) : 격식을 갖추지 않아도 되는 상황에서 어머니를 이르거나 부르는 말.
maman
Terme pour désigner ou s'adresser à sa mère dans une situation informelle.

치킨 (nom) : 토막을 낸 닭에 밀가루 등을 묻혀 기름에 튀기거나 구운 음식.
poulet frit, poulet grillé, poulet rôti
Poulet découpé en morceaux et enroulé dans la farine de blé ou autre puis frit dans l'huile ou cuit.

먹다 (verbe) : 음식 등을 입을 통하여 배 속에 들여보내다.
manger, prendre
Mettre de la nourriture dans sa bouche et l'avaler.

-고 싶다 : 앞의 말이 나타내는 행동을 하기를 원함을 나타내는 표현.
Pas d'expression équivalente
Expression utilisée pour montrer le désir à vouloir faire l'action de la proposition précédente.

-어 : (두루낮춤으로) 어떤 사실을 서술하거나 물음, 명령, 권유를 나타내는 종결 어미.
Pas d'expression équivalente
(forme non honorifique non formelle) Terminaison finale pour décrire un fait ou pour indiquer une question, un ordre, ou une recommandation. <description>

아빠, 피자 먹+[고 싶]+어.

아빠 (nom) : 격식을 갖추지 않아도 되는 상황에서 아버지를 이르거나 부르는 말.
papa
Terme pour désigner ou s'adresser au père dans une situation informelle.

피자 (nom) : 이탈리아에서 유래한 것으로 둥글고 납작한 밀가루 반죽 위에 토마토, 고기, 치즈 등을 얹어 구운 음식.
pizza
Aliment d'origine italienne, préparé avec une pâte de farine ronde et plate sur laquelle on ajoute de la tomate, de la viande, du fromage, etc. et que l'on cuit.

먹다 (verbe) : 음식 등을 입을 통하여 배 속에 들여보내다.

manger, prendre

Mettre de la nourriture dans sa bouche et l'avaler.

-고 싶다 : 앞의 말이 나타내는 행동을 하기를 원함을 나타내는 표현.

Pas d'expression équivalente

Expression utilisée pour montrer le désir à vouloir faire l'action de la proposition précédente.

-어 : (두루낮춤으로) 어떤 사실을 서술하거나 물음, 명령, 권유를 나타내는 종결 어미.

Pas d'expression équivalente

(forme non honorifique non formelle) Terminaison finale pour décrire un fait ou pour indiquer une question, un ordre, ou une recommandation. <description>

치킨 먹+[고 싶]+어.

치킨 (nom) : 토막을 낸 닭에 밀가루 등을 묻혀 기름에 튀기거나 구운 음식.

poulet frit, poulet grillé, poulet rôti

Poulet découpé en morceaux et enroulé dans la farine de blé ou autre puis frit dans l'huile ou cuit.

먹다 (verbe) : 음식 등을 입을 통하여 배 속에 들여보내다.

manger, prendre

Mettre de la nourriture dans sa bouche et l'avaler.

-고 싶다 : 앞의 말이 나타내는 행동을 하기를 원함을 나타내는 표현.

Pas d'expression équivalente

Expression utilisée pour montrer le désir à vouloir faire l'action de la proposition précédente.

-어 : (두루낮춤으로) 어떤 사실을 서술하거나 물음, 명령, 권유를 나타내는 종결 어미.

Pas d'expression équivalente

(forme non honorifique non formelle) Terminaison finale pour décrire un fait ou pour indiquer une question, un ordre, ou une recommandation. <description>

피자 먹+[고 싶]+어.

피자 (nom) : 이탈리아에서 유래한 것으로 둥글고 납작한 밀가루 반죽 위에 토마토, 고기, 치즈 등을 얹어 구운 음식.

pizza

Aliment d'origine italienne, préparé avec une pâte de farine ronde et plate sur laquelle on ajoute de la tomate, de la viande, du fromage, etc. et que l'on cuit.

먹다 (verbe) : 음식 등을 입을 통하여 배 속에 들여보내다.

manger, prendre

Mettre de la nourriture dans sa bouche et l'avaler.

-고 싶다 : 앞의 말이 나타내는 행동을 하기를 원함을 나타내는 표현.

Pas d'expression équivalente

Expression utilisée pour montrer le désir à vouloir faire l'action de la proposition précédente.

-어 : (두루낮춤으로) 어떤 사실을 서술하거나 물음, 명령, 권유를 나타내는 종결 어미.

Pas d'expression équivalente

(forme non honorifique non formelle) Terminaison finale pour décrire un fait ou pour indiquer une question, un ordre, ou une recommandation. <description>

시키+[어 주]+어, 시키+[어 주]+어.
시켜 줘   시켜 줘

시키다 (verbe) : 음식이나 술, 음료 등을 주문하다.

Pas d'expression équivalente

Commander un plat, de l'alcool, une boisson, etc.

-어 주다 : 남을 위해 앞의 말이 나타내는 행동을 함을 나타내는 표현.

Pas d'expression équivalente

Expression indiquant le fait d'effectuer pour autrui une action exprimée par les propos précédents.

-어 : (두루낮춤으로) 어떤 사실을 서술하거나 물음, 명령, 권유를 나타내는 종결 어미.

Pas d'expression équivalente

(forme non honorifique non formelle) Terminaison finale pour décrire un fait ou pour indiquer une question, un ordre, ou une recommandation. <ordre>

전부 시키+[어 주]+어.
시켜 줘

전부 (adverbe) : 빠짐없이 다.

Pas d'expression équivalente

Tout sans exception.

시키다 (verbe) : 음식이나 술, 음료 등을 주문하다.

Pas d'expression équivalente

Commander un plat, de l'alcool, une boisson, etc.

-어 주다 : 남을 위해 앞의 말이 나타내는 행동을 함을 나타내는 표현.
Pas d'expression équivalente
Expression indiquant le fait d'effectuer pour autrui une action exprimée par les propos précédents.

-어 : (두루낮춤으로) 어떤 사실을 서술하거나 물음, 명령, 권유를 나타내는 종결 어미.
Pas d'expression équivalente
(forme non honorifique non formelle) Terminaison finale pour décrire un fait ou pour indiquer une question, un ordre, ou une recommandation. <ordre>

시키+어, 뭐+든지 시키+어.
시켜   시켜

시키다 (verbe) : 음식이나 술, 음료 등을 주문하다.
Pas d'expression équivalente
Commander un plat, de l'alcool, une boisson, etc.

-어 : (두루낮춤으로) 어떤 사실을 서술하거나 물음, 명령, 권유를 나타내는 종결 어미.
Pas d'expression équivalente
(forme non honorifique non formelle) Terminaison finale pour décrire un fait ou pour indiquer une question, un ordre, ou une recommandation. <ordre>

뭐 (pronom) : 정해지지 않은 대상이나 굳이 이름을 밝힐 필요가 없는 대상을 가리키는 말.
quelque chose
Terme désignant un objet indéterminé ou un objet dont le nom n'a pas forcément besoin d'être révélé.

든지 : 어느 것이 선택되어도 차이가 없음을 나타내는 조사.
Pas d'expression équivalente
Particule utilisée pour présenter deux ou plusieurs choses parmi lesquelles le choix ne constitue aucune différence.

시키다 (verbe) : 음식이나 술, 음료 등을 주문하다.
Pas d'expression équivalente
Commander un plat, de l'alcool, une boisson, etc.

-어 : (두루낮춤으로) 어떤 사실을 서술하거나 물음, 명령, 권유를 나타내는 종결 어미.
Pas d'expression équivalente
(forme non honorifique non formelle) Terminaison finale pour décrire un fait ou pour indiquer une question, un ordre, ou une recommandation. <ordre>

<u>시키</u>+어, 전부 다 <u>시키</u>+어.
시켜   **시켜**

시키다 (verbe) : 음식이나 술, 음료 등을 주문하다.
Pas d'expression équivalente
Commander un plat, de l'alcool, une boisson, etc.

-어 : (두루낮춤으로) 어떤 사실을 서술하거나 물음, 명령, 권유를 나타내는 종결 어미.
Pas d'expression équivalente
(forme non honorifique non formelle) Terminaison finale pour décrire un fait ou pour indiquer une question, un ordre, ou une recommandation. <ordre>

전부 (adverbe) : 빠짐없이 다.
Pas d'expression équivalente
Tout sans exception.

다 (adverbe) : 남거나 빠진 것이 없이 모두.
tout, toute, tous, toutes, complètement, parfaitement, vraiment, même, dans son intégralité
Tout sans que rien ne reste ou ne soit ôté.

시키다 (verbe) : 음식이나 술, 음료 등을 주문하다.
Pas d'expression équivalente
Commander un plat, de l'alcool, une boisson, etc.

-어 : (두루낮춤으로) 어떤 사실을 서술하거나 물음, 명령, 권유를 나타내는 종결 어미.
Pas d'expression équivalente
(forme non honorifique non formelle) Terminaison finale pour décrire un fait ou pour indiquer une question, un ordre, ou une recommandation. <ordre>

먹+[고 싶]+[은 거], 맛보+[고 싶]+[은 거] 전부 다 <u>시키</u>+어.
                                           시켜

먹다 (verbe) : 음식 등을 입을 통하여 배 속에 들여보내다.
manger, prendre
Mettre de la nourriture dans sa bouche et l'avaler.

-고 싶다 : 앞의 말이 나타내는 행동을 하기를 원함을 나타내는 표현.
Pas d'expression équivalente
Expression utilisée pour montrer le désir à vouloir faire l'action de la proposition précédente.

-은 거 : 명사가 아닌 것을 문장에서 명사처럼 쓰이게 하거나 '이다' 앞에 쓰일 수 있게 할 때 쓰는 표현.
Pas d'expression équivalente
Expression faisant jouer un rôle de nom à quelque chose qui ne l'est pas dans une phrase,
ou pour être utilisée devant '이다'.

맛보다 (verbe) : 음식의 맛을 알기 위해 먹어 보다.
goûter, déguster
Essayer un plat pour en connaître le goût.

-고 싶다 : 앞의 말이 나타내는 행동을 하기를 원함을 나타내는 표현.
Pas d'expression équivalente
Expression utilisée pour montrer le désir à vouloir faire l'action de la proposition précédente.

-은 거 : 명사가 아닌 것을 문장에서 명사처럼 쓰이게 하거나 '이다' 앞에 쓰일 수 있게 할 때 쓰는 표현.
Pas d'expression équivalente
Expression faisant jouer un rôle de nom à quelque chose qui ne l'est pas dans une phrase,
ou pour être utilisée devant '이다'.

전부 (adverbe) : 빠짐없이 다.
Pas d'expression équivalente
Tout sans exception.

다 (adverbe) : 남거나 빠진 것이 없이 모두.
tout, toute, tous, toutes, complètement, parfaitement, vraiment, même, dans son intégralité
Tout sans que rien ne reste ou ne soit ôté.

시키다 (verbe) : 음식이나 술, 음료 등을 주문하다.
Pas d'expression équivalente
Commander un plat, de l'alcool, une boisson, etc.

-어 : (두루낮춤으로) 어떤 사실을 서술하거나 물음, 명령, 권유를 나타내는 종결 어미.
Pas d'expression équivalente
(forme non honorifique non formelle) Terminaison finale pour décrire un fait ou pour
indiquer une question, un ordre, ou une recommandation. <ordre>

엄마+는 언제나 최고+(이)+야.
엄만   최고야

엄마 (nom) : 격식을 갖추지 않아도 되는 상황에서 어머니를 이르거나 부르는 말.
maman
Terme pour désigner ou s'adresser à sa mère dans une situation informelle.

는 : 문장 속에서 어떤 대상이 화제임을 나타내는 조사.
Pas d'expression équivalente
Particule indiquant qu'un objet est le principal sujet d'une phrase.

언제나 (adverbe) : 어느 때에나. 또는 때에 따라 달라지지 않고 변함없이.
toujours, de tout temps, perpétuellement, éternellement, constamment, à toute heure
À tout moment ; de manière invariable et sans changer selon le temps.

최고 (nom) : 가장 좋거나 뛰어난 것.
la meilleure chose
Ce qui est le meilleur ou le plus distingué.

이다 : 주어가 지시하는 대상의 속성이나 부류를 지정하는 뜻을 나타내는 서술격 조사.
Pas d'expression équivalente
Particule du cas prédicatif pour indiquer la caractéristique ou la catégorie d'un objet qui se rapporte au sujet d'une phrase.

-야 : (두루낮춤으로) 어떤 사실에 대하여 서술하거나 물음을 나타내는 종결 어미.
Pas d'expression équivalente
(forme non honorifique non formelle) Terminaison finale indiquant une description ou une interrogation sur un fait. <description>

최고, 최고, 최고.

최고 (nom) : 가장 좋거나 뛰어난 것.
la meilleure chose
Ce qui est le meilleur ou le plus distingué.

<u>아빠+는</u> 언제나 <u>최고+(이)+야</u>.
아빤   최고야

아빠 (nom) : 격식을 갖추지 않아도 되는 상황에서 아버지를 이르거나 부르는 말.
papa
Terme pour désigner ou s'adresser au père dans une situation informelle.

는 : 문장 속에서 어떤 대상이 화제임을 나타내는 조사.
Pas d'expression équivalente
Particule indiquant qu'un objet est le principal sujet d'une phrase.

언제나 (adverbe) : 어느 때에나. 또는 때에 따라 달라지지 않고 변함없이.

toujours, de tout temps, perpétuellement, éternellement, constamment, à toute heure

À tout moment ; de manière invariable et sans changer selon le temps.

최고 (nom) : 가장 좋거나 뛰어난 것.

la meilleure chose

Ce qui est le meilleur ou le plus distingué.

이다 : 주어가 지시하는 대상의 속성이나 부류를 지정하는 뜻을 나타내는 서술격 조사.

Pas d'expression équivalente

Particule du cas prédicatif pour indiquer la caractéristique ou la catégorie d'un objet qui se rapporte au sujet d'une phrase.

-야 : (두루낮춤으로) 어떤 사실에 대하여 서술하거나 물음을 나타내는 종결 어미.

Pas d'expression équivalente

(forme non honorifique non formelle) Terminaison finale indiquant une description ou une interrogation sur un fait. <description>

최고, 최고, 아빠 최고.

최고 (nom) : 가장 좋거나 뛰어난 것.

la meilleure chose

Ce qui est le meilleur ou le plus distingué.

아빠 (nom) : 격식을 갖추지 않아도 되는 상황에서 아버지를 이르거나 부르는 말.

papa

Terme pour désigner ou s'adresser au père dans une situation informelle.

최고 (nom) : 가장 좋거나 뛰어난 것.

la meilleure chose

Ce qui est le meilleur ou le plus distingué.

엄마 최고, 아빠 최고, 엄마 최고, 아빠 최고.

엄마 (nom) : 격식을 갖추지 않아도 되는 상황에서 어머니를 이르거나 부르는 말.

maman

Terme pour désigner ou s'adresser à sa mère dans une situation informelle.

최고 (nom) : 가장 좋거나 뛰어난 것.

la meilleure chose

Ce qui est le meilleur ou le plus distingué.

아빠 (nom) : 격식을 갖추지 않아도 되는 상황에서 아버지를 이르거나 부르는 말.

papa

Terme pour désigner ou s'adresser au père dans une situation informelle.

최고 (nom) : 가장 좋거나 뛰어난 것.

la meilleure chose

Ce qui est le meilleur ou le plus distingué.

< 2 절(couplet) >

언니, 햄버거 먹+[고 싶]+어.

언니 (nom) : 여자가 형제나 친척 형제들 중에서 자기보다 나이가 많은 여자를 이르거나 부르는 말.

grande sœur

Terme utilisé par une femme pour désigner ou s'adresser à une femme plus âgée que soi, entre sœurs ou cousines.

햄버거 (nom) : 둥근 빵 사이에 고기와 채소와 치즈 등을 끼운 음식.

hamburger

Nourriture préparée en mettant de la viande, des légumes, du fromage, etc. entre deux bouts de pain ronds.

먹다 (verbe) : 음식 등을 입을 통하여 배 속에 들여보내다.

manger, prendre

Mettre de la nourriture dans sa bouche et l'avaler.

-고 싶다 : 앞의 말이 나타내는 행동을 하기를 원함을 나타내는 표현.

Pas d'expression équivalente

Expression utilisée pour montrer le désir à vouloir faire l'action de la proposition précédente.

-어 : (두루낮춤으로) 어떤 사실을 서술하거나 물음, 명령, 권유를 나타내는 종결 어미.

Pas d'expression équivalente

(forme non honorifique non formelle) Terminaison finale pour décrire un fait ou pour indiquer une question, un ordre, ou une recommandation. <description>

오빠, 돈가스 먹+[고 싶]+어.

오빠 (nom) : 여자가 형제나 친척 형제들 중에서 자기보다 나이가 많은 남자를 이르거나 부르는 말.
grand frère, frère aîné
Terme utilisé par une femme pour désigner ou s'adresser à un frère ou un cousin plus âgé.

돈가스 (nom) : 도톰하게 썬 돼지고기를 양념하여 빵가루를 묻히고 기름에 튀긴 음식.
tonkastsu(escalope de porc frite)
Plat fait de morceaux épais de porc épicés et panés, frits à l'huile.

먹다 (verbe) : 음식 등을 입을 통하여 배 속에 들여보내다.
manger, prendre
Mettre de la nourriture dans sa bouche et l'avaler.

-고 싶다 : 앞의 말이 나타내는 행동을 하기를 원함을 나타내는 표현.
Pas d'expression équivalente
Expression utilisée pour montrer le désir à vouloir faire l'action de la proposition précédente.

-어 : (두루낮춤으로) 어떤 사실을 서술하거나 물음, 명령, 권유를 나타내는 종결 어미.
Pas d'expression équivalente
(forme non honorifique non formelle) Terminaison finale pour décrire un fait ou pour indiquer une question, un ordre, ou une recommandation. <description>

햄버거 먹+[고 싶]+어.

햄버거 (nom) : 둥근 빵 사이에 고기와 채소와 치즈 등을 끼운 음식.
hamburger
Nourriture préparée en mettant de la viande, des légumes, du fromage, etc. entre deux bouts de pain ronds.

먹다 (verbe) : 음식 등을 입을 통하여 배 속에 들여보내다.
manger, prendre
Mettre de la nourriture dans sa bouche et l'avaler.

-고 싶다 : 앞의 말이 나타내는 행동을 하기를 원함을 나타내는 표현.
Pas d'expression équivalente
Expression utilisée pour montrer le désir à vouloir faire l'action de la proposition précédente.

-어 : (두루낮춤으로) 어떤 사실을 서술하거나 물음, 명령, 권유를 나타내는 종결 어미.
Pas d'expression équivalente
(forme non honorifique non formelle) Terminaison finale pour décrire un fait ou pour indiquer une question, un ordre, ou une recommandation. <description>

돈가스 먹+[고 싶]+어.

돈가스 (nom) : 도톰하게 썬 돼지고기를 양념하여 빵가루를 묻히고 기름에 튀긴 음식.
tonkastsu(escalope de porc frite)
Plat fait de morceaux épais de porc épicés et panés, frits à l'huile.

먹다 (verbe) : 음식 등을 입을 통하여 배 속에 들여보내다.
manger, prendre
Mettre de la nourriture dans sa bouche et l'avaler.

-고 싶다 : 앞의 말이 나타내는 행동을 하기를 원함을 나타내는 표현.
Pas d'expression équivalente
Expression utilisée pour montrer le désir à vouloir faire l'action de la proposition précédente.

-어 : (두루낮춤으로) 어떤 사실을 서술하거나 물음, 명령, 권유를 나타내는 종결 어미.
Pas d'expression équivalente
(forme non honorifique non formelle) Terminaison finale pour décrire un fait ou pour indiquer une question, un ordre, ou une recommandation. <description>

시키+[어 주]+어, 시키+[어 주]+어.
시켜 줘   시켜 줘

시키다 (verbe) : 음식이나 술, 음료 등을 주문하다.
Pas d'expression équivalente
Commander un plat, de l'alcool, une boisson, etc.

-어 주다 : 남을 위해 앞의 말이 나타내는 행동을 함을 나타내는 표현.
Pas d'expression équivalente
Expression indiquant le fait d'effectuer pour autrui une action exprimée par les propos précédents.

-어 : (두루낮춤으로) 어떤 사실을 서술하거나 물음, 명령, 권유를 나타내는 종결 어미.
Pas d'expression équivalente
(forme non honorifique non formelle) Terminaison finale pour décrire un fait ou pour indiquer une question, un ordre, ou une recommandation. <ordre>

전부 시키+[어 주]+어.
시켜 줘

전부 (adverbe) : 빠짐없이 다.
Pas d'expression équivalente
Tout sans exception.

시키다 (verbe) : 음식이나 술, 음료 등을 주문하다.
Pas d'expression équivalente
Commander un plat, de l'alcool, une boisson, etc.

-어 주다 : 남을 위해 앞의 말이 나타내는 행동을 함을 나타내는 표현.
Pas d'expression équivalente
Expression indiquant le fait d'effectuer pour autrui une action exprimée par les propos précédents.

-어 : (두루낮춤으로) 어떤 사실을 서술하거나 물음, 명령, 권유를 나타내는 종결 어미.
Pas d'expression équivalente
(forme non honorifique non formelle) Terminaison finale pour décrire un fait ou pour indiquer une question, un ordre, ou une recommandation. <ordre>

시키+어, 뭐+든지 시키+어.
시켜 　　　　 시켜

시키다 (verbe) : 음식이나 술, 음료 등을 주문하다.
Pas d'expression équivalente
Commander un plat, de l'alcool, une boisson, etc.

-어 : (두루낮춤으로) 어떤 사실을 서술하거나 물음, 명령, 권유를 나타내는 종결 어미.
Pas d'expression équivalente
(forme non honorifique non formelle) Terminaison finale pour décrire un fait ou pour indiquer une question, un ordre, ou une recommandation. <ordre>

뭐 (pronom) : 정해지지 않은 대상이나 굳이 이름을 밝힐 필요가 없는 대상을 가리키는 말.
quelque chose
Terme désignant un objet indéterminé ou un objet dont le nom n'a pas forcément besoin d'être révélé.

든지 : 어느 것이 선택되어도 차이가 없음을 나타내는 조사.
Pas d'expression équivalente
Particule utilisée pour présenter deux ou plusieurs choses parmi lesquelles le choix ne constitue aucune différence.

시키다 (verbe) : 음식이나 술, 음료 등을 주문하다.
Pas d'expression équivalente
Commander un plat, de l'alcool, une boisson, etc.

-어 : (두루낮춤으로) 어떤 사실을 서술하거나 물음, 명령, 권유를 나타내는 종결 어미.
Pas d'expression équivalente
(forme non honorifique non formelle) Terminaison finale pour décrire un fait ou pour indiquer une question, un ordre, ou une recommandation. <ordre>

시키+어, 전부 다 시키+어.
시켜   시켜

시키다 (verbe) : 음식이나 술, 음료 등을 주문하다.
Pas d'expression équivalente
Commander un plat, de l'alcool, une boisson, etc.

-어 : (두루낮춤으로) 어떤 사실을 서술하거나 물음, 명령, 권유를 나타내는 종결 어미.
Pas d'expression équivalente
(forme non honorifique non formelle) Terminaison finale pour décrire un fait ou pour indiquer une question, un ordre, ou une recommandation. <ordre>

전부 (adverbe) : 빠짐없이 다.
Pas d'expression équivalente
Tout sans exception.

다 (adverbe) : 남거나 빠진 것이 없이 모두.
tout, toute, tous, toutes, complètement, parfaitement, vraiment, même, dans son intégralité
Tout sans que rien ne reste ou ne soit ôté.

시키다 (verbe) : 음식이나 술, 음료 등을 주문하다.
Pas d'expression équivalente
Commander un plat, de l'alcool, une boisson, etc.

-어 : (두루낮춤으로) 어떤 사실을 서술하거나 물음, 명령, 권유를 나타내는 종결 어미.
Pas d'expression équivalente
(forme non honorifique non formelle) Terminaison finale pour décrire un fait ou pour indiquer une question, un ordre, ou une recommandation. <ordre>

먹+[고 싶]+[은 거], 맛보+[고 싶]+[은 거] 전부 다 <u>시키+어</u>.

시켜

먹다 (verbe) : 음식 등을 입을 통하여 배 속에 들여보내다.

manger, prendre

Mettre de la nourriture dans sa bouche et l'avaler.

-고 싶다 : 앞의 말이 나타내는 행동을 하기를 원함을 나타내는 표현.

Pas d'expression équivalente

Expression utilisée pour montrer le désir à vouloir faire l'action de la proposition précédente.

-은 거 : 명사가 아닌 것을 문장에서 명사처럼 쓰이게 하거나 '이다' 앞에 쓰일 수 있게 할 때 쓰는 표현.

Pas d'expression équivalente

Expression faisant jouer un rôle de nom à quelque chose qui ne l'est pas dans une phrase, ou pour être utilisée devant '이다'.

맛보다 (verbe) : 음식의 맛을 알기 위해 먹어 보다.

goûter, déguster

Essayer un plat pour en connaître le goût.

-고 싶다 : 앞의 말이 나타내는 행동을 하기를 원함을 나타내는 표현.

Pas d'expression équivalente

Expression utilisée pour montrer le désir à vouloir faire l'action de la proposition précédente.

-은 거 : 명사가 아닌 것을 문장에서 명사처럼 쓰이게 하거나 '이다' 앞에 쓰일 수 있게 할 때 쓰는 표현.

Pas d'expression équivalente

Expression faisant jouer un rôle de nom à quelque chose qui ne l'est pas dans une phrase, ou pour être utilisée devant '이다'.

전부 (adverbe) : 빠짐없이 다.

Pas d'expression équivalente

Tout sans exception.

다 (adverbe) : 남거나 빠진 것이 없이 모두.

tout, toute, tous, toutes, complètement, parfaitement, vraiment, même, dans son intégralité

Tout sans que rien ne reste ou ne soit ôté.

시키다 (verbe) : 음식이나 술, 음료 등을 주문하다.

Pas d'expression équivalente

Commander un plat, de l'alcool, une boisson, etc.

-어 : (두루낮춤으로) 어떤 사실을 서술하거나 물음, 명령, 권유를 나타내는 종결 어미.

Pas d'expression équivalente

(forme non honorifique non formelle) Terminaison finale pour décrire un fait ou pour indiquer une question, un ordre, ou une recommandation. <ordre>

초밥+도, 짜장면+도, 짬뽕+도, 탕수육+도.

초밥 (nom) : 식초와 소금으로 간을 하여 작게 뭉친 흰밥에 생선을 얹거나 김, 유부 등으로 싸서 만든 일본 음식.

sushi

Plat japonais composé de boulettes de riz blanc vinaigré et salé, couronnées de lamelles de poisson ou enroulées dans une feuille d'algue, de tofu frit, etc.

도 : 둘 이상의 것을 나열함을 나타내는 조사.

Pas d'expression équivalente

Particule servant à énumérer deux ou plusieurs choses.

짜장면 (nom) : 중국식 된장에 고기와 채소 등을 넣어 볶은 양념에 면을 비벼 먹는 음식.

zhajiangmian

Plat qui se mange en mélangeant des nouilles avec une sauce préparée en sautant des légumes et de la viande avec de la pâte de soja chinoise.

도 : 둘 이상의 것을 나열함을 나타내는 조사.

Pas d'expression équivalente

Particule servant à énumérer deux ou plusieurs choses.

짬뽕 (nom) : 여러 가지 해물과 야채를 볶고 매콤한 국물을 부어 만든 중국식 국수.

jjambbong

Nouilles à la chinoise à laquelle on ajoute divers fruits de mer sautés avec des légumes et une soupe piquante.

도 : 둘 이상의 것을 나열함을 나타내는 조사.

Pas d'expression équivalente

Particule servant à énumérer deux ou plusieurs choses.

탕수육 (nom) : 튀김옷을 입혀 튀긴 고기에 식초, 간장, 설탕, 채소 등을 넣고 끓인 녹말 물을 부어 만든 중국요리.

porc à la sauce aigre-doux

Plat chinois composé de viande panée et frite, sur laquelle on verse un mélange d'eau amidonnée bouillie avec du vinaigre, de la sauce soja, du sucre, des légumes, etc.

도 : 둘 이상의 것을 나열함을 나타내는 조사.
Pas d'expression équivalente
Particule servant à énumérer deux ou plusieurs choses.

떡볶이+도, 순대+도, 김밥+도, 냉면+도.

떡볶이 (nom) : 적당히 자른 가래떡에 간장이나 고추장 등의 양념과 여러 가지 채소를 넣고 볶은 음식.
tteokbokki
Plat fait avec du garaetteok (pâte de riz en forme de bâtonnet) coupé en petits morceaux, mélangé avec des légumes et des condiments comme la sauce de soja et la pâte de piment rouge, et sauté.

도 : 둘 이상의 것을 나열함을 나타내는 조사.
Pas d'expression équivalente
Particule servant à énumérer deux ou plusieurs choses.

순대 (nom) : 당면, 두부, 찹쌀 등을 양념하여 돼지의 창자 속에 넣고 찐 음식.
sundae, boudin coréen
Plat cuit à la vapeur fait d'un mélange de vermicelles, de tofu et de riz gluant assaisonné mis dans un morceau de boyau de porc.

도 : 둘 이상의 것을 나열함을 나타내는 조사.
Pas d'expression équivalente
Particule servant à énumérer deux ou plusieurs choses.

김밥 (nom) : 밥과 여러 가지 반찬을 김으로 말아 싸서 썰어 먹는 음식.
gimbap
Rouleau fait de riz avec divers ingrédients, enveloppés dans une feuille d'algue séchée puis coupés en tranches pour être consommé.

도 : 둘 이상의 것을 나열함을 나타내는 조사.
Pas d'expression équivalente
Particule servant à énumérer deux ou plusieurs choses.

냉면 (nom) : 국수를 냉국이나 김칫국 등에 말거나 고추장 양념에 비벼서 먹는 음식.
naengmyeon, vermicelles froides
Plat de nouilles que l'on prend dans une soupe froide, une soupe de kimchi, etc., ou que l'on mélange dans une sauce à base de gochujang (pâte de piment).

도 : 둘 이상의 것을 나열함을 나타내는 조사.
Pas d'expression équivalente
Particule servant à énumérer deux ou plusieurs choses.

<u>시키+어</u>, <u>시키+어</u>, 뭐+든지 <u>시키+어</u>.
　시켜　　　시켜　　　　　　시켜

시키다 (verbe) : 음식이나 술, 음료 등을 주문하다.
Pas d'expression équivalente
Commander un plat, de l'alcool, une boisson, etc.

-어 : (두루낮춤으로) 어떤 사실을 서술하거나 물음, 명령, 권유를 나타내는 종결 어미.
Pas d'expression équivalente
(forme non honorifique non formelle) Terminaison finale pour décrire un fait ou pour indiquer une question, un ordre, ou une recommandation. <ordre>

뭐 (pronom) : 정해지지 않은 대상이나 굳이 이름을 밝힐 필요가 없는 대상을 가리키는 말.
quelque chose
Terme désignant un objet indéterminé ou un objet dont le nom n'a pas forcément besoin d'être révélé.

든지 : 어느 것이 선택되어도 차이가 없음을 나타내는 조사.
Pas d'expression équivalente
Particule utilisée pour présenter deux ou plusieurs choses parmi lesquelles le choix ne constitue aucune différence.

시키다 (verbe) : 음식이나 술, 음료 등을 주문하다.
Pas d'expression équivalente
Commander un plat, de l'alcool, une boisson, etc.

-어 : (두루낮춤으로) 어떤 사실을 서술하거나 물음, 명령, 권유를 나타내는 종결 어미.
Pas d'expression équivalente
(forme non honorifique non formelle) Terminaison finale pour décrire un fait ou pour indiquer une question, un ordre, ou une recommandation. <ordre>

먹+[고 싶]+[은 거] 다 <u>시키+어</u>.
　　　　　　　　　시켜

먹다 (verbe) : 음식 등을 입을 통하여 배 속에 들여보내다.
manger, prendre
Mettre de la nourriture dans sa bouche et l'avaler.

-고 싶다 : 앞의 말이 나타내는 행동을 하기를 원함을 나타내는 표현.
Pas d'expression équivalente
Expression utilisée pour montrer le désir à vouloir faire l'action de la proposition précédente.

-은 거 : 명사가 아닌 것을 문장에서 명사처럼 쓰이게 하거나 '이다' 앞에 쓰일 수 있게 할 때 쓰는 표현.
Pas d'expression équivalente
Expression faisant jouer un rôle de nom à quelque chose qui ne l'est pas dans une phrase, ou pour être utilisée devant '이다'.

다 (adverbe) : 남거나 빠진 것이 없이 모두.
tout, toute, tous, toutes, complètement, parfaitement, vraiment, même, dans son intégralité
Tout sans que rien ne reste ou ne soit ôté.

시키다 (verbe) : 음식이나 술, 음료 등을 주문하다.
Pas d'expression équivalente
Commander un plat, de l'alcool, une boisson, etc.

-어 : (두루낮춤으로) 어떤 사실을 서술하거나 물음, 명령, 권유를 나타내는 종결 어미.
Pas d'expression équivalente
(forme non honorifique non formelle) Terminaison finale pour décrire un fait ou pour indiquer une question, un ordre, ou une recommandation. <ordre>

뭐+든지 다 시키+[어 주]+ㄹ게.
시켜 줄게

뭐 (pronom) : 정해지지 않은 대상이나 굳이 이름을 밝힐 필요가 없는 대상을 가리키는 말.
quelque chose
Terme désignant un objet indéterminé ou un objet dont le nom n'a pas forcément besoin d'être révélé.

든지 : 어느 것이 선택되어도 차이가 없음을 나타내는 조사.
Pas d'expression équivalente
Particule utilisée pour présenter deux ou plusieurs choses parmi lesquelles le choix ne constitue aucune différence.

다 (adverbe) : 남거나 빠진 것이 없이 모두.
tout, toute, tous, toutes, complètement, parfaitement, vraiment, même, dans son intégralité
Tout sans que rien ne reste ou ne soit ôté.

시키다 (verbe) : 음식이나 술, 음료 등을 주문하다.
Pas d'expression équivalente
Commander un plat, de l'alcool, une boisson, etc.

-어 주다 : 남을 위해 앞의 말이 나타내는 행동을 함을 나타내는 표현.
Pas d'expression équivalente
Expression indiquant le fait d'effectuer pour autrui une action exprimée par les propos précédents.

-르게 : (두루낮춤으로) 말하는 사람이 어떤 행동을 할 것을 듣는 사람에게 약속하거나 의지를 나타내는
　　　　종결 어미.

Pas d'expression équivalente

(forme non honorifique non formelle) Terminaison finale indiquant que le locuteur promet à son interlocuteur de faire une action ou de l'informer à ce sujet.

전부 다 시키+[어 주]+르게.
시켜 줄게

전부 (adverbe) : 빠짐없이 다.

Pas d'expression équivalente

Tout sans exception.

다 (adverbe) : 남거나 빠진 것이 없이 모두.

tout, toute, tous, toutes, complètement, parfaitement, vraiment, même, dans son intégralité

Tout sans que rien ne reste ou ne soit ôté.

시키다 (verbe) : 음식이나 술, 음료 등을 주문하다.

Pas d'expression équivalente

Commander un plat, de l'alcool, une boisson, etc.

-어 주다 : 남을 위해 앞의 말이 나타내는 행동을 함을 나타내는 표현.

Pas d'expression équivalente

Expression indiquant le fait d'effectuer pour autrui une action exprimée par les propos précédents.

-르게 : (두루낮춤으로) 말하는 사람이 어떤 행동을 할 것을 듣는 사람에게 약속하거나 의지를 나타내는
　　　　종결 어미.

Pas d'expression équivalente

(forme non honorifique non formelle) Terminaison finale indiquant que le locuteur promet à son interlocuteur de faire une action ou de l'informer à ce sujet.

언니+는 언제나 최고+(이)+야.
언닌　　　　　　최고야

언니 (nom) : 여자가 형제나 친척 형제들 중에서 자기보다 나이가 많은 여자를 이르거나 부르는 말.

grande sœur

Terme utilisé par une femme pour désigner ou s'adresser à une femme plus âgée que soi, entre sœurs ou cousines.

는 : 문장 속에서 어떤 대상이 화제임을 나타내는 조사.
Pas d'expression équivalente
Particule indiquant qu'un objet est le principal sujet d'une phrase.

언제나 (adverbe) : 어느 때에나. 또는 때에 따라 달라지지 않고 변함없이.
toujours, de tout temps, perpétuellement, éternellement, constamment, à toute heure
À tout moment ; de manière invariable et sans changer selon le temps.

최고 (nom) : 가장 좋거나 뛰어난 것.
la meilleure chose
Ce qui est le meilleur ou le plus distingué.

이다 : 주어가 지시하는 대상의 속성이나 부류를 지정하는 뜻을 나타내는 서술격 조사.
Pas d'expression équivalente
Particule du cas prédicatif pour indiquer la caractéristique ou la catégorie d'un objet qui se rapporte au sujet d'une phrase.

-야 : (두루낮춤으로) 어떤 사실에 대하여 서술하거나 물음을 나타내는 종결 어미.
Pas d'expression équivalente
(forme non honorifique non formelle) Terminaison finale indiquant une description ou une interrogation sur un fait. <description>

최고, 최고, 최고.

최고 (nom) : 가장 좋거나 뛰어난 것.
la meilleure chose
Ce qui est le meilleur ou le plus distingué.

오빠+는 언제나 최고+(이)+야.
오빤   최고야

오빠 (nom) : 여자가 형제나 친척 형제들 중에서 자기보다 나이가 많은 남자를 이르거나 부르는 말.
grand frère, frère aîné
Terme utilisé par une femme pour désigner ou s'adresser à un frère ou un cousin plus âgé.

는 : 문장 속에서 어떤 대상이 화제임을 나타내는 조사.
Pas d'expression équivalente
Particule indiquant qu'un objet est le principal sujet d'une phrase.

언제나 (adverbe) : 어느 때에나. 또는 때에 따라 달라지지 않고 변함없이.

toujours, de tout temps, perpétuellement, éternellement, constamment, à toute heure

À tout moment ; de manière invariable et sans changer selon le temps.

최고 (nom) : 가장 좋거나 뛰어난 것.

la meilleure chose

Ce qui est le meilleur ou le plus distingué.

이다 : 주어가 지시하는 대상의 속성이나 부류를 지정하는 뜻을 나타내는 서술격 조사.

Pas d'expression équivalente

Particule du cas prédicatif pour indiquer la caractéristique ou la catégorie d'un objet qui se rapporte au sujet d'une phrase.

-야 : (두루낮춤으로) 어떤 사실에 대하여 서술하거나 물음을 나타내는 종결 어미.

Pas d'expression équivalente

(forme non honorifique non formelle) Terminaison finale indiquant une description ou une interrogation sur un fait. <description>

최고, 최고, 오빠 최고.

최고 (nom) : 가장 좋거나 뛰어난 것.

la meilleure chose

Ce qui est le meilleur ou le plus distingué.

오빠 (nom) : 여자가 형제나 친척 형제들 중에서 자기보다 나이가 많은 남자를 이르거나 부르는 말.

grand frère, frère aîné

Terme utilisé par une femme pour désigner ou s'adresser à un frère ou un cousin plus âgé.

최고 (nom) : 가장 좋거나 뛰어난 것.

la meilleure chose

Ce qui est le meilleur ou le plus distingué.

엄마+가 최고+(이)+야, 엄마 최고.
최고야

엄마 (nom) : 격식을 갖추지 않아도 되는 상황에서 어머니를 이르거나 부르는 말.

maman

Terme pour désigner ou s'adresser à sa mère dans une situation informelle.

가 : 어떤 상태나 상황에 놓인 대상이나 동작의 주체를 나타내는 조사.
Pas d'expression équivalente
Particule indiquant l'objet d'un état ou d'une situation, ou le sujet d'une action.

최고 (nom) : 가장 좋거나 뛰어난 것.
la meilleure chose
Ce qui est le meilleur ou le plus distingué.

이다 : 주어가 지시하는 대상의 속성이나 부류를 지정하는 뜻을 나타내는 서술격 조사.
Pas d'expression équivalente
Particule du cas prédicatif pour indiquer la caractéristique ou la catégorie d'un objet qui se rapporte au sujet d'une phrase.

-야 : (두루낮춤으로) 어떤 사실에 대하여 서술하거나 물음을 나타내는 종결 어미.
Pas d'expression équivalente
(forme non honorifique non formelle) Terminaison finale indiquant une description ou une interrogation sur un fait. <description>

엄마 (nom) : 격식을 갖추지 않아도 되는 상황에서 어머니를 이르거나 부르는 말.
maman
Terme pour désigner ou s'adresser à sa mère dans une situation informelle.

최고 (nom) : 가장 좋거나 뛰어난 것.
la meilleure chose
Ce qui est le meilleur ou le plus distingué.

아빠+가 <u>최고+(이)+야</u>, 아빠 최고.
최고야

아빠 (nom) : 격식을 갖추지 않아도 되는 상황에서 아버지를 이르거나 부르는 말.
papa
Terme pour désigner ou s'adresser au père dans une situation informelle.

가 : 어떤 상태나 상황에 놓인 대상이나 동작의 주체를 나타내는 조사.
Pas d'expression équivalente
Particule indiquant l'objet d'un état ou d'une situation, ou le sujet d'une action.

최고 (nom) : 가장 좋거나 뛰어난 것.
la meilleure chose
Ce qui est le meilleur ou le plus distingué.

이다 : 주어가 지시하는 대상의 속성이나 부류를 지정하는 뜻을 나타내는 서술격 조사.

Pas d'expression équivalente

Particule du cas prédicatif pour indiquer la caractéristique ou la catégorie d'un objet qui se rapporte au sujet d'une phrase.

-야 : (두루낮춤으로) 어떤 사실에 대하여 서술하거나 물음을 나타내는 종결 어미.

Pas d'expression équivalente

(forme non honorifique non formelle) Terminaison finale indiquant une description ou une interrogation sur un fait. <description>

아빠 (nom) : 격식을 갖추지 않아도 되는 상황에서 아버지를 이르거나 부르는 말.

papa

Terme pour désigner ou s'adresser au père dans une situation informelle.

최고 (nom) : 가장 좋거나 뛰어난 것.

la meilleure chose

Ce qui est le meilleur ou le plus distingué.

최고, 최고, 언니 최고.

최고 (nom) : 가장 좋거나 뛰어난 것.

la meilleure chose

Ce qui est le meilleur ou le plus distingué.

언니 (nom) : 여자가 형제나 친척 형제들 중에서 자기보다 나이가 많은 여자를 이르거나 부르는 말.

grande sœur

Terme utilisé par une femme pour désigner ou s'adresser à une femme plus âgée que soi, entre sœurs ou cousines.

최고 (nom) : 가장 좋거나 뛰어난 것.

la meilleure chose

Ce qui est le meilleur ou le plus distingué.

오빠+가 최고+(이)+야, 오빠 최고.
최고야

오빠 (nom) : 여자가 형제나 친척 형제들 중에서 자기보다 나이가 많은 남자를 이르거나 부르는 말.

grand frère, frère aîné

Terme utilisé par une femme pour désigner ou s'adresser à un frère ou un cousin plus âgé.

가 : 어떤 상태나 상황에 놓인 대상이나 동작의 주체를 나타내는 조사.
Pas d'expression équivalente
Particule indiquant l'objet d'un état ou d'une situation, ou le sujet d'une action.

최고 (nom) : 가장 좋거나 뛰어난 것.
la meilleure chose
Ce qui est le meilleur ou le plus distingué.

이다 : 주어가 지시하는 대상의 속성이나 부류를 지정하는 뜻을 나타내는 서술격 조사.
Pas d'expression équivalente
Particule du cas prédicatif pour indiquer la caractéristique ou la catégorie d'un objet qui se rapporte au sujet d'une phrase.

-야 : (두루낮춤으로) 어떤 사실에 대하여 서술하거나 물음을 나타내는 종결 어미.
Pas d'expression équivalente
(forme non honorifique non formelle) Terminaison finale indiquant une description ou une interrogation sur un fait. <description>

오빠 (nom) : 여자가 형제나 친척 형제들 중에서 자기보다 나이가 많은 남자를 이르거나 부르는 말.
grand frère, frère aîné
Terme utilisé par une femme pour désigner ou s'adresser à un frère ou un cousin plus âgé.

최고 (nom) : 가장 좋거나 뛰어난 것.
la meilleure chose
Ce qui est le meilleur ou le plus distingué.

< 9 >

어쩌라고?

나한테 어떻게 하라고?
(Que voulez-vous que je fasse?)

[발음(prononciation)]

< 1 절(couplet) >

가라고, 가라고, 가라고.
가라고, 가라고, 가라고.
garago, garago, garago.

보기 싫으니까 가라고, 가라고.
보기 시르니까 가라고, 가라고.
bogi sireunikka garago, garago.

알았어.
아라써.
arasseo.

나 갈게.
나 갈게.
na galge.

가란다고 진짜 가.
가란다고 진짜 가.
garandago jinjja ga.

알았어.
아라써.
arasseo.

안 갈게.
안 갈께.
an galge.

가라는데 왜 안 가?
가라는데 왜 안 가?
garaneunde wae an ga?

알았어.
아라써.
arasseo.

가면 되지.
가면 되지.
gamyeon doeji.

가라고 하면 안 가야지.
가라고 하면 안 가야지.
garago hamyeon an gayaji.

짜증 나, 짜증 나, 짜증 나.
짜증 나, 짜증 나, 짜증 나.
jjajeung na, jjajeung na, jjajeung na.

어쩌라고? 어쩌라고? 어쩌라고? 어쩌라고?
어쩌라고? 어쩌라고? 어쩌라고? 어쩌라고?
eojjeorago? eojjeorago? eojjeorago? eojjeorago?

도대체 나보고 어쩌라고?
도대체 나보고 어쩌라고?
dodaeche nabogo eojjeorago?

도대체 나보고 어쩌라고?
도대체 나보고 어쩌라고?
dodaeche nabogo eojjeorago?

도대체 나보고 어쩌라고?
도대체 나보고 어쩌라고?
dodaeche nabogo eojjeorago?

어쩌라고?
어쩌라고?
eojjeorago?

< 2 절(couplet) >

왜 안 가?
왜 안 가?
wae an ga?

왜 안 가?
왜 안 가?
wae an ga?

왜 안 가?
왜 안 가?
wae an ga?

가라는데 왜 안 가?
가라는데 왜 안 가?
garaneunde wae an ga?

왜 안 가?
왜 안 가?
wae an ga?

알았어.
아라써.
arasseo.

가면 되지.
가면 되지.
gamyeon doeji.

가란다고 진짜 가.
가란다고 진짜 가.
garandago jinjja ga.

가라는데 왜 안 가?
가라는데 왜 안 가?
garaneunde wae an ga?

가도 화내.
가도 화내.
gado hwanae.

안 가도 화내.
안 가도 화내.
an gado hwanae.

짜증 나, 짜증 나, 짜증 나.
짜증 나, 짜증 나, 짜증 나.
jjajeung na, jjajeung na, jjajeung na.

어쩌라고? 어쩌라고? 어쩌라고? 어쩌라고?
어쩌라고? 어쩌라고? 어쩌라고? 어쩌라고?
eojjeorago? eojjeorago? eojjeorago? eojjeorago?

도대체 나보고 어쩌라고?
도대체 나보고 어쩌라고?
dodaeche nabogo eojjeorago?

도대체 나보고 어쩌라고?
도대체 나보고 어쩌라고?
dodaeche nabogo eojjeorago?

도대체 나보고 어쩌라고?
도대체 나보고 어쩌라고?
dodaeche nabogo eojjeorago?

어쩌라고?
어쩌라고?
eojjeorago?

가라고, 가라고, 가라고.
가라고, 가라고, 가라고.
garago, garago, garago.

보기 싫으니까 가라고, 가라고.
보기 시르니까 가라고, 가라고.
bogi sireunikka garago, garago.

알았어.
아라써
arasseo.

나 갈게.
나 갈께
na galge.

어쩌라고?
어쩌라고?
eojjeorago?

< 1 절(couplet) >

가+라고, 가+라고, 가+라고.

가다 (verbe) : 한 곳에서 다른 곳으로 장소를 이동하다.
aller, se rendre, s'en aller, passer, partir
Se déplacer d'un endroit à un autre.

-라고 : (두루낮춤으로) 말하는 사람의 생각이나 주장을 듣는 사람에게 강조하여 말함을 나타내는 종결 어미.
Pas d'expression équivalente
(forme non honorifique non formelle) Terminaison finale utilisée par le locuteur pour mettre l'accent sur sa pensée ou son argument à un interlocuteur.

보+기 싫+으니까 가+라고, 가+라고.

보다 (verbe) : 눈으로 대상의 존재나 겉모습을 알다.
voir, regarder, distinguer, apercevoir, percevoir, remarquer, repérer, constater
Reconnaître visuellement l'existence, l'apparence d'un objet.

-기 : 앞의 말이 명사의 기능을 하게 하는 어미.
Pas d'expression équivalente
Terminaison attribuant la fonction de nom à la proposition précédente.

싫다 (adjectif) : 어떤 일을 하고 싶지 않다.
réticent
(Chose) Qu'on n'a pas envie de faire.

-으니까 : 뒤에 오는 말에 대하여 앞에 오는 말이 원인이나 근거, 전제가 됨을 강조하여 나타내는 연결 어미.
Pas d'expression équivalente
Terminaison connective pour souligner que les propos précédents constituent la cause, le fondement ou un prérequis des propos suivants.

가다 (verbe) : 한 곳에서 다른 곳으로 장소를 이동하다.
aller, se rendre, s'en aller, passer, partir
Se déplacer d'un endroit à un autre.

-라고 : (두루낮춤으로) 말하는 사람의 생각이나 주장을 듣는 사람에게 강조하여 말함을 나타내는 종결 어미.

Pas d'expression équivalente

(forme non honorifique non formelle) Terminaison finale utilisée par le locuteur pour mettre l'accent sur sa pensée ou son argument à un interlocuteur.

알+았+어.

알다 (verbe) : 상대방의 어떤 명령이나 요청에 대해 그대로 하겠다는 동의의 뜻을 나타내는 말.

Pas d'expression équivalente

Terme signifiant le fait de suivre un ordre ou une demande précise venant de son interlocuteur.

-았- : 어떤 사건이 과거에 완료되었거나 그 사건의 결과가 현재까지 지속되는 상황을 나타내는 어미.

Pas d'expression équivalente

Terminaison indiquant une situation où un évènement a eu lieu dans le passé ou que le résultat de cet évènement se poursuit jusqu'à présent.

-어 : (두루낮춤으로) 어떤 사실을 서술하거나 물음, 명령, 권유를 나타내는 종결 어미.

Pas d'expression équivalente

(forme non honorifique non formelle) Terminaison finale pour décrire un fait ou pour indiquer une question, un ordre, ou une recommandation. <description>

나 가+ㄹ게.
갈게

나 (pronom) : 말하는 사람이 친구나 아랫사람에게 자기를 가리키는 말.

je, moi, me

Terme employé par le locuteur pour se désigner, lorsqu'il s'adresse à une personne du même âge ou plus jeune.

가다 (verbe) : 한 곳에서 다른 곳으로 장소를 이동하다.

aller, se rendre, s'en aller, passer, partir

Se déplacer d'un endroit à un autre.

-ㄹ게 : (두루낮춤으로) 말하는 사람이 어떤 행동을 할 것을 듣는 사람에게 약속하거나 의지를 나타내는 종결 어미.

Pas d'expression équivalente

(forme non honorifique non formelle) Terminaison finale indiquant que le locuteur promet à son interlocuteur de faire une action ou de l'informer à ce sujet.

<u>가</u>+<u>라고</u> <u>하</u>+<u>ㄴ다고</u> 진짜 <u>가</u>+<u>(아)</u>.
가란다고   가

가다 (verbe) : 한 곳에서 다른 곳으로 장소를 이동하다.
aller, se rendre, s'en aller, passer, partir
Se déplacer d'un endroit à un autre.

-라고 : 다른 사람에게서 들은 내용을 간접적으로 전달하거나 주어의 생각, 의견 등을 나타내는 표현.
Pas d'expression équivalente
Expression indiquant le fait de transmettre indirectement le contenu des propos dont on a entendu parler par une autre personne, ou exprimant une pensée, une opinion, etc. à propos du sujet d'une certaine phrase.

하다 (verbe) : 무엇에 대해 말하다.
Pas d'expression équivalente
Parler de quelque chose.

-ㄴ다고 : 어떤 행위의 목적, 의도를 나타내거나 어떤 상황의 이유, 원인을 나타내는 연결 어미.
Pas d'expression équivalente
Terminaison connective indiquant l'objectif ou le dessein d'une action, ou la raison ou la cause d'une situation.

진짜 (adverbe) : 꾸밈이나 거짓이 없이 참으로.
vraiment, franchement, réellement
D'une manière réelle sans fard ni faux.

가다 (verbe) : 한 곳에서 다른 곳으로 장소를 이동하다.
aller, se rendre, s'en aller, passer, partir
Se déplacer d'un endroit à un autre.

-아 : (두루낮춤으로) 어떤 사실을 서술하거나 물음, 명령, 권유를 나타내는 종결 어미.
Pas d'expression équivalente
(forme non honorifique non formelle) Terminaison finale pour décrire un fait ou pour indiquer une question, un ordre, ou une recommandation. <description>

알+았+어.

알다 (verbe) : 상대방의 어떤 명령이나 요청에 대해 그대로 하겠다는 동의의 뜻을 나타내는 말.
Pas d'expression équivalente
Terme signifiant le fait de suivre un ordre ou une demande précise venant de son interlocuteur.

-았- : 어떤 사건이 과거에 완료되었거나 그 사건의 결과가 현재까지 지속되는 상황을 나타내는 어미.
Pas d'expression équivalente
Terminaison indiquant une situation où un évènement a eu lieu dans le passé ou que le résultat de cet évènement se poursuit jusqu'à présent.

-어 : (두루낮춤으로) 어떤 사실을 서술하거나 물음, 명령, 권유를 나타내는 종결 어미.
Pas d'expression équivalente
(forme non honorifique non formelle) Terminaison finale pour décrire un fait ou pour indiquer une question, un ordre, ou une recommandation. <description>

안 가+ㄹ게.
갈게

안 (adverbe) : 부정이나 반대의 뜻을 나타내는 말.
Pas d'expression équivalente
Terme désignant une négation ou une opposition.

가다 (verbe) : 한 곳에서 다른 곳으로 장소를 이동하다.
aller, se rendre, s'en aller, passer, partir
Se déplacer d'un endroit à un autre.

-ㄹ게 : (두루낮춤으로) 말하는 사람이 어떤 행동을 할 것을 듣는 사람에게 약속하거나 의지를 나타내는 종결 어미.
Pas d'expression équivalente
(forme non honorifique non formelle) Terminaison finale indiquant que le locuteur promet à son interlocuteur de faire une action ou de l'informer à ce sujet.

가+라는데 왜 안 가+(아)?
가

가다 (verbe) : 한 곳에서 다른 곳으로 장소를 이동하다.
aller, se rendre, s'en aller, passer, partir
Se déplacer d'un endroit à un autre.

-라는데 : 명령이나 요청 등의 말을 전달하며 자신의 말을 이어 나타내는 표현.
Pas d'expression équivalente
Expression utilisée pour parler à la suite de propos comme un ordre, une demande, etc., que l'on transmet.

왜 (adverbe) : 무슨 이유로. 또는 어째서.
pourquoi, dans quelle intention, à quelle fin
Pour quelle raison ; comment se fait-il que.

안 (adverbe) : 부정이나 반대의 뜻을 나타내는 말.
Pas d'expression équivalente
Terme désignant une négation ou une opposition.

가다 (verbe) : 한 곳에서 다른 곳으로 장소를 이동하다.
aller, se rendre, s'en aller, passer, partir
Se déplacer d'un endroit à un autre.

-아 : (두루낮춤으로) 어떤 사실을 서술하거나 물음, 명령, 권유를 나타내는 종결 어미.
Pas d'expression équivalente
(forme non honorifique non formelle) Terminaison finale pour décrire un fait ou pour indiquer une question, un ordre, ou une recommandation. <question>

알+았+어.

알다 (verbe) : 상대방의 어떤 명령이나 요청에 대해 그대로 하겠다는 동의의 뜻을 나타내는 말.
Pas d'expression équivalente
Terme signifiant le fait de suivre un ordre ou une demande précise venant de son interlocuteur.

-았- : 어떤 사건이 과거에 완료되었거나 그 사건의 결과가 현재까지 지속되는 상황을 나타내는 어미.
Pas d'expression équivalente
Terminaison indiquant une situation où un évènement a eu lieu dans le passé ou que le résultat de cet évènement se poursuit jusqu'à présent.

-어 : (두루낮춤으로) 어떤 사실을 서술하거나 물음, 명령, 권유를 나타내는 종결 어미.
Pas d'expression équivalente
(forme non honorifique non formelle) Terminaison finale pour décrire un fait ou pour indiquer une question, un ordre, ou une recommandation. <description>

가+[면 되]+지.

가다 (verbe) : 한 곳에서 다른 곳으로 장소를 이동하다.
aller, se rendre, s'en aller, passer, partir
Se déplacer d'un endroit à un autre.

-면 되다 : 조건이 되는 어떤 행동을 하거나 어떤 상태만 갖추어지면 문제가 없거나 충분함을 나타내는
　　　 표현.
Pas d'expression équivalente
Expression indiquant qu'il suffit qu'une action qui remplit une certaine condition soit effectuée ou qu'un certain état se produise pour être sans problème ou suffisant.

-지 : (두루낮춤으로) 말하는 사람이 자신에 대한 이야기나 자신의 생각을 친근하게 말할 때 쓰는 종결 어
　　미.
Pas d'expression équivalente
(forme non honorifique non formelle) Terminaison finale utilisée par le locuteur pour parler d'une chose qui le concerne, ou pour affirmer sa pensée sur un ton familier.

가+라고 하+면 안 가+(아)야지.
가야지

가다 (verbe) : 한 곳에서 다른 곳으로 장소를 이동하다.
aller, se rendre, s'en aller, passer, partir
Se déplacer d'un endroit à un autre.

-라고 : 다른 사람에게서 들은 내용을 간접적으로 전달하거나 주어의 생각, 의견 등을 나타내는 표현.
Pas d'expression équivalente
Expression indiquant le fait de transmettre indirectement le contenu des propos dont on a entendu parler par une autre personne, ou exprimant une pensée, une opinion, etc. à propos du sujet d'une certaine phrase.

하다 (verbe) : 무엇에 대해 말하다.
Pas d'expression équivalente
Parler de quelque chose.

-면 : 뒤에 오는 말에 대한 근거나 조건이 됨을 나타내는 연결 어미.
Pas d'expression équivalente
Terminaison connective indiquant une chose qui constitue le fondement ou la condition des propos suivants.

안 (adverbe) : 부정이나 반대의 뜻을 나타내는 말.
Pas d'expression équivalente
Terme désignant une négation ou une opposition.

가다 (verbe) : 한 곳에서 다른 곳으로 장소를 이동하다.
aller, se rendre, s'en aller, passer, partir
Se déplacer d'un endroit à un autre.

-아야지 : (두루낮춤으로) 듣는 사람이나 다른 사람이 어떤 일을 해야 하거나 어떤 상태여야 함을 나타내
는 종결 어미.

Pas d'expression équivalente

(forme non honorifique non formelle) Terminaison finale indiquant que l'interlocuteur ou une autre personne doit faire quelque chose ou doit se trouver dans un certain état.

짜증 나+(아), 짜증 나+(아), 짜증 나+(아).
나   나   나

짜증 (nom) : 마음에 들지 않아서 화를 내거나 싫은 느낌을 겉으로 드러내는 일. 또는 그런 성미.

énervement, agacement, incommodité

Fait d'exprimer sa colère suite à une insatisfaction ou de laisser paraître son mécontentement ; un tel tempérament.

나다 (verbe) : 어떤 감정이나 느낌이 생기다.

Pas d'expression équivalente

(Sentiment, impression, etc.) Surgir.

-아 : (두루낮춤으로) 어떤 사실을 서술하거나 물음, 명령, 권유를 나타내는 종결 어미.

Pas d'expression équivalente

(forme non honorifique non formelle) Terminaison finale pour décrire un fait ou pour indiquer une question, un ordre, ou une recommandation. <description>

어쩌+라고? 어쩌+라고? 어쩌+라고? 어쩌+라고?

어쩌다 (verbe) : 무엇을 어떻게 하다.

Pas d'expression équivalente

Faire quelque chose d'une certaine manière.

-라고 : (두루낮춤으로) 들은 사실을 되물으면서 확인함을 나타내는 종결 어미.

Pas d'expression équivalente

(forme non honorifique non formelle) Terminaison finale pour vérifier un fait entendu en demandant confirmation.

도대체 나+보고 어쩌+라고?

도대체 (adverbe) : 아주 궁금해서 묻는 말인데.
déjà, mais
Par grande curiosité.

나 (pronom) : 말하는 사람이 친구나 아랫사람에게 자기를 가리키는 말.
je, moi, me
Terme employé par le locuteur pour se désigner, lorsqu'il s'adresse à une personne du même âge ou plus jeune.

보고 : 어떤 행동이 미치는 대상임을 나타내는 조사.
Pas d'expression équivalente
Particule servant à exprimer que quelqu'un est la cible d'une action.

어쩌다 (verbe) : 무엇을 어떻게 하다.
Pas d'expression équivalente
Faire quelque chose d'une certaine manière.

-라고 : (두루낮춤으로) 들은 사실을 되물으면서 확인함을 나타내는 종결 어미.
Pas d'expression équivalente
(forme non honorifique non formelle) Terminaison finale pour vérifier un fait entendu en demandant confirmation.

어쩌+라고?

어쩌다 (verbe) : 무엇을 어떻게 하다.
Pas d'expression équivalente
Faire quelque chose d'une certaine manière.

-라고 : (두루낮춤으로) 들은 사실을 되물으면서 확인함을 나타내는 종결 어미.
Pas d'expression équivalente
(forme non honorifique non formelle) Terminaison finale pour vérifier un fait entendu en demandant confirmation.

< 2 절(couplet) >

왜 안 <u>가</u>+(아)? 왜 안 <u>가</u>+(아)? 왜 안 <u>가</u>+(아)?
　　　가　　　　　　가　　　　　　　가

왜 (adverbe) : 무슨 이유로. 또는 어째서.

pourquoi, dans quelle intention, à quelle fin

Pour quelle raison ; comment se fait-il que.

안 (adverbe) : 부정이나 반대의 뜻을 나타내는 말.

Pas d'expression équivalente

Terme désignant une négation ou une opposition.

가다 (verbe) : 한 곳에서 다른 곳으로 장소를 이동하다.

aller, se rendre, s'en aller, passer, partir

Se déplacer d'un endroit à un autre.

-아 : (두루낮춤으로) 어떤 사실을 서술하거나 물음, 명령, 권유를 나타내는 종결 어미.

Pas d'expression équivalente

(forme non honorifique non formelle) Terminaison finale pour décrire un fait ou pour indiquer une question, un ordre, ou une recommandation. <question>

가+라는데 왜 안 <u>가</u>+(아)?
　　　　　　　　　가

가다 (verbe) : 한 곳에서 다른 곳으로 장소를 이동하다.

aller, se rendre, s'en aller, passer, partir

Se déplacer d'un endroit à un autre.

-라는데 : 명령이나 요청 등의 말을 전달하며 자신의 말을 이어 나타내는 표현.

Pas d'expression équivalente

Expression utilisée pour parler à la suite de propos comme un ordre, une demande, etc., que l'on transmet.

왜 (adverbe) : 무슨 이유로. 또는 어째서.

pourquoi, dans quelle intention, à quelle fin

Pour quelle raison ; comment se fait-il que.

안 (adverbe) : 부정이나 반대의 뜻을 나타내는 말.
Pas d'expression équivalente
Terme désignant une négation ou une opposition.

가다 (verbe) : 한 곳에서 다른 곳으로 장소를 이동하다.
aller, se rendre, s'en aller, passer, partir
Se déplacer d'un endroit à un autre.

-아 : (두루낮춤으로) 어떤 사실을 서술하거나 물음, 명령, 권유를 나타내는 종결 어미.
Pas d'expression équivalente
(forme non honorifique non formelle) Terminaison finale pour décrire un fait ou pour indiquer une question, un ordre, ou une recommandation. <question>

왜 안 <u>가+(아)</u>?
가

왜 (adverbe) : 무슨 이유로. 또는 어째서.
pourquoi, dans quelle intention, à quelle fin
Pour quelle raison ; comment se fait-il que.

안 (adverbe) : 부정이나 반대의 뜻을 나타내는 말.
Pas d'expression équivalente
Terme désignant une négation ou une opposition.

가다 (verbe) : 한 곳에서 다른 곳으로 장소를 이동하다.
aller, se rendre, s'en aller, passer, partir
Se déplacer d'un endroit à un autre.

-아 : (두루낮춤으로) 어떤 사실을 서술하거나 물음, 명령, 권유를 나타내는 종결 어미.
Pas d'expression équivalente
(forme non honorifique non formelle) Terminaison finale pour décrire un fait ou pour indiquer une question, un ordre, ou une recommandation. <question>

알+았+어.

알다 (verbe) : 상대방의 어떤 명령이나 요청에 대해 그대로 하겠다는 동의의 뜻을 나타내는 말.
Pas d'expression équivalente
Terme signifiant le fait de suivre un ordre ou une demande précise venant de son interlocuteur.

-았- : 어떤 사건이 과거에 완료되었거나 그 사건의 결과가 현재까지 지속되는 상황을 나타내는 어미.

Pas d'expression équivalente

Terminaison indiquant une situation où un évènement a eu lieu dans le passé ou que le résultat de cet évènement se poursuit jusqu'à présent.

-어 : (두루낮춤으로) 어떤 사실을 서술하거나 물음, 명령, 권유를 나타내는 종결 어미.

Pas d'expression équivalente

(forme non honorifique non formelle) Terminaison finale pour décrire un fait ou pour indiquer une question, un ordre, ou une recommandation. <description>

가+[면 되]+지.

가다 (verbe) : 한 곳에서 다른 곳으로 장소를 이동하다.

aller, se rendre, s'en aller, passer, partir

Se déplacer d'un endroit à un autre.

-면 되다 : 조건이 되는 어떤 행동을 하거나 어떤 상태만 갖추어지면 문제가 없거나 충분함을 나타내는 표현.

Pas d'expression équivalente

Expression indiquant qu'il suffit qu'une action qui remplit une certaine condition soit effectuée ou qu'un certain état se produise pour être sans problème ou suffisant.

-지 : (두루낮춤으로) 말하는 사람이 자신에 대한 이야기나 자신의 생각을 친근하게 말할 때 쓰는 종결 어미.

Pas d'expression équivalente

(forme non honorifique non formelle) Terminaison finale utilisée par le locuteur pour parler d'une chose qui le concerne, ou pour affirmer sa pensée sur un ton familier.

가+라고 하+ㄴ다고 진짜 가+(아).
가란다고   가

가다 (verbe) : 한 곳에서 다른 곳으로 장소를 이동하다.

aller, se rendre, s'en aller, passer, partir

Se déplacer d'un endroit à un autre.

-라고 : 다른 사람에게서 들은 내용을 간접적으로 전달하거나 주어의 생각, 의견 등을 나타내는 표현.

Pas d'expression équivalente

Expression indiquant le fait de transmettre indirectement le contenu des propos dont on a entendu parler par une autre personne, ou exprimant une pensée, une opinion, etc. à propos du sujet d'une certaine phrase.

하다 (verbe) : 무엇에 대해 말하다.
Pas d'expression équivalente
Parler de quelque chose.

-ㄴ다고 : 어떤 행위의 목적, 의도를 나타내거나 어떤 상황의 이유, 원인을 나타내는 연결 어미.
Pas d'expression équivalente
Terminaison connective indiquant l'objectif ou le dessein d'une action, ou la raison ou la cause d'une situation.

진짜 (adverbe) : 꾸밈이나 거짓이 없이 참으로.
vraiment, franchement, réellement
D'une manière réelle sans fard ni faux.

가다 (verbe) : 한 곳에서 다른 곳으로 장소를 이동하다.
aller, se rendre, s'en aller, passer, partir
Se déplacer d'un endroit à un autre.

-아 : (두루낮춤으로) 어떤 사실을 서술하거나 물음, 명령, 권유를 나타내는 종결 어미.
Pas d'expression équivalente
(forme non honorifique non formelle) Terminaison finale pour décrire un fait ou pour indiquer une question, un ordre, ou une recommandation. <description>

가+라는데 왜 안 가+(아)?
가

가다 (verbe) : 한 곳에서 다른 곳으로 장소를 이동하다.
aller, se rendre, s'en aller, passer, partir
Se déplacer d'un endroit à un autre.

-라는데 : 명령이나 요청 등의 말을 전달하며 자신의 말을 이어 나타내는 표현.
Pas d'expression équivalente
Expression utilisée pour parler à la suite de propos comme un ordre, une demande, etc., que l'on transmet.

왜 (adverbe) : 무슨 이유로. 또는 어째서.
pourquoi, dans quelle intention, à quelle fin
Pour quelle raison ; comment se fait-il que.

안 (adverbe) : 부정이나 반대의 뜻을 나타내는 말.
Pas d'expression équivalente
Terme désignant une négation ou une opposition.

가다 (verbe) : 한 곳에서 다른 곳으로 장소를 이동하다.
aller, se rendre, s'en aller, passer, partir
Se déplacer d'un endroit à un autre.

-아 : (두루낮춤으로) 어떤 사실을 서술하거나 물음, 명령, 권유를 나타내는 종결 어미.
Pas d'expression équivalente
(forme non honorifique non formelle) Terminaison finale pour décrire un fait ou pour indiquer une question, un ordre, ou une recommandation. <question>

가+(아)도 화내+(어).
가도　　화내

가다 (verbe) : 한 곳에서 다른 곳으로 장소를 이동하다.
aller, se rendre, s'en aller, passer, partir
Se déplacer d'un endroit à un autre.

-아도 : 앞에 오는 말을 가정하거나 인정하지만 뒤에 오는 말에는 관계가 없거나 영향을 끼치지 않음을 나타내는 연결 어미.
Pas d'expression équivalente
Terminaison connective indiquant que bien que l'on suppose ou reconnaisse les propos précédents, ceux-ci n'ont aucun rapport ou n'exercent aucune influence sur les propos suivants.

화내다 (verbe) : 몹시 기분이 상해 노여워하는 감정을 드러내다.
s'énerver, se fâcher, s'irriter
Manifester un sentiment de colère en raison d'un fort mécontentement.

-어 : (두루낮춤으로) 어떤 사실을 서술하거나 물음, 명령, 권유를 나타내는 종결 어미.
Pas d'expression équivalente
(forme non honorifique non formelle) Terminaison finale pour décrire un fait ou pour indiquer une question, un ordre, ou une recommandation. <description>

안 가+(아)도 화내+(어).
가도　　화내

안 (adverbe) : 부정이나 반대의 뜻을 나타내는 말.
Pas d'expression équivalente
Terme désignant une négation ou une opposition.

가다 (verbe) : 한 곳에서 다른 곳으로 장소를 이동하다.

aller, se rendre, s'en aller, passer, partir

Se déplacer d'un endroit à un autre.

-아도 : 앞에 오는 말을 가정하거나 인정하지만 뒤에 오는 말에는 관계가 없거나 영향을 끼치지 않음을 나타내는 연결 어미.

Pas d'expression équivalente

Terminaison connective indiquant que bien que l'on suppose ou reconnaisse les propos précédents, ceux-ci n'ont aucun rapport ou n'exercent aucune influence sur les propos suivants.

화내다 (verbe) : 몹시 기분이 상해 노여워하는 감정을 드러내다.

s'énerver, se fâcher, s'irriter

Manifester un sentiment de colère en raison d'un fort mécontentement.

-어 : (두루낮춤으로) 어떤 사실을 서술하거나 물음, 명령, 권유를 나타내는 종결 어미.

Pas d'expression équivalente

(forme non honorifique non formelle) Terminaison finale pour décrire un fait ou pour indiquer une question, un ordre, ou une recommandation. <description>

짜증 나+(아), 짜증 나+(아), 짜증 나+(아).
나   나   나

짜증 (nom) : 마음에 들지 않아서 화를 내거나 싫은 느낌을 겉으로 드러내는 일. 또는 그런 성미.

énervement, agacement, incommodité

Fait d'exprimer sa colère suite à une insatisfaction ou de laisser paraître son mécontentement ; un tel tempérament.

나다 (verbe) : 어떤 감정이나 느낌이 생기다.

Pas d'expression équivalente

(Sentiment, impression, etc.) Surgir.

-아 : (두루낮춤으로) 어떤 사실을 서술하거나 물음, 명령, 권유를 나타내는 종결 어미.

Pas d'expression équivalente

(forme non honorifique non formelle) Terminaison finale pour décrire un fait ou pour indiquer une question, un ordre, ou une recommandation. <description>

어쩌+라고? 어쩌+라고? 어쩌+라고? 어쩌+라고?

어쩌다 (verbe) : 무엇을 어떻게 하다.
Pas d'expression équivalente
Faire quelque chose d'une certaine manière.

-라고 : (두루낮춤으로) 들은 사실을 되물으면서 확인함을 나타내는 종결 어미.
Pas d'expression équivalente
(forme non honorifique non formelle) Terminaison finale pour vérifier un fait entendu en demandant confirmation.

도대체 나+보고 어쩌+라고?

도대체 (adverbe) : 아주 궁금해서 묻는 말인데.
déjà, mais
Par grande curiosité.

나 (pronom) : 말하는 사람이 친구나 아랫사람에게 자기를 가리키는 말.
je, moi, me
Terme employé par le locuteur pour se désigner, lorsqu'il s'adresse à une personne du même âge ou plus jeune.

보고 : 어떤 행동이 미치는 대상임을 나타내는 조사.
Pas d'expression équivalente
Particule servant à exprimer que quelqu'un est la cible d'une action.

어쩌다 (verbe) : 무엇을 어떻게 하다.
Pas d'expression équivalente
Faire quelque chose d'une certaine manière.

-라고 : (두루낮춤으로) 들은 사실을 되물으면서 확인함을 나타내는 종결 어미.
Pas d'expression équivalente
(forme non honorifique non formelle) Terminaison finale pour vérifier un fait entendu en demandant confirmation.

어쩌+라고?

어쩌다 (verbe) : 무엇을 어떻게 하다.
Pas d'expression équivalente
Faire quelque chose d'une certaine manière.

-라고 : (두루낮춤으로) 들은 사실을 되물으면서 확인함을 나타내는 종결 어미.
Pas d'expression équivalente
(forme non honorifique non formelle) Terminaison finale pour vérifier un fait entendu en demandant confirmation.

가+라고, 가+라고, 가+라고.

가다 (verbe) : 한 곳에서 다른 곳으로 장소를 이동하다.
aller, se rendre, s'en aller, passer, partir
Se déplacer d'un endroit à un autre.

-라고 : (두루낮춤으로) 말하는 사람의 생각이나 주장을 듣는 사람에게 강조하여 말함을 나타내는 종결 어미.
Pas d'expression équivalente
(forme non honorifique non formelle) Terminaison finale utilisée par le locuteur pour mettre l'accent sur sa pensée ou son argument à un interlocuteur.

보+기 싫+으니까 가+라고, 가+라고.

보다 (verbe) : 눈으로 대상의 존재나 겉모습을 알다.
voir, regarder, distinguer, apercevoir, percevoir, remarquer, repérer, constater
Reconnaître visuellement l'existence, l'apparence d'un objet.

-기 : 앞의 말이 명사의 기능을 하게 하는 어미.
Pas d'expression équivalente
Terminaison attribuant la fonction de nom à la proposition précédente.

싫다 (adjectif) : 어떤 일을 하고 싶지 않다.
réticent
(Chose) Qu'on n'a pas envie de faire.

-으니까 : 뒤에 오는 말에 대하여 앞에 오는 말이 원인이나 근거, 전제가 됨을 강조하여 나타내는 연결 어미.

Pas d'expression équivalente

Terminaison connective pour souligner que les propos précédents constituent la cause, le fondement ou un prérequis des propos suivants.

가다 (verbe) : 한 곳에서 다른 곳으로 장소를 이동하다.

aller, se rendre, s'en aller, passer, partir

Se déplacer d'un endroit à un autre.

-라고 : (두루낮춤으로) 말하는 사람의 생각이나 주장을 듣는 사람에게 강조하여 말함을 나타내는 종결 어미.

Pas d'expression équivalente

(forme non honorifique non formelle) Terminaison finale utilisée par le locuteur pour mettre l'accent sur sa pensée ou son argument à un interlocuteur.

알+았+어.

알다 (verbe) : 상대방의 어떤 명령이나 요청에 대해 그대로 하겠다는 동의의 뜻을 나타내는 말.

Pas d'expression équivalente

Terme signifiant le fait de suivre un ordre ou une demande précise venant de son interlocuteur.

-았- : 어떤 사건이 과거에 완료되었거나 그 사건의 결과가 현재까지 지속되는 상황을 나타내는 어미.

Pas d'expression équivalente

Terminaison indiquant une situation où un évènement a eu lieu dans le passé ou que le résultat de cet évènement se poursuit jusqu'à présent.

-어 : (두루낮춤으로) 어떤 사실을 서술하거나 물음, 명령, 권유를 나타내는 종결 어미.

Pas d'expression équivalente

(forme non honorifique non formelle) Terminaison finale pour décrire un fait ou pour indiquer une question, un ordre, ou une recommandation. <description>

나 가+ㄹ게.
갈게

나 (pronom) : 말하는 사람이 친구나 아랫사람에게 자기를 가리키는 말.

je, moi, me

Terme employé par le locuteur pour se désigner, lorsqu'il s'adresse à une personne du même âge ou plus jeune.

가다 (verbe) : 한 곳에서 다른 곳으로 장소를 이동하다.

aller, se rendre, s'en aller, passer, partir

Se déplacer d'un endroit à un autre.

-ㄹ게 : (두루낮춤으로) 말하는 사람이 어떤 행동을 할 것을 듣는 사람에게 약속하거나 의지를 나타내는
　　　종결 어미.

Pas d'expression équivalente

(forme non honorifique non formelle) Terminaison finale indiquant que le locuteur promet à
son interlocuteur de faire une action ou de l'informer à ce sujet.

어쩌+라고?

어쩌다 (verbe) : 무엇을 어떻게 하다.

Pas d'expression équivalente

Faire quelque chose d'une certaine manière.

-라고 : (두루낮춤으로) 들은 사실을 되물으면서 확인함을 나타내는 종결 어미.

Pas d'expression équivalente

(forme non honorifique non formelle) Terminaison finale pour vérifier un fait entendu en
demandant confirmation.

< 10 >

궁금해

나는 궁금해.
(Je suis curieux.)

[발음(prononciation)]

< 1 절(couplet) >

파도처럼 내 맘속으로 밀려 오다 바람처럼 흔적 없이 사라져.
파도처럼 내 맘소그로 밀려 오다 바람처럼 흔적 업씨 사라저.
padocheoreom nae mamsogeuro millyeooda baramcheoreom heunjeok eopsi sarajeo.

파도는 멈출 수가 없는 거니?
파도는 멈출 쑤가 엄는 거니?
padoneun meomchul suga eomneun geoni?

바람은 머물 수가 없는 거니?
바라믄 머물 쑤가 엄는 거니?
barameun meomul suga eomneun geoni?

피어나는 내 맘이 시들지 않게 그치지 않는 세찬 비를 뿌려줘.
피어나는 내 마미 시들지 안케 그치지 안는 세찬 비를 뿌려줘.
pieonaneun nae mami sideulji anke geuchiji anneun sechan bireul ppuryeojwo.

어떤 사람인지 궁금해.
어떤 사라민지 궁금해.
eotteon saraminji gunggeumhae.

너의 그 향기가 궁금해.
너에 그 향기가 궁금해.
neoe geu hyanggiga gunggeumhae.

어떤 사랑일지 너의 그 느낌이.
어떤 사랑일찌 너에 그 느끼미.
eotteon sarangilji neoe geu neukkimi.

궁금해, 궁금해, 궁금해, 궁금해, 궁금해.
궁금해, 궁금해, 궁금해, 궁금해, 궁금해.
gunggeumhae, gunggeumhae, gunggeumhae, gunggeumhae, gunggeumhae.

< 2 절(couplet) >

감미로운 미소로 눈을 맞추면서 고개만 끄덕이다 말없이 사라져.
감미로운 미소로 누늘 맏추면서 고개만 끄더기다 마럽씨 사라저.
gammiroun misoro nuneul matchumyeonseo gogaeman kkeudeogida mareopsi sarajeo.

파도처럼 밀려드는 사랑이 보여.
파도처럼 밀려드는 사랑이 보여.
padocheoreom millyeodeuneun sarangi boyeo.

바람처럼 스치는 사랑이 느껴져.
바람처럼 스치는 사랑이 느껴저.
baramcheoreom seuchineun sarangi neukkyeojeo.

타오르는 열정이 꺼지지 않게 폭풍이 되어 내게 다가와 줘.
타오르는 열쩡이 꺼지지 안케 폭풍이 되어 내게 다가와 줘.
taoreuneun yeoljeongi kkeojiji anke pokpungi doeeo naege dagawa jwo.

어떤 사람인지 궁금해.
어떤 사라민지 궁금해.
eotteon saraminji gunggeumhae.

너의 그 향기가 궁금해.
너에 그 향기가 궁금해.
neoe geu hyanggiga gunggeumhae.

어떤 사랑일지 너의 그 느낌이.
어떤 사랑일찌 너에 그 느끼미.
eotteon sarangilji neoe geu neukkimi.

궁금해, 궁금해, 궁금해, 궁금해, 궁금해.
궁금해, 궁금해, 궁금해, 궁금해, 궁금해.
gunggeumhae, gunggeumhae, gunggeumhae, gunggeumhae, gunggeumhae.

< 3 절(couplet) >

바람을 붙잡을 수 없더라도.
바라믈 붇짜블 쑤 업떠라도.
barameul butjabeul su eopdeorado.

파도가 비에 젖지 않더라도.
파도가 비에 젇찌 안터라도.
padoga bie jeotji anteorado.

내일은 가슴이 아프더라도.
내이른 가스미 아프더라도.
naeireun gaseumi apeudeorado.

미련과 후회만 남더라도.
미련과 후회만 남더라도.
miryeongwa huhoeman namdeorado.

어떤 사람인지 궁금해.
어떤 사라민지 궁금해.
eotteon saraminji gunggeumhae.

너의 그 향기가 궁금해.
너에 그 향기가 궁금해.
neoe geu hyanggiga gunggeumhae.

어떤 사랑일지 너의 그 느낌이.
어떤 사랑일찌 너에 그 느끼미.
eotteon sarangilji neoe geu neukkimi.

궁금해, 궁금해, 궁금해, 궁금해, 궁금해.
궁금해, 궁금해, 궁금해, 궁금해, 궁금해.
gunggeumhae, gunggeumhae, gunggeumhae, gunggeumhae, gunggeumhae.

< 1 절(couplet) >

파도+처럼 <u>나</u>+의 맘속+으로 <u>밀리</u>+[어 오]+다
　　　　내　　　　　　　　밀려 오다

파도 (nom) : 바다에 이는 물결.
vague
Courant d'eau qui s'agite en mer.

처럼 : 모양이나 정도가 서로 비슷하거나 같음을 나타내는 조사.
comme, à la manière de, non moins que
Particule indiquant la similarité ou le caractère identique réciproque dans l'aspect ou le degré.

나 (pronom) : 말하는 사람이 친구나 아랫사람에게 자기를 가리키는 말.
je, moi, me
Terme employé par le locuteur pour se désigner, lorsqu'il s'adresse à une personne du même âge ou plus jeune.

의 : 앞의 말이 뒤의 말에 대하여 소유, 소속, 소재, 관계, 기원, 주체의 관계를 가짐을 나타내는 조사.
Pas d'expression équivalente
Particule pour indiquer que la proposition précédente prend une relation de possession, d'appartenance, d'emplacement, de relation, d'origine ou de sujet d'action par rapport à la proposition suivante.

맘속 (nom) : 마음의 깊은 곳.
Pas d'expression équivalente
Profondeur des sentiments.

으로 : 움직임의 방향을 나타내는 조사.
à, vers, pour, en, à destination de, en direction de
Particule indiquant la direction d'un mouvement.

밀리다 (verbe) : 방향의 반대쪽에서 힘이 가해져서 움직여지다.
se faire pousser
Être poussé à cause d'une force exercée dans le sens opposé.

-어 오다 : 앞의 말이 나타내는 행동이나 상태가 어떤 기준점으로 가까워지면서 계속 진행됨을 나타내는
　　　　표현.
Pas d'expression équivalente
Expression indiquant qu'une action ou un état exprimé(e) par les propos précédents continue
en s'approchant d'une limite.

-다 : 어떤 행동이나 상태 등이 중단되고 다른 행동이나 상태로 바뀜을 나타내는 연결 어미.
Pas d'expression équivalente
Terminaison connective indiquant que l'action, l'état, etc., du sujet prend fin et se transforme
en une autre action ou en un autre état.

바람+처럼 흔적 없이 사라지+어.
사라져

바람 (nom) : 기압의 변화 또는 사람이나 기계에 의해 일어나는 공기의 움직임.
vent, brise, air
Mouvement de l'air produit par le changement de la pression atmosphèrique et causé par
l'homme ou par les machines.

처럼 : 모양이나 정도가 서로 비슷하거나 같음을 나타내는 조사.
comme, à la manière de, non moins que
Particule indiquant la similarité ou le caractère identique réciproque dans l'aspect ou le
degré.

흔적 (nom) : 사물이나 현상이 없어지거나 지나간 뒤에 남겨진 것.
trace
Chose laissée suite à la disparition ou au passage d'un objet ou d'un phénomène.

없이 (adverbe) : 사람, 사물, 현상 등이 어떤 곳에 자리나 공간을 차지하고 존재하지 않게.
(adv.) sans
Dans un état où une personne, un objet, un phénomène, etc. occupant la place ou l'espace
dans un lieu n'apparaît pas.

사라지다 (verbe) : 어떤 현상이나 물체의 자취 등이 없어지다.
Pas d'expression équivalente
(Phénomène ou traces de quelque chose) Disparaître.

-어 : (두루낮춤으로) 어떤 사실을 서술하거나 물음, 명령, 권유를 나타내는 종결 어미.
Pas d'expression équivalente
(forme non honorifique non formelle) Terminaison finale pour décrire un fait ou pour
indiquer une question, un ordre, ou une recommandation. <description>

파도+는 멈추+[ㄹ 수가 없]+[는 거]+(이)+니?
멈출 수가 없는 거니

파도 (nom) : 바다에 이는 물결.
vague
Courant d'eau qui s'agite en mer.

는 : 문장 속에서 어떤 대상이 화제임을 나타내는 조사.
Pas d'expression équivalente
Particule indiquant qu'un objet est le principal sujet d'une phrase.

멈추다 (verbe) : 동작이나 상태가 계속되지 않다.
s'arrêter, stopper
(Mouvement, état) Ne pas continuer.

-ㄹ 수가 없다 : 앞에 오는 말이 나타내는 일이 가능하지 않음을 나타내는 표현.
Pas d'expression équivalente
Expression indiquant que la chose exprimée par les propos précédents n'est pas possible.

-는 거 : 명사가 아닌 것을 문장에서 명사처럼 쓰이게 하거나 '이다' 앞에 쓰일 수 있게 할 때 쓰는 표현.
Pas d'expression équivalente
Expression permettant d'utiliser un groupe non nominal comme un nom dans une phrase ou de l'utiliser avec '이다'.

이다 : 주어가 지시하는 대상의 속성이나 부류를 지정하는 뜻을 나타내는 서술격 조사.
Pas d'expression équivalente
Particule du cas prédicatif pour indiquer la caractéristique ou la catégorie d'un objet qui se rapporte au sujet d'une phrase.

-니 : (아주낮춤으로) 물음을 나타내는 종결 어미.
Pas d'expression équivalente
(forme non honorifique très marquée) Terminaison finale indiquant une interrogation.

바람+은 머물+[(ㄹ) 수가 없]+[는 거]+(이)+니?
머물 수가 없는 거니

바람 (nom) : 기압의 변화 또는 사람이나 기계에 의해 일어나는 공기의 움직임.
vent, brise, air
Mouvement de l'air produit par le changement de la pression atmosphèrique et causé par l'homme ou par les machines.

은 : 문장 속에서 어떤 대상이 화제임을 나타내는 조사.
Pas d'expression équivalente
Particule indiquant qu'un objet est le principal sujet (de conversation) d'une phrase.

머물다 (verbe) : 도중에 멈추거나 일시적으로 어떤 곳에 묵다.
demeurer, rester
S'arrêter au milieu ou séjourner temporairement dans un endroit.

-ㄹ 수가 없다 : 앞에 오는 말이 나타내는 일이 가능하지 않음을 나타내는 표현.
Pas d'expression équivalente
Expression indiquant que la chose exprimée par les propos précédents n'est pas possible.

-는 거 : 명사가 아닌 것을 문장에서 명사처럼 쓰이게 하거나 '이다' 앞에 쓰일 수 있게 할 때 쓰는 표현.
Pas d'expression équivalente
Expression permettant d'utiliser un groupe non nominal comme un nom dans une phrase ou de l'utiliser avec '이다'.

이다 : 주어가 지시하는 대상의 속성이나 부류를 지정하는 뜻을 나타내는 서술격 조사.
Pas d'expression équivalente
Particule du cas prédicatif pour indiquer la caractéristique ou la catégorie d'un objet qui se rapporte au sujet d'une phrase.

-니 : (아주낮춤으로) 물음을 나타내는 종결 어미.
Pas d'expression équivalente
(forme non honorifique très marquée) Terminaison finale indiquant une interrogation.

피어나+는 나+의 맘+이 시들+[지 않]+게
내

피어나다 (verbe) : 어떤 느낌이나 생각 등이 일어나다.
Pas d'expression équivalente
(Impression, pensée, etc.) Se produire.

-는 : 앞의 말이 관형어의 기능을 하게 만들고 사건이나 동작이 현재 일어남을 나타내는 어미.
Pas d'expression équivalente
Terminaison attribuant la fonction de déterminant à la proposition précédente, et pour indiquer que la situation ou l'action en question se réalise au présent.

나 (pronom) : 말하는 사람이 친구나 아랫사람에게 자기를 가리키는 말.
je, moi, me
Terme employé par le locuteur pour se désigner, lorsqu'il s'adresse à une personne du même âge ou plus jeune.

의 : 앞의 말이 뒤의 말에 대하여 소유, 소속, 소재, 관계, 기원, 주체의 관계를 가짐을 나타내는 조사.
Pas d'expression équivalente
Particule pour indiquer que la proposition précédente prend une relation de possession, d'appartenance, d'emplacement, de relation, d'origine ou de sujet d'action par rapport à la proposition suivante.

맘 (nom) : 좋아하는 마음이나 관심.
cœur, affection, amabilité
Cœur aimant quelqu'un ou ayant de l'intérêt pour lui.

이 : 어떤 상태나 상황의 대상이나 동작의 주체를 나타내는 조사.
Pas d'expression équivalente
Particule qui indique l'objet d'un état ou d'une situation, ou le sujet d'une action.

시들다 (verbe) : 어떤 일에 대한 관심이나 기세가 이전보다 줄어들다.
s'atténuer, se perdre, se dégrader, se lasser, être fatigué de
(Intérêt ou enthousiasme) Diminuer par rapport à avant.

-지 않다 : 앞의 말이 나타내는 행위나 상태를 부정하는 뜻을 나타내는 표현.
Pas d'expression équivalente
Expression pour indiquer la négation d'une action ou d'un état précisé dans la proposition précédente.

-게 : 앞의 말이 뒤에서 가리키는 일의 목적이나 결과, 방식, 정도 등이 됨을 나타내는 연결 어미.
Pas d'expression équivalente
Terminaison connective indiquant que les propos précédents constituent l'objectif, le résultat, la méthode ou le degré des propos qui suivent.

그치+[지 않]+는 세차+ㄴ 비+를 뿌리+[어 주]+어.
세찬   뿌려 줘

그치다 (verbe) : 계속되던 일, 움직임, 현상 등이 계속되지 않고 멈추다.
s'arrêter, s'interrompre
(Action, mouvement, phénomène, etc. qui était en cours) Ne plus continuer et cesser.

-지 않다 : 앞의 말이 나타내는 행위나 상태를 부정하는 뜻을 나타내는 표현.
Pas d'expression équivalente
Expression pour indiquer la négation d'une action ou d'un état précisé dans la proposition précédente.

-는 : 앞의 말이 관형어의 기능을 하게 만들고 사건이나 동작이 현재 일어남을 나타내는 어미.
Pas d'expression équivalente
Terminaison attribuant la fonction de déterminant à la proposition précédente, et pour indiquer que la situation ou l'action en question se réalise au présent.

세차다 (adjectif) : 기운이나 일이 되어가는 형편 등이 힘 있고 거세다.
violent, vif
Dont la vitalité ou la situation du déroulement d'une action est puissante ou forte.

-ㄴ : 앞의 말이 관형어의 기능을 하게 만들고 현재의 상태를 나타내는 어미.
Pas d'expression équivalente
Terminaison donnant la fonction de déterminant à la proposition précédente et exprimant l'état présent.

비 (nom) : 높은 곳에서 구름을 이루고 있던 수증기가 식어서 뭉쳐 떨어지는 물방울.
pluie
Vapeur ayant formé des nuages en hauteur, s'étant refroidie et tombant en s'agglomérant sous forme de gouttes d'eau.

를 : 동작이 직접적으로 영향을 미치는 대상을 나타내는 조사.
Pas d'expression équivalente
Particule indiquant un objet directement influencé par un mouvement.

뿌리다 (verbe) : 눈이나 비 등이 날려 떨어지다. 또는 떨어지게 하다.
bruiner, pleuviner
(Neige, pluie, etc.) Tomber en s'envolant ; faire faire ainsi.

-어 주다 : 남을 위해 앞의 말이 나타내는 행동을 함을 나타내는 표현.
Pas d'expression équivalente
Expression indiquant le fait d'effectuer pour autrui une action exprimée par les propos précédents.

-어 : (두루낮춤으로) 어떤 사실을 서술하거나 물음, 명령, 권유를 나타내는 종결 어미.
Pas d'expression équivalente
(forme non honorifique non formelle) Terminaison finale pour décrire un fait ou pour indiquer une question, un ordre, ou une recommandation. <ordre>

어떤 <u>사람+이+ㄴ지</u> <u>궁금하+여</u>.
사람인지   궁금해

어떤 (déterminant) : 사람이나 사물의 특징, 내용, 성격, 성질, 모양 등이 무엇인지 물을 때 쓰는 말.
quel, quelle
Déterminant utilisé pour demander la caractéristique, le contenu, la propriété, le caractère, l'aspect, etc., de quelqu'un ou de quelque chose.

사람 (nom) : 생각할 수 있으며 언어와 도구를 만들어 사용하고 사회를 이루어 사는 존재.
homme, personne, gens, monsieur
Être pouvant penser, créer des langues, fabriquer des outils et vivre en société.

이다 : 주어가 지시하는 대상의 속성이나 부류를 지정하는 뜻을 나타내는 서술격 조사.
Pas d'expression équivalente
Particule du cas prédicatif pour indiquer la caractéristique ou la catégorie d'un objet qui se rapporte au sujet d'une phrase.

-ㄴ지 : 뒤에 오는 말의 내용에 대한 막연한 이유나 판단을 나타내는 연결 어미.
Pas d'expression équivalente
Terminaison connective indiquant une raison vague du contenu des propos suivants ou un jugement vague sur ce contenu.

궁금하다 (adjectif) : 무엇이 무척 알고 싶다.
curieux, intéressé
Qui est désireux d'apprendre quelque chose.

-여 : (두루낮춤으로) 어떤 사실을 서술하거나 물음, 명령, 권유를 나타내는 종결 어미.
Pas d'expression équivalente
(forme non honorifique non formelle) Terminaison finale pour décrire un fait ou pour indiquer une question, un ordre, ou une recommandation.

너+의 그 향기+가 <u>궁금하+여</u>.
궁금해

너 (pronom) : 듣는 사람이 친구나 아랫사람일 때, 그 사람을 가리키는 말.
tu, toi
Terme designant l'interlocuteur, quand celui-ci est un ami ou une personne de rang inférieur.

의 : 앞의 말이 뒤의 말에 대하여 소유, 소속, 소재, 관계, 기원, 주체의 관계를 가짐을 나타내는 조사.
Pas d'expression équivalente
Particule pour indiquer que la proposition précédente prend une relation de possession, d'appartenance, d'emplacement, de relation, d'origine ou de sujet d'action par rapport à la proposition suivante.

그 (déterminant) : 듣는 사람에게 가까이 있거나 듣는 사람이 생각하고 있는 대상을 가리킬 때 쓰는 말.
Pas d'expression équivalente
Terme désignant un objet qui se trouve à proximité de l'interlocuteur ou auquel l'interlocuteur pense.

향기 (nom) : 좋은 냄새.
parfum
Odeur agréable.

가 : 어떤 상태나 상황에 놓인 대상이나 동작의 주체를 나타내는 조사.
Pas d'expression équivalente
Particule indiquant l'objet d'un état ou d'une situation, ou le sujet d'une action.

궁금하다 (adjectif) : 무엇이 무척 알고 싶다.
curieux, intéressé
Qui est désireux d'apprendre quelque chose.

-여 : (두루낮춤으로) 어떤 사실을 서술하거나 물음, 명령, 권유를 나타내는 종결 어미.
Pas d'expression équivalente
(forme non honorifique non formelle) Terminaison finale pour décrire un fait ou pour indiquer une question, un ordre, ou une recommandation.

어떤 <u>사랑+이+ㄹ지</u> 너+의 그 느낌+이.
사랑일지

어떤 (déterminant) : 사람이나 사물의 특징, 내용, 성격, 성질, 모양 등이 무엇인지 물을 때 쓰는 말.
quel, quelle
Déterminant utilisé pour demander la caractéristique, le contenu, la propriété, le caractère, l'aspect, etc., de quelqu'un ou de quelque chose.

사랑 (nom) : 상대에게 성적으로 매력을 느껴 열렬히 좋아하는 마음.
amour, affection, tendresse
Sentiment d'amour passionné éprouvé pour l'autre partie en lui trouvant un charme sensuel.

이다 : 주어가 지시하는 대상의 속성이나 부류를 지정하는 뜻을 나타내는 서술격 조사.
Pas d'expression équivalente
Particule du cas prédicatif pour indiquer la caractéristique ou la catégorie d'un objet qui se rapporte au sujet d'une phrase.

-ㄹ지 : 어떠한 추측에 대한 막연한 의문을 갖고 그것을 뒤에 오는 말이 나타내는 사실이나 판단과 관련 시킬 때 쓰는 연결 어미.
Pas d'expression équivalente
Terminaison connective utilisée quand on fait un lien entre une supposition, et un fait ou un jugement exprimé par les propos suivants, tout en s'interrogeant vaguement sur cette supposition.

너 (pronom) : 듣는 사람이 친구나 아랫사람일 때, 그 사람을 가리키는 말.
tu, toi
Terme designant l'interlocuteur, quand celui-ci est un ami ou une personne de rang inférieur.

의 : 앞의 말이 뒤의 말에 대하여 소유, 소속, 소재, 관계, 기원, 주체의 관계를 가짐을 나타내는 조사.
Pas d'expression équivalente
Particule pour indiquer que la proposition précédente prend une relation de possession, d'appartenance, d'emplacement, de relation, d'origine ou de sujet d'action par rapport à la proposition suivante.

그 (déterminant) : 듣는 사람에게 가까이 있거나 듣는 사람이 생각하고 있는 대상을 가리킬 때 쓰는 말.
Pas d'expression équivalente
Terme désignant un objet qui se trouve à proximité de l'interlocuteur ou auquel l'interlocuteur pense.

느낌 (nom) : 몸이나 마음에서 일어나는 기분이나 감정.
sentiment, sensation, impression
Humeur ou impression que l'on ressent au niveau du corps et de l'esprit.

이 : 어떤 상태나 상황의 대상이나 동작의 주체를 나타내는 조사.
Pas d'expression équivalente
Particule qui indique l'objet d'un état ou d'une situation, ou le sujet d'une action.

<u>궁금하+여</u>, <u>궁금하+여</u>, <u>궁금하+여</u>, <u>궁금하+여</u>, <u>궁금하+여</u>.
궁금해   **궁금해**   **궁금해**   **궁금해**   **궁금해**

궁금하다 (adjectif) : 무엇이 무척 알고 싶다.
curieux, intéressé
Qui est désireux d'apprendre quelque chose.

-여 : (두루낮춤으로) 어떤 사실을 서술하거나 물음, 명령, 권유를 나타내는 종결 어미.

Pas d'expression équivalente

(forme non honorifique non formelle) Terminaison finale pour décrire un fait ou pour indiquer une question, un ordre, ou une recommandation.

< 2 절(couplet) >

<u>감미롭(감미로우)+ㄴ</u> 미소+로 [눈을 맞추]+면서
　　감미로운

감미롭다 (adjectif) : 달콤한 느낌이 있다.

doux, suave

Qui est d'une douceur délicieuse.

-ㄴ : 앞의 말이 관형어의 기능을 하게 만들고 현재의 상태를 나타내는 어미.

Pas d'expression équivalente

Terminaison donnant la fonction de déterminant à la proposition précédente et exprimant l'état présent.

미소 (nom) : 소리 없이 빙긋이 웃는 웃음.

sourire

Expression légèrement rieuse sans son sur le visage.

로 : 어떤 일의 방법이나 방식을 나타내는 조사.

par, à

Particule indiquant la méthode ou la manière de faire quelque chose.

눈을 맞추다 (phrase idiomatique) : 서로 눈을 마주 보다.

accorder ses yeux

Se regarder dans les yeux l'un l'autre.

-면서 : 두 가지 이상의 동작이나 상태가 함께 일어남을 나타내는 연결 어미.

Pas d'expression équivalente

Terminaison connective indiquant que plus de deux actions ou états surviennent en même temps.

고개+만 끄덕이+다 말없이 <u>사라지+어</u>.
사라져

고개 (nom) : 목을 포함한 머리 부분.
cou, nuque
Partie de la tête composée du cou.

만 : 다른 것은 제외하고 어느 것을 한정함을 나타내는 조사.
Pas d'expression équivalente
Particule exprimant la limitation à une certaine chose en éliminant les autres.

끄덕이다 (verbe) : 머리를 가볍게 아래위로 움직이다.
hocher la tête, faire signe de la tête
Bouger légèrement la tête, de haut en bas.

-다 : 어떤 행동이나 상태 등이 중단되고 다른 행동이나 상태로 바뀜을 나타내는 연결 어미.
Pas d'expression équivalente
Terminaison connective indiquant que l'action, l'état, etc., du sujet prend fin et se transforme en une autre action ou en un autre état.

말없이 (adverbe) : 아무 말도 하지 않고.
sans rien dire
Sans dire un mot.

사라지다 (verbe) : 어떤 현상이나 물체의 자취 등이 없어지다.
Pas d'expression équivalente
(Phénomène ou traces de quelque chose) Disparaître.

-어 : (두루낮춤으로) 어떤 사실을 서술하거나 물음, 명령, 권유를 나타내는 종결 어미.
Pas d'expression équivalente
(forme non honorifique non formelle) Terminaison finale pour décrire un fait ou pour indiquer une question, un ordre, ou une recommandation. <description>

파도+처럼 <u>밀려들(밀려드)+는</u> 사랑+이 <u>보이+어</u>.
밀려드는   보여

파도 (nom) : 바다에 이는 물결.
vague
Courant d'eau qui s'agite en mer.

처럼 : 모양이나 정도가 서로 비슷하거나 같음을 나타내는 조사.
comme, à la manière de, non moins que
Particule indiquant la similarité ou le caractère identique réciproque dans l'aspect ou le degré.

밀려들다 (verbe) : 한꺼번에 많이 몰려 들어오다.
arriver en foule
Être poussé et entrer en masse.

–는 : 앞의 말이 관형어의 기능을 하게 만들고 사건이나 동작이 현재 일어남을 나타내는 어미.
Pas d'expression équivalente
Terminaison attribuant la fonction de déterminant à la proposition précédente, et pour indiquer que la situation ou l'action en question se réalise au présent.

사랑 (nom) : 상대에게 성적으로 매력을 느껴 열렬히 좋아하는 마음.
amour, affection, tendresse
Sentiment d'amour passionné éprouvé pour l'autre partie en lui trouvant un charme sensuel.

이 : 어떤 상태나 상황의 대상이나 동작의 주체를 나타내는 조사.
Pas d'expression équivalente
Particule qui indique l'objet d'un état ou d'une situation, ou le sujet d'une action.

보이다 (verbe) : 눈으로 대상의 존재나 겉모습을 알게 되다.
se montrer, apparaître, paraître, se voir, se faire voir, se présenter aux yeux, tomber sous les yeux, entrer dans le champ visuel
(Existence ou apparence d'un objet) Être aperçu avec les yeux.

–어 : (두루낮춤으로) 어떤 사실을 서술하거나 물음, 명령, 권유를 나타내는 종결 어미.
Pas d'expression équivalente
(forme non honorifique non formelle) Terminaison finale pour décrire un fait ou pour indiquer une question, un ordre, ou une recommandation. <description>

바람+처럼 스치+는 사랑+이 <u>느끼+어지+어</u>.
느껴져

바람 (nom) : 기압의 변화 또는 사람이나 기계에 의해 일어나는 공기의 움직임.
vent, brise, air
Mouvement de l'air produit par le changement de la pression atmosphèrique et causé par l'homme ou par les machines.

처럼 : 모양이나 정도가 서로 비슷하거나 같음을 나타내는 조사.
comme, à la manière de, non moins que
Particule indiquant la similarité ou le caractère identique réciproque dans l'aspect ou le degré.

스치다 (verbe) : 냄새, 바람, 소리 등이 약하게 잠시 느껴지다.
caresser, effleurer
(Odeur, vent ou son) Se faire ressentir légèrement un moment.

-는 : 앞의 말이 관형어의 기능을 하게 만들고 사건이나 동작이 현재 일어남을 나타내는 어미.
Pas d'expression équivalente
Terminaison attribuant la fonction de déterminant à la proposition précédente, et pour indiquer que la situation ou l'action en question se réalise au présent.

사랑 (nom) : 상대에게 성적으로 매력을 느껴 열렬히 좋아하는 마음.
amour, affection, tendresse
Sentiment d'amour passionné éprouvé pour l'autre partie en lui trouvant un charme sensuel.

이 : 어떤 상태나 상황의 대상이나 동작의 주체를 나타내는 조사.
Pas d'expression équivalente
Particule qui indique l'objet d'un état ou d'une situation, ou le sujet d'une action.

느끼다 (verbe) : 마음속에서 어떤 감정을 경험하다.
sentir, ressentir, éprouver
Faire l'expérience d'un sentiment dans le cœur.

-어지다 : 앞에 오는 말이 나타내는 상태로 점점 되어 감을 나타내는 표현.
Pas d'expression équivalente
Expression pour indiquer que l'état de la proposition précédente est atteint petit à petit.

-어 : (두루낮춤으로) 어떤 사실을 서술하거나 물음, 명령, 권유를 나타내는 종결 어미.
Pas d'expression équivalente
(forme non honorifique non formelle) Terminaison finale pour décrire un fait ou pour indiquer une question, un ordre, ou une recommandation. <description>

타오르+는 열정+이 꺼지+[지 않]+게

타오르다 (verbe) : 마음이 불같이 뜨거워지다.
enflammer, enfiévrer
(Sentiment) Devenir chaud comme le feu.

-는 : 앞의 말이 관형어의 기능을 하게 만들고 사건이나 동작이 현재 일어남을 나타내는 어미.
Pas d'expression équivalente
Terminaison attribuant la fonction de déterminant à la proposition précédente, et pour indiquer que la situation ou l'action en question se réalise au présent.

열정 (nom) : 어떤 일에 뜨거운 애정을 가지고 열심히 하는 마음.
passion, ardeur
État affectif de faire quelque chose avec enthousiasme.

이 : 어떤 상태나 상황의 대상이나 동작의 주체를 나타내는 조사.
Pas d'expression équivalente
Particule qui indique l'objet d'un état ou d'une situation, ou le sujet d'une action.

꺼지다 (verbe) : 어떤 감정이 풀어지거나 사라지다.
s'éteindre, s'apaiser, se calmer
(Sentiment) S'atténuer ou disparaître.

-지 않다 : 앞의 말이 나타내는 행위나 상태를 부정하는 뜻을 나타내는 표현.
Pas d'expression équivalente
Expression pour indiquer la négation d'une action ou d'un état précisé dans la proposition précédente.

-게 : 앞의 말이 뒤에서 가리키는 일의 목적이나 결과, 방식, 정도 등이 됨을 나타내는 연결 어미.
Pas d'expression équivalente
Terminaison connective indiquant que les propos précédents constituent l'objectif, le résultat, la méthode ou le degré des propos qui suivent.

폭풍+이 되+어 나+에게 다가오+[아 주]+어.
내게   다가와 줘

폭풍 (nom) : 매우 세차게 부는 바람.
vent violent, ouragan, tempête
Vent soufflant violemment.

이 : 바뀌게 되는 대상이나 부정하는 대상임을 나타내는 조사.
Pas d'expression équivalente
Particule qui indique une personne ou une chose qui change ou qui est niée.

되다 (verbe) : 다른 것으로 바뀌거나 변하다.
devenir, se transformer en
Être changé ou transformé en autre chose.

-어 : 앞의 말이 뒤의 말보다 먼저 일어났거나 뒤의 말에 대한 방법이나 수단이 됨을 나타내는 연결 어미.
Pas d'expression équivalente
Terminaison connective indiquant que la proposition précédente s'est réalisée avant la suivante, ou qu'elle constitue une méthode ou un moyen pour accomplir ce qui est dans la proposition suivante.

나 (pronom) : 말하는 사람이 친구나 아랫사람에게 자기를 가리키는 말.
je, moi, me
Terme employé par le locuteur pour se désigner, lorsqu'il s'adresse à une personne du même âge ou plus jeune.

에게 : 어떤 행동이 미치는 대상임을 나타내는 조사.
Pas d'expression équivalente
Particule indiquant l'objet affecté par une action.

다가오다 (verbe) : 어떤 대상이 있는 쪽으로 가까이 옮기어 오다.
se rapprocher de, approcher, s'approcher, venir près de, venir à
Se déplacer pour aller là où se trouve un objet.

-아 주다 : 남을 위해 앞의 말이 나타내는 행동을 함을 나타내는 표현.
Pas d'expression équivalente
Expression indiquant le fait d'effectuer pour autrui une action exprimée par les propos précédents.

-어 : (두루낮춤으로) 어떤 사실을 서술하거나 물음, 명령, 권유를 나타내는 종결 어미.
Pas d'expression équivalente
(forme non honorifique non formelle) Terminaison finale pour décrire un fait ou pour indiquer une question, un ordre, ou une recommandation. <ordre>

어떤 <u>사람+이+ㄴ지</u> <u>궁금하+여</u>.
　　　사람인지　　　궁금해

어떤 (déterminant) : 사람이나 사물의 특징, 내용, 성격, 성질, 모양 등이 무엇인지 물을 때 쓰는 말.
quel, quelle
Déterminant utilisé pour demander la caractéristique, le contenu, la propriété, le caractère, l'aspect, etc., de quelqu'un ou de quelque chose.

사람 (nom) : 생각할 수 있으며 언어와 도구를 만들어 사용하고 사회를 이루어 사는 존재.
homme, personne, gens, monsieur
Être pouvant penser, créer des langues, fabriquer des outils et vivre en société.

이다 : 주어가 지시하는 대상의 속성이나 부류를 지정하는 뜻을 나타내는 서술격 조사.

Pas d'expression équivalente

Particule du cas prédicatif pour indiquer la caractéristique ou la catégorie d'un objet qui se rapporte au sujet d'une phrase.

-ㄴ지 : 뒤에 오는 말의 내용에 대한 막연한 이유나 판단을 나타내는 연결 어미.

Pas d'expression équivalente

Terminaison connective indiquant une raison vague du contenu des propos suivants ou un jugement vague sur ce contenu.

궁금하다 (adjectif) : 무엇이 무척 알고 싶다.

curieux, intéressé

Qui est désireux d'apprendre quelque chose.

-여 : (두루낮춤으로) 어떤 사실을 서술하거나 물음, 명령, 권유를 나타내는 종결 어미.

Pas d'expression équivalente

(forme non honorifique non formelle) Terminaison finale pour décrire un fait ou pour indiquer une question, un ordre, ou une recommandation.

너+의 그 향기+가 궁금하+여.
궁금해

너 (pronom) : 듣는 사람이 친구나 아랫사람일 때, 그 사람을 가리키는 말.

tu, toi

Terme designant l'interlocuteur, quand celui-ci est un ami ou une personne de rang inférieur.

의 : 앞의 말이 뒤의 말에 대하여 소유, 소속, 소재, 관계, 기원, 주체의 관계를 가짐을 나타내는 조사.

Pas d'expression équivalente

Particule pour indiquer que la proposition précédente prend une relation de possession, d'appartenance, d'emplacement, de relation, d'origine ou de sujet d'action par rapport à la proposition suivante.

그 (déterminant) : 듣는 사람에게 가까이 있거나 듣는 사람이 생각하고 있는 대상을 가리킬 때 쓰는 말.

Pas d'expression équivalente

Terme désignant un objet qui se trouve à proximité de l'interlocuteur ou auquel l'interlocuteur pense.

향기 (nom) : 좋은 냄새.

parfum

Odeur agréable.

가 : 어떤 상태나 상황에 놓인 대상이나 동작의 주체를 나타내는 조사.
Pas d'expression équivalente
Particule indiquant l'objet d'un état ou d'une situation, ou le sujet d'une action.

궁금하다 (adjectif) : 무엇이 무척 알고 싶다.
curieux, intéressé
Qui est désireux d'apprendre quelque chose.

-여 : (두루낮춤으로) 어떤 사실을 서술하거나 물음, 명령, 권유를 나타내는 종결 어미.
Pas d'expression équivalente
(forme non honorifique non formelle) Terminaison finale pour décrire un fait ou pour indiquer une question, un ordre, ou une recommandation.

어떤 <u>사랑+이+ㄹ지</u> 너+의 그 느낌+이.
사랑일지

어떤 (déterminant) : 사람이나 사물의 특징, 내용, 성격, 성질, 모양 등이 무엇인지 물을 때 쓰는 말.
quel, quelle
Déterminant utilisé pour demander la caractéristique, le contenu, la propriété, le caractère, l'aspect, etc., de quelqu'un ou de quelque chose.

사랑 (nom) : 상대에게 성적으로 매력을 느껴 열렬히 좋아하는 마음.
amour, affection, tendresse
Sentiment d'amour passionné éprouvé pour l'autre partie en lui trouvant un charme sensuel.

이다 : 주어가 지시하는 대상의 속성이나 부류를 지정하는 뜻을 나타내는 서술격 조사.
Pas d'expression équivalente
Particule du cas prédicatif pour indiquer la caractéristique ou la catégorie d'un objet qui se rapporte au sujet d'une phrase.

-ㄹ지 : 어떠한 추측에 대한 막연한 의문을 갖고 그것을 뒤에 오는 말이 나타내는 사실이나 판단과 관련시킬 때 쓰는 연결 어미.
Pas d'expression équivalente
Terminaison connective utilisée quand on fait un lien entre une supposition, et un fait ou un jugement exprimé par les propos suivants, tout en s'interrogeant vaguement sur cette supposition.

너 (pronom) : 듣는 사람이 친구나 아랫사람일 때, 그 사람을 가리키는 말.
tu, toi
Terme designant l'interlocuteur, quand celui-ci est un ami ou une personne de rang inférieur.

의 : 앞의 말이 뒤의 말에 대하여 소유, 소속, 소재, 관계, 기원, 주체의 관계를 가짐을 나타내는 조사.
Pas d'expression équivalente
Particule pour indiquer que la proposition précédente prend une relation de possession, d'appartenance, d'emplacement, de relation, d'origine ou de sujet d'action par rapport à la proposition suivante.

그 (déterminant) : 듣는 사람에게 가까이 있거나 듣는 사람이 생각하고 있는 대상을 가리킬 때 쓰는 말.
Pas d'expression équivalente
Terme désignant un objet qui se trouve à proximité de l'interlocuteur ou auquel l'interlocuteur pense.

느낌 (nom) : 몸이나 마음에서 일어나는 기분이나 감정.
sentiment, sensation, impression
Humeur ou impression que l'on ressent au niveau du corps et de l'esprit.

이 : 어떤 상태나 상황의 대상이나 동작의 주체를 나타내는 조사.
Pas d'expression équivalente
Particule qui indique l'objet d'un état ou d'une situation, ou le sujet d'une action.

궁금하+여, 궁금하+여, 궁금하+여, 궁금하+여, 궁금하+여.
궁금해　　궁금해　　궁금해　　궁금해　　궁금해

궁금하다 (adjectif) : 무엇이 무척 알고 싶다.
curieux, intéressé
Qui est désireux d'apprendre quelque chose.

-여 : (두루낮춤으로) 어떤 사실을 서술하거나 물음, 명령, 권유를 나타내는 종결 어미.
Pas d'expression équivalente
(forme non honorifique non formelle) Terminaison finale pour décrire un fait ou pour indiquer une question, un ordre, ou une recommandation.

< 3 절(couplet) >

바람+을 붙잡+[을 수 없]+더라도.

바람 (nom) : 기압의 변화 또는 사람이나 기계에 의해 일어나는 공기의 움직임.
vent, brise, air
Mouvement de l'air produit par le changement de la pression atmosphèrique et causé par l'homme ou par les machines.

을 : 동작이 직접적으로 영향을 미치는 대상을 나타내는 조사.
Pas d'expression équivalente
Particule indiquant un objet directement influencé par un acte.

붙잡다 (verbe) : 무엇을 놓치지 않도록 단단히 잡다.
tenir, attraper
Saisir fermement quelque chose de manière à ne pas le laisser échapper.

-을 수 없다 : 앞에 오는 말이 나타내는 일이 가능하지 않음을 나타내는 표현.
Pas d'expression équivalente
Expression indiquant que la proposition précédente est impossible.

-더라도 : 앞에 오는 말을 가정하거나 인정하지만 뒤에 오는 말에는 관계가 없거나 영향을 끼치지 않음을 나타내는 연결 어미.
Pas d'expression équivalente
Terminaison connective indiquant que bien que l'on suppose ou reconnaisse les propos précédents, ceux-ci n'ont aucun rapport ou n'exercent aucune influence sur les propos suivants.

파도+가 비+에 젖+[지 않]+더라도.

파도 (nom) : 바다에 이는 물결.
vague
Courant d'eau qui s'agite en mer.

가 : 어떤 상태나 상황에 놓인 대상이나 동작의 주체를 나타내는 조사.
Pas d'expression équivalente
Particule indiquant l'objet d'un état ou d'une situation, ou le sujet d'une action.

비 (nom) : 높은 곳에서 구름을 이루고 있던 수증기가 식어서 뭉쳐 떨어지는 물방울.
pluie
Vapeur ayant formé des nuages en hauteur, s'étant refroidie et tombant en s'agglomérant sous forme de gouttes d'eau.

에 : 앞말이 어떤 일의 원인임을 나타내는 조사.
à, par, pour, de
Particule indiquant que la proposition précédente (en coréen) est la cause de quelque chose.

젖다 (verbe) : 액체가 스며들어 축축해지다.
se mouiller, se tremper
Devenir mouillé après être entré en contact avec du liquide.

-지 않다 : 앞의 말이 나타내는 행위나 상태를 부정하는 뜻을 나타내는 표현.
Pas d'expression équivalente
Expression pour indiquer la négation d'une action ou d'un état précisé dans la proposition précédente.

-더라도 : 앞에 오는 말을 가정하거나 인정하지만 뒤에 오는 말에는 관계가 없거나 영향을 끼치지 않음을 나타내는 연결 어미.
Pas d'expression équivalente
Terminaison connective indiquant que bien que l'on suppose ou reconnaisse les propos précédents, ceux-ci n'ont aucun rapport ou n'exercent aucune influence sur les propos suivants.

내일+은 가슴+이 아프+더라도.

내일 (nom) : 오늘의 다음 날.
demain
Jour suivant aujourd'hui.

은 : 문장 속에서 어떤 대상이 화제임을 나타내는 조사.
Pas d'expression équivalente
Particule indiquant qu'un objet est le principal sujet (de conversation) d'une phrase.

가슴 (nom) : 마음이나 느낌.
cœur
Cœur ou sentiment.

이 : 어떤 상태나 상황의 대상이나 동작의 주체를 나타내는 조사.
Pas d'expression équivalente
Particule qui indique l'objet d'un état ou d'une situation, ou le sujet d'une action.

아프다 (adjectif) : 슬픔이나 연민으로 마음에 괴로운 느낌이 있다.

dur, peiné

Avoir un sentiment de douleur dans son cœur suite à un sentiment de tristesse ou de pitié.

-더라도 : 앞에 오는 말을 가정하거나 인정하지만 뒤에 오는 말에는 관계가 없거나 영향을 끼치지 않음을 나타내는 연결 어미.

Pas d'expression équivalente

Terminaison connective indiquant que bien que l'on suppose ou reconnaisse les propos précédents, ceux-ci n'ont aucun rapport ou n'exercent aucune influence sur les propos suivants.

미련+과 후회+만 남+더라도.

미련 (nom) : 잊어버리거나 그만두어야 할 것을 깨끗이 잊거나 포기하지 못하고 여전히 끌리는 마음.

regret, attachement

Fait de ne pas avoir complètement oublié ou abandonné quelque chose que l'on devrait, et d'y être encore attaché.

과 : 앞과 뒤의 명사를 같은 자격으로 이어 줄 때 쓰는 조사.

Pas d'expression équivalente

Particule utilisée pour lier à un même titre les deux noms la précédent et la suivant.

후회 (nom) : 이전에 자신이 한 일이 잘못임을 깨닫고 스스로 자신의 잘못을 꾸짖음.

regret, remords, repentir, repentance

Action de prendre conscience d'une faute passée et de s'en vouloir.

만 : 다른 것은 제외하고 어느 것을 한정함을 나타내는 조사.

Pas d'expression équivalente

Particule exprimant la limitation à une certaine chose en éliminant les autres.

남다 (verbe) : 잊히지 않다.

rester

Ne pas pouvoir être oublié.

-더라도 : 앞에 오는 말을 가정하거나 인정하지만 뒤에 오는 말에는 관계가 없거나 영향을 끼치지 않음을 나타내는 연결 어미.

Pas d'expression équivalente

Terminaison connective indiquant que bien que l'on suppose ou reconnaisse les propos précédents, ceux-ci n'ont aucun rapport ou n'exercent aucune influence sur les propos suivants.

어떤 <u>사람+이+ㄴ지</u> <u>궁금하+여</u>.
　　　사람인지　　　궁금해

어떤 (déterminant) : 사람이나 사물의 특징, 내용, 성격, 성질, 모양 등이 무엇인지 물을 때 쓰는 말.
quel, quelle
Déterminant utilisé pour demander la caractéristique, le contenu, la propriété, le caractère, l'aspect, etc., de quelqu'un ou de quelque chose.

사람 (nom) : 생각할 수 있으며 언어와 도구를 만들어 사용하고 사회를 이루어 사는 존재.
homme, personne, gens, monsieur
Être pouvant penser, créer des langues, fabriquer des outils et vivre en société.

이다 : 주어가 지시하는 대상의 속성이나 부류를 지정하는 뜻을 나타내는 서술격 조사.
Pas d'expression équivalente
Particule du cas prédicatif pour indiquer la caractéristique ou la catégorie d'un objet qui se rapporte au sujet d'une phrase.

-ㄴ지 : 뒤에 오는 말의 내용에 대한 막연한 이유나 판단을 나타내는 연결 어미.
Pas d'expression équivalente
Terminaison connective indiquant une raison vague du contenu des propos suivants ou un jugement vague sur ce contenu.

궁금하다 (adjectif) : 무엇이 무척 알고 싶다.
curieux, intéressé
Qui est désireux d'apprendre quelque chose.

-여 : (두루낮춤으로) 어떤 사실을 서술하거나 물음, 명령, 권유를 나타내는 종결 어미.
Pas d'expression équivalente
(forme non honorifique non formelle) Terminaison finale pour décrire un fait ou pour indiquer une question, un ordre, ou une recommandation.

너+의 그 향기+가 <u>궁금하+여</u>.
　　　　　　　　궁금해

너 (pronom) : 듣는 사람이 친구나 아랫사람일 때, 그 사람을 가리키는 말.
tu, toi
Terme designant l'interlocuteur, quand celui-ci est un ami ou une personne de rang inférieur.

의 : 앞의 말이 뒤의 말에 대하여 소유, 소속, 소재, 관계, 기원, 주체의 관계를 가짐을 나타내는 조사.
Pas d'expression équivalente
Particule pour indiquer que la proposition précédente prend une relation de possession, d'appartenance, d'emplacement, de relation, d'origine ou de sujet d'action par rapport à la proposition suivante.

그 (déterminant) : 듣는 사람에게 가까이 있거나 듣는 사람이 생각하고 있는 대상을 가리킬 때 쓰는 말.
Pas d'expression équivalente
Terme désignant un objet qui se trouve à proximité de l'interlocuteur ou auquel l'interlocuteur pense.

향기 (nom) : 좋은 냄새.
parfum
Odeur agréable.

가 : 어떤 상태나 상황에 놓인 대상이나 동작의 주체를 나타내는 조사.
Pas d'expression équivalente
Particule indiquant l'objet d'un état ou d'une situation, ou le sujet d'une action.

궁금하다 (adjectif) : 무엇이 무척 알고 싶다.
curieux, intéressé
Qui est désireux d'apprendre quelque chose.

-여 : (두루낮춤으로) 어떤 사실을 서술하거나 물음, 명령, 권유를 나타내는 종결 어미.
Pas d'expression équivalente
(forme non honorifique non formelle) Terminaison finale pour décrire un fait ou pour indiquer une question, un ordre, ou une recommandation.

어떤 사랑+이+ㄹ지 너+의 그 느낌+이.
사랑일지

어떤 (déterminant) : 사람이나 사물의 특징, 내용, 성격, 성질, 모양 등이 무엇인지 물을 때 쓰는 말.
quel, quelle
Déterminant utilisé pour demander la caractéristique, le contenu, la propriété, le caractère, l'aspect, etc., de quelqu'un ou de quelque chose.

사랑 (nom) : 상대에게 성적으로 매력을 느껴 열렬히 좋아하는 마음.
amour, affection, tendresse
Sentiment d'amour passionné éprouvé pour l'autre partie en lui trouvant un charme sensuel.

이다 : 주어가 지시하는 대상의 속성이나 부류를 지정하는 뜻을 나타내는 서술격 조사.
Pas d'expression équivalente
Particule du cas prédicatif pour indiquer la caractéristique ou la catégorie d'un objet qui se rapporte au sujet d'une phrase.

-ㄹ지 : 어떠한 추측에 대한 막연한 의문을 갖고 그것을 뒤에 오는 말이 나타내는 사실이나 판단과 관련
시킬 때 쓰는 연결 어미.
Pas d'expression équivalente
Terminaison connective utilisée quand on fait un lien entre une supposition, et un fait ou un jugement exprimé par les propos suivants, tout en s'interrogeant vaguement sur cette supposition.

너 (pronom) : 듣는 사람이 친구나 아랫사람일 때, 그 사람을 가리키는 말.
tu, toi
Terme designant l'interlocuteur, quand celui-ci est un ami ou une personne de rang inférieur.

의 : 앞의 말이 뒤의 말에 대하여 소유, 소속, 소재, 관계, 기원, 주체의 관계를 가짐을 나타내는 조사.
Pas d'expression équivalente
Particule pour indiquer que la proposition précédente prend une relation de possession, d'appartenance, d'emplacement, de relation, d'origine ou de sujet d'action par rapport à la proposition suivante.

그 (déterminant) : 듣는 사람에게 가까이 있거나 듣는 사람이 생각하고 있는 대상을 가리킬 때 쓰는 말.
Pas d'expression équivalente
Terme désignant un objet qui se trouve à proximité de l'interlocuteur ou auquel l'interlocuteur pense.

느낌 (nom) : 몸이나 마음에서 일어나는 기분이나 감정.
sentiment, sensation, impression
Humeur ou impression que l'on ressent au niveau du corps et de l'esprit.

이 : 어떤 상태나 상황의 대상이나 동작의 주체를 나타내는 조사.
Pas d'expression équivalente
Particule qui indique l'objet d'un état ou d'une situation, ou le sujet d'une action.

궁금하+여, 궁금하+여, 궁금하+여, 궁금하+여, 궁금하+여.
궁금해   궁금해   궁금해   궁금해   궁금해

궁금하다 (adjectif) : 무엇이 무척 알고 싶다.
curieux, intéressé
Qui est désireux d'apprendre quelque chose.

-여 : (두루낮춤으로) 어떤 사실을 서술하거나 물음, 명령, 권유를 나타내는 종결 어미.

Pas d'expression équivalente

(forme non honorifique non formelle) Terminaison finale pour décrire un fait ou pour indiquer une question, un ordre, ou une recommandation.

< 참고(prise en compte) 문헌(bibliographie) >

고려대학교 한국어대사전, 고려대학교 민족문화연구원, 2009
우리말샘, 국립국어원, 2016
표준국어대사전, 국립국어원, 1999
한국어교육 문법 자료편, 한글파크, 2016
한국어 교육학 사전, 하우, 2014
한국어기초사전, 국립국어원, 2016
한국어 문법 총론 Ⅰ, 집문당, 2015

HANPUK

노래로 배우는 한국어 1 français(traduction)

발 행 | 2024년 6월 13일
저 자 | 주식회사 한글2119연구소
펴낸이 | 한건희
펴낸곳 | 주식회사 부크크
출판사등록 | 2014.07.15.(제2014-16호)
주 소 | 서울특별시 금천구 가산디지털1로 119 SK트윈타워 A동 305호
전 화 | 1670-8316
이메일 | info@bookk.co.kr

ISBN | 979-11-410-8951-1

www.bookk.co.kr